Das bunte
Tierlexikon
für Kinder

Wolf Kaser

Das bunte Tierlexikon für Kinder von A bis Z

Der Text dieses Buches entspricht den Regeln der neuen deutschen Rechtschreibung.

Layout: Ulrike Böck
Redaktion: Dr. Wolf Kaser
Herstellung: Redaktionsbüro Böck

817 2635 4453

10520X03 02 01 00

Vorwort

Viele Menschen meinen, dass ein Tierlexikon heute keine großen Neuigkeiten mehr enthält. Tatsächlich sind die Rekorde in der Tierwelt hinlänglich bekannt. Es wird niemanden vor Erstaunen umwerfen, dass der Blauwal mit seinen 30 m Länge und seinem Gewicht von 130 t das größte Lebewesen ist, das jemals die Erde bevölkerte. Dass der Gepard mit über 100 km/h am schnellsten von allen Tieren laufen kann, ist eigentlich auch schon fast ein alter Hut. Ebenso, dass der Andenkondor mit seiner Flügelspannweite von 3 m der größte Greifvogel ist und der afrikanische Strauß der größte Vogel überhaupt.

Die Negativrekorde in der Tierwelt sind schon nicht ganz so geläufig. Zum Beispiel, dass die Etruskische Spitzmaus das kleinste Säugetier der Erde ist. Ihr zierlicher Körper ist nur 8 cm lang und wiegt nur 2 g. Auch über den kleinsten Schmetterling der Erde, die nur 2 mm große Zwergmotte, haben sich bislang wohl nur die wenigsten Gedanken gemacht.

Dieses Lexikon enthält solche Rekorde und noch viel Wissenswertes mehr über die Tiere. Eine Besonderheit dieses Buches ist, dass es neben den trockenen zoologischen Fakten auch höchst Interessantes über das Wesen und das Verhalten mancher Tiere beschreibt.

So lernt der Leser Seiten an einzelnen Tieren kennen, die ihm vorher wahrscheinlich nicht bekannt waren. Hier kann man nachlesen,

- dass ein Alligatorweibchen keine Bestie ist, sondern eine treusorgende Mutter, die ihren Jungen beim Schlüpfen aus den Eiern hilft;
- dass der Basilisk, eine Echse aus Südmexiko, vor seinen Angreifern flieht, indem er blitzschnell auf seinen Hinterbeinen über eine Wasserfläche läuft, ohne dabei einzusinken;
- dass ein junger Buchfink sein Lied von seinem Vater lernt, wodurch Buchfinken aus verschiedenen Gebieten ganz verschiedene »Dialekte« singen;
- dass der riesige Elch ein guter Schwimmer ist, der am Grund von Gewässern nach Wasserpflanzen taucht;
- dass afrikanische Fischer das aggressive Flusspferd mehr fürchten als das Krokodil;
- dass der Fregattvogel mit seinen 2,3 m großen Flügeln der einzige Vogel ist, der die schnellen Fliegenden Fische in der Luft fangen kann;
- dass es 6 Stunden dauern kann, bis ein riesiger Schwarm von Wanderheuschrecken vorübergezogen ist;
- dass bei den afrikanischen Hyänenhunden die Jungen und Schwachen eine Sonderstellung haben und als Erste von der gemeinsamen Beute fressen dürfen;
- dass der Mungo eines der wenigen Tiere ist, das sogar eine Kobra besiegen kann, weil er ihren tödlichen Bissen geschickt ausweicht, bis die Schlange endlich müde wird;

– dass die Rabenmutter bei großer Hitze zu einem Gewässer fliegt und dort mit der Brust in das Wasser taucht, um damit ihre Jungen abzukühlen oder

– dass der Königsgeier wahrscheinlich der einzige Vogel auf der Welt ist, der etwas riechen kann.

Dieses Lexikon für Kinder ist alphabetisch aufgebaut, ungeachtet der zoologischen Zuordnung, um sicherzustellen, dass auch der Laie ein bestimmtes Tier rasch findet. Auf eine naturwissenschaftliche Ausdrucksweise wurde so weit wie möglich verzichtet. Ein Glossar als Schlusskapitel erläutert diejenigen zoologischen Fachbegriffe, deren Verwendung in diesem Lexikon aus Verständnisgründen erforderlich ist.

Auch die Verwendung von Abkürzungen beschränkt sich auf ein Mindestmaß üblicher und damit folgender Abkürzungen:

cm	**Zentimeter**	**km/h**	**Kilometer pro Stunde**
g	**Gramm**	**m**	**Meter**
kg	**Kilogramm**	**mm**	**Millimeter**
km	**Kilometer**	**t**	**Tonne**

Als Abbildungen werden ausschließlich Fotografien verwendet, um dem Leser größtmögliche Anschaulichkeit und Naturtreue zu bieten. Die Verwendung von Illustrationen beschränkt sich auf die Sonderseiten. Hier erhält der Leser einen wissenswerten Überblick über Amphibien, Fische, Reptilien, Vögel und die Wirbeltiere im Allgemeinen. Die Informationssuche im Lexikon wird darüber hinaus durch Verweise (⇨) erleichtert.

Wenn der Leser dieses Buch zur Hand nimmt, ist vielleicht das eine oder andere geschilderte Tier in der freien Natur bereits ausgestorben. Es ist deshalb ein Anliegen dieses Buches, Verständnis für unsere Mitgeschöpfe zu wecken und auf die Bedrohung hinzuweisen, die vielen Arten durch das Vordringen der Zivilisation, aber leider auch durch die gedankenlose Ausbeutung der Natur durch die Menschen entsteht.

Wichtige Voraussetzung für ein erfolgreiches Bemühen, die Tiere in ihrem Lebensraum zu erhalten, ist das Wissen um ihre Eigenarten und ihre Lebensgewohnheiten. Ihre Chancen, in unserer Welt zu überleben, wachsen mit der Zahl der jungen Menschen, die etwas mehr über die Bedürfnisse der bedrohten Tiere wissen. Dieses Buch soll hierzu einen Beitrag liefern.

Der Autor

Aal

Aale gehören zur Ordnung der Aalfische und sind mit den ➪ Muränen verwandt. Es sind lang gestreckte Fische, deren Bauch-, Schwanz- und Rückenflosse zu einem einzigen Flossensaum zusammengewachsen ist. Ihre Farbe ist grau-blau. Meist ist der Bauch etwas heller gefärbt. Aale haben große Augen und einen spitzen Kopf. Die Paarung der Aale findet in der Nähe der Bermudainseln statt. Die Eiablage dauert von März bis April. Aus den Eiern schlüpfen Larven, also sehr kleine Jungfische, die nur einige mm lang sind. Diese Larven erreichen im Oktober die europäische Westküste. Jetzt sind sie zu kleinen Aalen herangewachsen. Sie wandern in die Flüsse und bleiben hier einige Jahre. Wenn sie ausgewachsen sind, werden sie über 1 m lang. Sie sind dann große Räuber, die sich nicht nur von Würmern, Muscheln und Schnecken, sondern auch von anderen Fischen ernähren. Wenn dann die Zeit der Paarung gekommen ist, wandern sie wieder zurück ins Meer und schwimmen zurück zu den Bermudainseln. Aale zählen zu den Speisefischen. Ihr geräuchertes Fleisch ist besonders schmackhaft und gehaltvoll. Sie gelten deshalb als Delikatesse.

Aale wandern quer durch den Atlantik.

Die Abgottschlange würgt ihr Opfer, bis es erstickt.

Abgottschlange

Die Abgottschlange oder »Boa constrictor« ist eine Würgeschlange. Sie lebt in Mittel- und Südamerika. Ihre Körperzeichnung ist dunkelbraun mit ockerfarbenen, großen Feldern. Man erkennt die Boa constrictor an ihrem dunkelbraunen, ovalen Fleck hinter dem Auge. Mit 4 m Körperlänge ist sie deutlich kleiner als die Anakonda. Wie alle Boas bringt auch die Abgottschlange ihre Jungen lebend zur Welt, sie legt also keine Eier. Die Boa constrictor wird bis zu 60 kg schwer. Ihr Körper besteht zum größten Teil aus Muskeln. Sie hat gewaltige Kräfte. Wenn sie eine Beute fängt, hält sie sie mit ihren spitzen Zähnen fest und umschlingt sie mit ihrem muskulösen Körper, um sie zu ersticken. Sie jagt in erster Linie kleine Säugetiere. Auf brasilianischen Landgütern hält man sich die Boa constrictor gerne als Hausschlange, damit sie Ratten und Mäuse fängt.

Der Weißkopfseeadler ist das Wappentier der USA.

Adler

Der Adler gehört zu den ➪ Greifvögeln. Er ist ein großer Vogel mit breiten Flügeln. Die Flügel der Greifvögel nennt man »Schwingen«. Adler können sehr gut sehen. Von hoch oben aus der Luft kann dieser große Raubvogel seine Beute auf dem Boden erkennen. Wenn der Adler ein Beutetier erblickt hat, klappt er die Schwingen an seinen Körper und schießt blitzschnell auf seine Beute herab. Das Adlerpärchen baut sein Nest, man nennt es »Horst«, auf Bäumen oder an steilen Felsen. Das Weibchen legt meist 1-2 Eier. Wenn die Jungen geschlüpft sind, werden sie von den Eltern gefüttert. Nach einiger Zeit wachsen den Jungen große Federn, und sie lernen fliegen. Man sagt dazu, die Jungen sind »flügge«. Adler leben auf allen Kontinenten. Viele Adlerarten, wie zum Beispiel der ➪ Steinadler, jagen kleine Säugetiere, wie Murmeltiere, Kaninchen und Rehkitze. Früher waren diese Vögel in Europa weit verbreitet. Die Verfolgung durch den Menschen und die Einschränkung ihres Lebensraumes ließen sie selten werden. Heute kommen sie nur noch in den Alpen vor und sind gesetzlich geschützt.

Admiral

Der Admiral ist ein ➪ Schmetterling aus der Familie der Fleckenfalter. Er ist eng verwandt mit dem Distelfalter und dem ➪ Tagpfauenauge. Der Admiral hat dunkle Flügel mit einem orangefarbenen Ringmuster. An den Flügelspitzen sind weiße Flecken, und am Hinterende seines Körpers sind seine Flügel bläulich gefärbt. Einmal im Jahr wandern diese Schmetterlinge aus ihren Winterquartieren in Nordafrika über das Mittelmeer nach Norden. Dann kommen sie im Frühling und Frühsommer schließlich auch bei uns in Deutschland an und paaren sich. Die jungen Admirale versuchen, noch in demselben Herbst zurück zu fliegen.

Der Admiral ist ein besonders hübscher Tagfalter. Er verbringt den Sommer auf unseren Wiesen.

Eine Horde gesellig lebender Hulmann-Affen in einem uralten Feigenbaum.

Affe

Affen sind eine Unterordnung der Säugetiere. Ihr Gehirn ist relativ groß und sieht ähnlich aus, wie das von uns Menschen. Außerdem sind Affen die einzigen Säugetiere, die wie wir Menschen einen Daumen haben. Die Affenweibchen bekommen meistens 1 Junges im Jahr. Das Affenbaby krallt sich im Fell der Mutter fest. So kann sie es mit sich umhertragen. Affen leben in Gruppen in den warmen Gebieten der Erde. Viele Affenarten leben in den Bäumen, wie zum Beispiel der Orang-Utan und der Brüllaffe. Andere leben auf dem Boden, wie der afrikanische ➪ Pavian. Die ➪ Menschenaffen sind sehr nahe mit uns Menschen verwandt. Auch in Aussehen und Benehmen sind sie uns ähnlich. Alle Menschenaffen sind heute durch das Vordringen des Menschen in ihrem Lebensraum stark gefährdet.

Die Menschenaffen sind eng mit uns Menschen verwandt. Hier ein junger Gorilla.

Die Bartagame ist die größte ihrer Familie.

Agame

Agamen sind eine Familie der ➪ Echsen und nahe verwandt mit den ➪ Leguanen und den ➪ Chamäleons. Ihr Lebensraum ist Europa, Asien, Afrika und Australien. Ähnlich wie die Leguane sehen die Agamen auch aus wie kleine Drachen, weil ihr Körper nicht nur mit Schuppen, sondern auch mit vielen spitzen Stacheln besetzt ist. Die meisten Agamen sind Landbewohner. Es gibt aber in tropischen Gebieten auch Arten, die auf Bäumen oder im Wasser leben. Wie die meisten Echsen legen die Agamen Eier, die sie im Boden vergraben. Die Jungtiere fressen Ameisen und kleine Insekten. Später jagen sie auch große Käfer und Heuschrecken. Die 23 cm große Bartagame aus Australien frisst auch Mäuse. Die natürlichen Feinde der Agamen sind die Greifvögel.

Albatros

Der Flugkünstler der Hochsee, der mit 3,2 m eine der größten Flügelspannweiten in der gesamten Vogelwelt hat, ist der Albatros. Er sieht den ➪ Möwen zwar sehr ähnlich, ist aber nicht mit ihnen verwandt. Albatrosse gehören zur Ordnung der Röhrennasen. Diese Vögel leben nicht an den Meeresküsten, sondern auf hoher See. An dieses Leben sind sie gut angepasst. So trinken sie zum Beispiel Seewasser und scheiden das viele Salz durch ihre Nase wieder aus. Die meisten Albatrosarten legen nur 1 Ei in ein einfaches Nest aus Zweigen am Strand. Beide Eltern brüten das Ei aus. Wenn das Junge geschlüpft ist, wird es über 200 Tage lang von den Eltern gefüttert. Erst, wenn die Eltern kein Futter mehr herbeischaffen, unternimmt der junge Albatros die ersten Flugversuche. Die abergläubischen Seefahrer dachten früher, dass es Unglück bringt, wenn ein Albatros am Himmel erscheint.

Der Albatros hat eine Flügelspannweite von über 3 m.

Der größte Alk ist die Lumme.

Alk

Alken sind eine Seevogelfamilie. Sie sind so sehr an das Leben auf dem Meer angepasst, dass sie nur zum Brüten an Land kommen. Ihre Flügel sind schmal, ihr Schwanz ist kurz, und zwischen den Zehen haben sie Schwimmhäute. Ein berühmter Vertreter der Alken ist der ➪ Papageientaucher. Alken brüten an den Küsten rund um den Nordpol. Die meisten Arten legen nur 1 Ei, das von beiden Eltern bebrütet wird. Diese Eier sind oft birnenförmig, damit sie nicht von den steilen Felsenküsten hinabrollen. Nach 36 Tagen schlüpfen die Jungen. Alken fressen Fische und Tintenfische. Ihre Feinde sind die Raubmöwen, die oft die Eier und Jungtiere stehlen.

Alligator

Alligatoren gehören zu den ➪ Krokodilen. Sie sind also ➪ Reptilien. Der Körper des Alligators wird bis zu 6 m lang und ist nicht nur mit Schuppen, sondern am Rücken sogar mit großen Hornplatten besetzt. Alligatoren leben in den Flüssen und Seen Nordamerikas. Ihre Zehen sind durch Schwimmhäute miteinander verbunden. Ihr großer, abgeflachter Ruderschwanz gibt ihnen unter Wasser den nötigen Antrieb. Alligatoren haben sehr spitze Zähne. Wie alle Krokodile legen auch die Alligatoren Eier. Die Mutter betreibt Brutpflege, das heißt, sie bewacht die Eier und hilft den Jungen beim Schlüpfen. Kleine Krokodilbabys ernähren sich zuerst von Würmern und Insekten. Später kommen Fische, Wasservögel und kleine Säugetiere dazu. Durch die erbarmungslose Jagd nach ihm ist der Alligator vom Aussterben bedroht, denn aus der Alligatorhaut stellen gedankenlose Menschen Handtaschen her.

Der Alligator hat einen runderen Kopf als das Krokodil. Er lebt in Amerika.

Ameise

Ameisen sind hoch entwickelte Insekten, die in einem Staat leben. Das Oberhaupt des Staates ist die Königin. Sie ist viel größer als die anderen Ameisen ihres Volkes, und sie ist die einzige, die Eier legen kann. Aus ihren Eiern werden Arbeiterinnen, Soldaten, Prinzessinnen und Männchen. Prinzessinnen und Männchen haben Flügel und können sich später paaren, während die Arbeiterinnen und die Soldaten unfruchtbar sind. Die meisten Ameisen eines Volkes sind Arbeiterinnen. Sie laufen den ganzen Tag herum und suchen Futter, kümmern sich um die Königin, pflegen die Brut und bauen an dem Nest. Die Soldaten bewachen die Eingänge und das Gelände rund um das Nest. In einer warmen Frühlingsnacht fliegen die Prinzessinnen und die Männchen aus dem Nest, um sich in der Luft zu paaren. Das Männchen stirbt kurz danach. Für das Weibchen fängt das Leben dann erst an. Es verliert seine Flügel, gräbt sich ein Loch und beginnt, Eier zu legen. So entsteht ein neuer Ameisenstaat.

Wenn eine Ameise zum Bau zurückkehrt, teilt sie den anderen mit, wo es Nahrung gibt.

Der Tamandua ist ein Ameisenbär, der auf Bäumen lebt.

Ameisenbär

Ameisenbären sind mit dem ➪ Faultier und dem ➪ Gürteltier verwandt. Diese sonderbaren Tiere aus Südamerika können 1,2 m lang werden. Typisch für sie ist ihre lange, gestreckte Schnauze mit der kleinen Mundöffnung. Ihre Beine sind kurz, und an den Zehen haben sie kräftige Krallen. Der Ameisenbär frisst ausschließlich Ameisen und Termiten. Seine großen Krallen benutzt er, um seine Nahrung auszugraben. Wenn sich die Ameisenbären verteidigen müssen, stellen sie sich auf ihre Hinterbeine und verteilen mit ihren Krallen gefährliche Schläge. Es gibt den Großen Ameisenbär, der am Boden lebt, den Zwergameisenbär, der ein reiner Baumbewohner ist, und den Tamandua, der sowohl auf den Bäumen, als auch am Boden lebt. Meist haben Ameisenbären 1 Junges, das sich auf dem Rücken seiner Mutter festhält und sich herumtragen lässt. Der größte natürliche Feind des Tamandua und des Zwergameisenbärs ist die ➪ Harpyie.

Ameisenigel

Der Ameisenigel hat seinen Namen daher, weil er mit seinem langen Maul Ameisen und Termiten frisst. Man nennt dieses 80 cm lange Tier aber auch »Schnabeligel«. Der Schnabeligel hat borstiges Fell und Stacheln am Rücken. Er hat zwar keine Zähne, dafür aber eine lange, wurmförmige Zunge, mit der er die Ameisen leicht fangen kann. Seine Füße haben lange Krallen, mit denen sich der Ameisenigel bei Gefahr ganz schnell eingräbt. Er gräbt sich aber immer nur zur Hälfte ein, weil er nach oben hin durch seine Stacheln geschützt ist. Ameisenigel gehören zur Ordnung der Eierlegenden Säugetiere oder Kloakentiere. Das bedeutet, dass sie nach der Paarung Eier legen, dann aber die Jungen, die daraus schlüpfen, säugen. Ameisenigel sind mit den Schnabeltieren verwandt. Nachdem die Mutter Eier gelegt hat, trägt sie sie in einem Hautbeutel mit sich herum. Nach 10 Tagen schlüpfen die Jungen. Sie bleiben nun 8 Wochen lang im Beutel der Mutter und trinken Milch. Wenn sie den Beutel verlassen haben, leben sie noch einige Zeit in der Erdhöhle der Mutter. Schnabeligel sind durch ihre Stacheln gut geschützt und haben nicht viele Feinde.

Der Ameisenigel ist ein Kloakentier.

Eine Goldammer füttert ihre Jungen. Die Kleinen sperren den Schnabel weit auf, sobald die Eltern am Nest sind.

Ammer

Ammern sind eine Familie der Singvögel. Sie sind eng verwandt mit dem ➪ Zaunkönig und den ➪ Finken. Ammern kommen auf der ganzen Welt vor. Bei uns sind die Grauammer und die Goldammer bekannt. Diese Vögel werden bis zu 21 cm lang und haben ein eher schlichtes, braunes Gefieder. Die Nester dieser Vögel sind kugelig geformt und sehen aus wie ein Napf. Das Nest befindet sich meist in Büschen und am Boden. Das Weibchen brütet die Eier zwar alleine aus, die Jungen werden aber von beiden Eltern mit Raupen und kleinen Insekten gefüttert. Später fressen die Jungen keine tierische Kost mehr, sondern nur noch Samen und Körner. Man sagt, dass der Gesang der Ammern klingt wie der Ausruf »wie wie wie wie wie hab ich dich lieb«.

Amphibien

Amphibien sind ➪ Wirbeltiere. Sie besitzen also wie wir Menschen eine Wirbelsäule. Man nennt diese Tiere auch »Lurche«. Sie haben keine Haare oder Federn, sondern eine nackte, feuchte Haut.

Amphibien legen Eier. Diese Eier setzt die Mutter im Wasser ab. Die Jungen, die daraus schlüpfen, nennt man Larven. Diese Larven haben zuerst noch keine Beine und sehen aus wie kleine Fische. Sie atmen wie die Fische mit Kiemen. Erst wenn die Larven größer werden, bilden sich die Kiemen zurück, und es wachsen Lungen. Jetzt atmen sie Luft und können an Land gehen.

Amphibien sind wechselwarme Tiere. Das heißt, sie können ihre Körpertemperatur nicht selbst kontrollieren. Die Temperatur der Amphibien ist so wie die Außentemperatur. Das bedeutet, wenn es draußen kalt ist, sind auch die Amphibien kalt. Zu den Amphibien gehören der ➪ Frosch, der ➪ Molch und der ➪ Salamander.

Wiesensalamander

Kröte

Feuersalamander

Molch

Flugfrosch

Amsel

Die Amsel ist ein in ganz Europa heimischer Singvogel. Sie wird 24 cm lang. Das Männchen ist schwarz mit gelbem Schnabel und gelbem Augenring. Das Weibchen ist braun mit dunkelbraunen Tupfen an Hals und Brust. Man kann das Amselweibchen mit der Singdrossel verwechseln, die etwa gleich groß und ähnlich gefärbt ist. Amseln halten sich meist am Boden auf und suchen nach Würmern, Maden und Insekten. Sie fressen aber auch Beeren und Früchte. Wenn man im Wald spazieren geht, und man hört es rechts und links vom Weg im Laub rascheln, dann handelt es sich meist um eine Amsel auf Nahrungssuche. Amseln bauen ihr Nest in Sträuchern und Hecken. Wenn die kleinen Amseln schlüpfen, sind sie zuerst noch nackt und blind. Nun werden sie von den Eltern gefüttert, bis sie »flügge« sind, das heißt, bis sie fliegen können. Amseln ziehen im Winter nicht wie die Schwalben in den Süden. Wenn ein Vogel im Winter bei uns bleibt, nennt man ihn einen »Standvogel«. Fliegt er in den Süden, ist er ein »Zugvogel«.

Ein Amselweibchen trinkt an einem Bach. Das Männchen ist schwarz gefärbt.

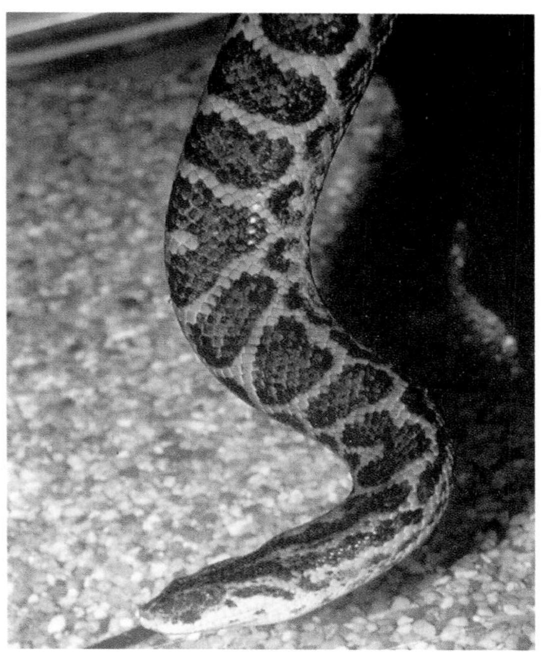

Die Anakonda ist eine Riesenschlange.

Anakonda

Die Anakonda gehört zur Familie der ⇨ Riesenschlangen. Mit einer Körperlänge von 9 m ist sie das längste Reptil der Welt. Diese Schlange lebt in Südamerika. Ihre Farbe ist bräunlich mit großen schwarzen Flecken am Rücken und gelben Punkten in der Bauchgegend. Eine Besonderheit der Anakonda ist, dass das Weibchen seine Jungen lebend zur Welt bringt. Diese Jungen sind bei der Geburt bereits 70 cm lang. Sie sind sofort auf sich selbst gestellt und suchen nach Nahrung. In diesem Alter haben sie einige natürliche Feinde, vor allem den Jaguar und den Kaiman. Auf der Jagd lauert die Anakonda im Wasser auf ihre Beute. Wenn die Tiere zum Trinken ans Ufer kommen, schießt sie heraus, umschlingt das Opfer mit ihrem Körper und erstickt es. Die Anakonda ist so groß, dass sie ihre Beute unter Wasser halten kann und dabei den Kopf über Wasser hält. Große Anakondas überwältigen sogar Wildschweine.

Der Spießbock ist eine schöne, elegante Antilope. Er lebt in den sandigen Wüsten Afrikas.

Antilope

Antilopen sind eine Familie der Säugetiere. Sie gehören zu den horntragenden Huftieren. Ihre Verwandten sind die ➪ Rinder. Genau wie die Rinder sind die Antilopen Wiederkäuer. Das bedeutet, sie haben 4 Mägen und kauen ihr Futter mehrmals. Die Antilopenweibchen haben meistens einmal im Jahr 1 Junges, selten 2. Wenn das Junge geboren wird, kann es kurz danach aufstehen und umherlaufen. Das ist sehr wichtig, denn das Jungtier muss mit seiner Mutter fliehen können, wenn ein Raubtier angreift. Antilopen kommen in Afrika und Asien vor. Sie haben viele Feinde. In Afrika müssen sie sich vor Geparden, Wildhunden und Leoparden in Acht nehmen. In Asien werden sie von Wölfen, Leoparden und Tigern gejagt.

Ara

Aras sind Großpapageien aus den Wäldern Südamerikas. Sie werden bis zu 1 m lang. Ihr Gefieder ist leuchtend rot gefärbt. Mit ihrem gebogenen Schnabel können sie steinharte Nüsse knacken. Mit ihrer dicken, derben Zunge angeln sie sich dann den Kern aus der Schale. Der Ara ist der einzige ➪ Papagei, der ein nacktes Gesicht hat: Die Bereiche am Schnabel und unter dem Auge sind bei ihm ohne Federn. Das Araweibchen legt im Jahr 2-3 Eier. Als Nest benutzt es eine Baumhöhle. Nach 3 Monaten verlassen die Jungen das Nest. Aras sind begehrte Ziervögel. Leider werden sie oft schlecht gehalten: In viel zu kleinen Käfigen und alleine, obwohl sie in ihrer Heimat paarweise leben. Die Vögel langweilen sich und rupfen sich selbst die Federn aus. In der Natur sind sie durch die Zerstörung ihres Lebensraumes, aber auch durch den Tierhandel sehr selten geworden. Inzwischen sind mindestens 8 Ara-Arten ausgerottet.

Zwei Aras füttern sich gegenseitig.

Das Auerhuhn ist der größte Vertreter aus der Familie der Raufußhühner.

Auerhuhn

Das Auerhuhn ist das größte Raufußhuhn der Welt. Es ist mit dem ➪ Birkhuhn und dem ➪ Schneehuhn verwandt. Auerhühner werden über 1 m groß und 5 kg schwer. Das Gefieder des Auerhahns, also des Männchens, ist schwarz mit einem grünen Ring auf der Brust. Seine Flügel sind braun, und über dem Auge hat er einen roten Bereich, den man »Rose« nennt. Zur Paarungszeit fliegt der Auerhahn auf einen Baum und versucht, die Weibchen anzulocken. Dabei spreizt er seine Federn und gibt kollernde Geräusche von sich. Dieses Verhalten nennt man »Balz«. Die Auerhenne, also das Weibchen, legt 6-10 Eier. Sie brütet in einem Nest am Boden. Auerhühner sind in freier Natur leider recht selten geworden. Man hat sie nicht nur gejagt, sondern ihnen auch durch eine intensive Landwirtschaft die Rückzugsmöglichkeiten genommen

Auerochse

Der Auerochse oder auch »Ur« ist der Stammvater unserer ➪ Rinder. Das stattliche Wildrind lebte in ganz Europa, Asien und Nordafrika. Früher war dieses Rind weit verbreitet. Im Mittelalter ist der Auerochse ausgestorben. Er war über 3 m lang, 1,8 m hoch und 1000 kg schwer. Seine Hörner wurden 80 cm lang und waren nach vorne gebogen. Sein Fell war schwarz-braun mit einem hellen Längsstrich auf dem Rücken. Die Männchen waren sehr viel größer und schwerer als die Weibchen. Früher dachten die Zoologen sogar, dass die beiden Geschlechter 2 verschiedene Unterarten seien, weil sie so unterschiedlich aussahen. Die Jungen wurden nach einer Trächtigkeit von 9 Monaten geboren. Die Auerochsen fraßen Gräser, Kräuter, Knospen und Blätter. Ihr größter Feind war der Mensch, der sie schließlich ausrottete. Außerdem konnten den Jungtieren auch die Wölfe gefährlich werden. Im Zoo ist es heute jedoch gelungen, Rinder zu züchten, die dem Auerochsen sehr ähnlich sehen.

Ungefähr so hat der heute ausgestorbene Auerochse ausgesehen.

Axishirsch

Der Axishirsch gehört zur Unterfamilie der Echthirsche. Er ist mit dem ➪ Damhirsch und dem ➪ Zackenhirsch eng verwandt. Sein Fell ist braun mit weißen Tupfen. Die Kehle und der Mundbereich sind hell. Die Männchen tragen eine Krone oder »Geweih«. Das Geweih des Axishirsches ist relativ klein und hat nur 3 Spitzen. Axishirsche leben in Südostasien. In größeren Gruppen, auch »Herden« genannt, halten sich diese Tiere gerne in der Nähe von Flüssen auf und stürzen sich auch auf der Flucht vor Feinden in das Wasser. Die Paarungszeit dieser Hirsche ist im Winter. In dieser Zeit kämpfen die Männchen energisch um die Weibchen. Meist bekommen die Weibchen 1 Junges. Bereits 7 Monate nach der Geburt sind die Muttertiere schon wieder paarungsbereit. Axishirsche fressen Gräser, Knospen, Blätter und Kräuter. Die natürlichen Feinde des Axishirsches sind der Tiger und der Leopard.

Der Axishirsch lebt in Südostasien. Sein Fell erinnert an das des Damhirsches.

Mit seinen Kiemenbüscheln gleicht der Axolotl einem kleinen Drachen.

Axolotl

Der Axolotl ist ein Schwanzlurch, der in Mexiko lebt. Der Name »Axolotl« ist aztekisch und bedeutet »Wassermonstrum«. Tatsächlich gleicht dieser Lurch einem kleinen Wasserdrachen. Er wird 29 cm groß. Auffällig sind die Kiemenbüschel, die man rechts und links an seinem Kopf sieht. Diese Kiemenbüschel unterscheiden den Axolotl von anderen Molchen. Normalerweise werden die Kiemen der Molchlarven nach einiger Zeit zurückgebildet, es entstehen Lungen und die Molche atmen Luft. Nicht aber der Axolotl. Er bleibt in einem ewigen Larvenstadium und behält seine Kiemen ein Leben lang. Deshalb lebt er auch nur im Wasser und geht nie an Land. In Gefangenschaft werden auch weiße Axolotl gezüchtet. Wenn man einem Axolotl in einem Aquarium jeden Tag etwas Wasser abnimmt, geschieht bei diesem Tier eine erstaunliche Umwandlung: Der Axolotl verlässt dann nämlich sein Larvenstadium. Seine Kiemen bilden sich zurück und er wird zu einem Lungenatmer wie alle anderen Molche auch.

Bachstelze

Die Bachstelze ist ein Singvogel, der in ganz Europa und in Asien vorkommt. Sie ist 10 cm lang, hat einen weißen Bauch, eine schwarze Brust, braune Flügel und einen grauen Rücken. Bachstelzen leben auf Wiesen und Weiden und sind oft in der Nähe von Bächen und Flüssen anzutreffen. Man erkennt sie leicht daran, dass sie mit ihren Schwanzfedern ständig auf und ab wippen. Im Winter fliegen die Bachstelzen in den Süden und kehren im März zurück. Ihr Ruf klingt wie »zisszìss«. Zur Paarungszeit wählt das Weibchen den Platz, wo das Nest gebaut werden soll. Beide Eltern tragen das Nistmaterial zusammen. Das Bachstelzennest befindet sich meist gut versteckt am Boden. Das Weibchen legt 5–6 Eier, die abwechselnd von beiden Altvögeln bebrütet werden. Bachstelzen fressen Insekten.

Am Ufer von Bächen und Flüssen ist die Bachstelze oft anzutreffen.

Der Banteng gilt als das schönste Wildrind. Hier eine Kuh mit ihrem Kalb.

Banteng

Der Banteng ist ein südasiatisches Wildrind. Er wird 1,8 m lang, 1,7 m hoch und kann 900 kg schwer werden. Die Weibchen oder »Kühe« sind deutlich kleiner und leichter als die Männchen. Das Fell der Bantengs ist kurz und glatt. Ihre Farbe reicht von schwarzbraun bis orange-braun. Die Beine sind immer weiß. Bantengs gelten als die schönsten Wildrinder unserer Erde. Sie leben im Urwald von Java, Borneo und Birma. Durch die Bebauung der Natur und die ständige Bejagung durch den Menschen ist der Banteng sehr selten geworden und steht vor der Ausrottung. In vielen Zoos ist es inzwischen gelungen, dieses Rind zu züchten. Die Paarungszeit der Bantengs ist im Winter. Die Jungen werden nach 7 Monaten geboren und bleiben 9 Monate lang bei ihrer Mutter. Abgesehen vom Menschen ist der Tiger der einzige natürliche Feind des Bantengs.

Bär

Trotz ihres plumpen, schweren Körpers können Bären schnell laufen, gewandt klettern und gut schwimmen.

Der Schwarzbär ist ein guter Kletterer. Auf den Bäumen sucht er nach Bienenstöcken.

Bär

Bären sind Raubtiere. Sie haben einen dicken Pelz, einen Stummelschwanz und große Tatzen. Sie laufen wie wir Menschen auf der Fußsohle. Man nennt Bären daher auch »Sohlengänger«. Obwohl sie zu den Raubtieren gehören und auch kleine Säugetiere töten, ernähren sie sich hauptsächlich von Pflanzen. Besonders gerne mögen sie Früchte und Honig. Auch Fische stehen auf dem Speiseplan. Das Bärenweibchen bringt jedes Jahr 1–2 Junge zur Welt. Es gibt auf der Erde viele verschiedene Bären: In Nordamerika leben der mächtige Grislibär und der Schwarzbär. Auch der Kodiakbär, hat hier seinen Lebensraum. In Europa und Asien lebt der Braunbär und in Nordpolargebieten der ➪ Eisbär. Bei uns sind die Bären im letzten Jahrhundert fast ausgerottet worden. Mittlerweile fristen sie nur noch in Zirkussen und Zoos in kleinen Käfigen ein trauriges Dasein.

Barrakuda

Der Barrakuda gehört zur Ordnung der Barschartigen. Man nennt ihn wegen seines Aussehens auch »Pfeilhecht«. Die 1,5 m langen Raubfische haben einen gestreckten Körper und eine spitze Schnauze. Sie erinnern im Aussehen an den Hecht. Ihre Flossen sind dreieckig und spitz. In ihrem großen Maul haben sie messerscharfe Zähne. Barrakudas sind Schwarmfische. Das heißt, dass sie in großen Gruppen leben und jagen. Die Paarungszeit dieser Meeresfische dauert von April bis September. Die Eier werden vom Weibchen einfach in das freie Wasser abgegeben. Barrakudas fressen andere Schwarmfische, wie zum Beispiel Sardinen. Sie können aber auch dem Menschen gefährlich werden. Barrakudas sind neugierig und begleiten Taucher unter Wasser. Manche Taucher fürchten sie mehr als den Hai, weil sie manchmal plötzlich und ohne Vorwarnung angreifen. Der 1 m lange Mittelmeer-Barrakuda soll schon öfters badende Menschen gebissen haben. Der Indomalaische Barrakuda ist der Riese unter den Pfeilhechten: Er wird 3 m lang.

Der Barrakuda ist ein großer Räuber der warmen Meere.

Der Zackenbarsch lebt in Korallenriffs.

Barsch

Zu der Unterordnung der Barschfische gehören Meeresbewohner wie die Riffbarsche, die Drachenfische und die Stachelmakrelen. Im Süßwasser leben Buntbarsche, der Flussbarsch und der Kaulbarsch. Diese Fische haben einen gedrungenen Körper und ein großes Maul. Viele von ihnen sind Räuber, die andere Fische jagen. Eine Besonderheit der Barsche ist die Art, wie sie ihre Jungen großziehen. Man nennt diese Art der Aufzucht »Brutpflege«. Meistens setzt das Weibchen seine Eier auf einem Stein ab. Beide Eltern bewachen diesen Platz und verjagen sofort jeden Eindringling. Wenn die Jungen geschlüpft sind, passen die Eltern immer noch gut auf sie auf. Erst wenn die kleinen Barsche eine bestimmte Größe erreicht haben, schwimmen sie ihre eigenen Wege. Manche Buntbarscharten, die Maulbrüter, bewahren ihre Eier sogar im Maul auf und schützen sie so vor anderen Fischen.

Der Buckelwal ist auch ein Bartenwal.

Bartenwal

Bartenwale sind eine Unterordnung der ➪ Wale. Sie haben keine Zähne, sondern Hornplatten, die am Oberkiefer dicht aneinander gereiht sind. Diese Platten heißen »Barten« und funktionieren wie ein Sieb. Die Nahrung eines Bartenwals nennt man »Krill«, das ist eine riesige Ansammlung von kleinen Krebstieren. Der Bartenwal öffnet sein großes Maul und saugt viel Meerwasser ein. Wenn er nun das Wasser durch seine Barten nach draußen drückt, bleiben die Krebse in den Hornplatten hängen. Das Weibchen der Bartenwale bringt pro Jahr 1 Junges zur Welt, das kurz nach der Geburt zum Luft schnappen an die Wasseroberfläche geschoben wird. Wie jedes Säugetier säugt auch die Walmutter ihr Kind. Einige Arten der Bartenwale werden sehr groß. Der Blauwal ist sogar gleichzeitig das größte Säugetier der Erde. Er wird über 30 m lang und wiegt 130 t. Das heißt, er wiegt genauso viel wie 25 Elefanten, 150 Rinder oder 1600 Menschen. Da sich einige Länder bis heute nicht an Walfangverbote und Schutzverträge halten, sind viele dieser Meeresriesen vom Aussterben bedroht. Vom Blauwal gibt es auf der ganzen Welt nur noch 1000 Tiere.

Basilisk

Basilisken sind eine besondere Gattung der ➪ Leguane. Diese ➪ Echsen werden 80 cm lang. Ihr besonderes Merkmal ist ein kammähnlicher Auswuchs auf dem Hinterkopf, der wie ein Helm aussieht. Insgesamt erinnern die Basilisken stark an die Drachen aus den klassischen Heldensagen. Diese Tiere leben in Südmexiko. Obwohl sie die meiste Zeit ihres Lebens auf Bäumen verbringen, sind sie nicht nur gute Kletterer, sondern können auch sehr schnell laufen und ausgezeichnet schwimmen. Auf der Flucht springen sie ins Wasser und verstecken sich am Grund zwischen den Wasserpflanzen. Wie viele andere ➪ Reptilien legen auch die Basilisken Eier, die sie im Sand vergraben. Ihre Nahrung sind Insekten, Lurche und kleine Nagetiere. Sie fressen aber auch gerne Früchte. Die Basilisken können ein Kunststück, das ihnen kaum ein anderes Wirbeltier nach macht: Sie können über das Wasser laufen! Sie rennen aufgerichtet auf den Hinterbeinen über die Wasseroberfläche und sind dabei so schnell, dass sie nicht einsinken. Eine gute Methode, um Feinden zu entkommen.

Besonders auffällig ist der helmähnliche Kamm am Hinterkopf des Basilisken.

Der Baumstachler lebt in Amerika. Er ernährt sich von Nüssen und Knospen.

Baumstachler

Der Baumstachler gehört zur Ordnung der Nagetiere. Obwohl er dem Stachelschwein ähnlich sieht, ist er nicht mit ihm verwandt, sondern eher mit dem ➪ Meerschweinchen. Baumstachler werden über 80 cm lang. Ihr Kopf ist groß und rund, und an den Zehen haben diese Tiere starke Kletterkrallen. Am Hinterteil und am Schwanz haben sie spitze Stacheln. Baumstachler leben in Südamerika. Wenn der Winter beginnt, ist die Paarungszeit. Nach der Trächtigkeit von 7 Monaten kommt 1 Junges zur Welt, das bereits am 2. Tag seines Lebens auf Bäume klettern kann. Diese Nagetiere sind friedliche Pflanzenfresser. Wenn sie angegriffen werden, versuchen sie, ihren Gegner mit den Stacheln zu verletzen. Die einzigen Feinde, die den Baumstachler trotz seiner spitzen Waffen überwältigen können, sind der Jaguar und der amerikanische Uhu.

Bekassine

Die Bekassine gehört zur Familie der Schnepfenvögel und ist eng mit dem ➪ Brachvogel und der Waldschnepfe verwandt. Dieser Vogel wird 28 cm groß und hat eine Flügelspannweite von 45 cm. Sein Schnabel ist 7 cm lang und sehr spitz. Bekassinen leben in Europa, Asien, Afrika und Amerika. Sie sind sehr schnelle Flieger. Ihre Schwanzfedern erzeugen in der Luft einen Ton, der wie das Meckern einer Ziege klingt. Die Bekassine heißt daher auch »Himmelsziege«. Bekassinen brüten in Moorlandschaften. Das Brutgeschäft ist die Aufgabe des Weibchens. Die Jungen schlüpfen nach 21 Tagen. Im Herbst fliegen die Bekassinen in den Süden und kehren im Frühjahr zurück. Weil es in Deutschland nicht mehr viele Moorgebiete gibt, wird die »Himmelsziege« bei uns auch immer seltener.

Die Bekassine ist mit der Waldschnepfe verwandt. Mit ihrem langen Schnabel sucht sie im Boden nach Würmern.

Beo

Der Beo stammt aus der Familie der ➪ Stare. Man nennt ihn auch »Hügelatzel«. Der 37 cm große Vogel hat meist ein schwarz glänzendes Gefieder, einen gelben Schnabel und gelbe Hautlappen hinter den Augen. Beos leben in vielen asiatischen Ländern in großen Gruppen oder »Schwärmen«, ähnlich wie unsere ➪ Stare. Diese Vögel sind dadurch berühmt geworden, dass sie in Gefangenschaft besser das Sprechen lernen als jeder Papagei. Da sie sich in Gefangenschaft nur selten vermehren, werden sie zu tausenden in ihrer Heimat eingefangen und an Zoogeschäfte verkauft. Weil sie in der Natur so selten geworden sind, stehen sie inzwischen unter strengerem Schutz. Ihre Nester bauen Beos in Steinhöhlen, unter Wurzeln und in Mauerritzen. Das Weibchen legt meist 5-6 Eier, die von beiden Eltern 14 Tage lang bebrütet werden. Die Jungen verlassen nach 3 Wochen das Nest. Beos fressen am liebsten Früchte, was sie bei den einheimischen Obstbauern recht unbeliebt macht.

Dieser Beo kommt nur auf der Insel Bali vor.

Der Bergmolch ist der schönste heimische Molch. Seinen Namen hat er daher, weil er auch in Gebirgsseen vorkommt.

Bergmolch

Der Bergmolch ist ein ➪ Schwanzlurch, der bei uns und auch in Osteuropa heimisch ist. Bergmolche werden 11 cm lang. Ihr Bauch ist orange, ihr Rücken grün und an der Körperseite haben sie einen blauen Streifen und ein schwarz-weißes Muster. Von den Molchen, die bei uns zu Hause sind, ist er der farbenprächtigste. Im Frühling ist die Paarungszeit dieser ➪ Lurche. Das Männchen trägt in dieser Zeit ein »Hochzeitskleid«. Das heißt, seine Farben sind noch kräftiger und greller. Das Weibchen legt seine Eier an Wasserpflanzen ab. Die Molchlarven, die daraus schlüpfen, haben zuerst noch Kiemen, wie die Fische. Später entwickeln sich Lungen und sie müssen zum Atmen an die Wasseroberfläche. Bergmolche fressen Insektenlarven, Schnecken und Würmer. Ihre Feinde sind Störche, Iltisse und Raubfische. Den Molchlarven wird der Gelbrandkäfer gefährlich.

Beutelmeise

Die Beutelmeise ist ein Singvogel, der in Europa und Westasien zu Hause ist. Sie ist mit den Meisen und mit dem ➪ Kleiber verwandt. Beutelmeisen werden 11 cm lang, ihr Kopf ist grau, und über den Augen haben sie einen schwarzen Streifen. Der Rücken dieser Vögel ist dunkelbraun und der Bauch hellbraun. Sie heißen deshalb Beutelmeise, weil ihr Nest wie ein Beutel aussieht, der von einem Ast herunter hängt. Im April baut das Männchen dieses kunstvolle Nest, das stark an die Behausungen der ➪ Webervögel erinnert. Das Weibchen legt 5-8 Eier hinein und brütet sie alleine aus. Während das Weibchen brütet, baut das Männchen schon das nächste Nest, um sich noch mit einem anderen Weibchen paaren zu können. Beutelmeisen fressen im Sommer Insekten und Spinnen und im Winter Samenkörner.

Die Beutelmeise ist bei uns selten zu beobachten. Sie baut ein kugelförmiges Nest.

Der Biber ist das größte heimische Nagetier.

Biber

Der Biber ist ein Nagetier. Er wird bis zu 1 m groß und 30 kg schwer. Außerdem ist er mit dem Eichhörnchen verwandt. Der Biber lebt vor allem im Wasser. An den Hinterfüßen hat er Schwimmhäute, und er hat einen schuppigen, breiten Schwanz, mit dem er unter Wasser lenkt. Biber fällen junge Bäume. Sie fressen die Rinde und tragen die Stämme zu ihrem Bau. Dieser Bau ist ein großer Damm, den sie auf einem Fluss oder einem See gebaut haben. Unter diesem Damm legen die Biber Höhlen und Gänge an. Die Baumstämme und Äste, die sie abgenagt haben, bauen sie in den Damm ein. Biberweibchen bringen ihre Jungen im Bau zur Welt. Wenn die Jungtiere geboren sind, wirft die Mutter den Vater und die älteren Jungen aus der Behausung. Sie will die Jungen alleine großziehen. In Europa wurde der Biber im letzten Jahrhundert beinahe ausgerottet. Wegen seines weichen Fells wurde er von den Menschen erbarmungslos gejagt. Heute steht er unter Naturschutz, trotzdem wird er als angeblicher Schädling von den Landwirten immer wieder verfolgt.

Eine Biene sammelt Nektar an einer Blüte.

Biene

Die Biene ist ein Insekt mit einem braunschwarz geringeltem Hinterleib, einer behaarten Brust, 6 Beinen und 2 Flügelpaaren. Sie ist sehr eng mit der Hummel verwandt. Bienen haben einen Giftstachel, mit dem sie sich verteidigen, wenn sie angegriffen werden. Diese Insekten sind sehr nützlich. Sie sammeln Blütenpollen und befruchten dabei die Blüten, weil sie in ihren Haaren den Pollen der einen Blume zur Blüte der anderen Blume tragen. Außerdem wandeln sie Pollen und Nektar in süßen Honig um. Bienen leben in einem Bienenstaat, den man auch »Bienenvolk« nennt. Sie bauen sich ein großes Haus aus Wachs, den »Bienenstock«. Im Stock sind einzelne Brutkammern, in denen sich die Bieneneier zu Larven und später zu Bienen entwickeln. Jedes Volk hat eine Königin, und nur sie kann Eier legen. Die Männchen oder »Drohnen« entstehen aus unbefruchteten, die Prinzessinnen und die Arbeiterinnen aus befruchteten Eiern. Ob aus der Larve eines befruchteten Eis eine Prinzessin oder eine Arbeiterin entsteht, entscheidet sich nach dem Bau der Brutkammern und nach der unterschiedlichen Art des Futters.

Birkhuhn

Das Birkhuhn gehört zu den Raufußhühnern und ist eng mit dem ➪ Auerhuhn und dem ➪ Schneehuhn verwandt. Das männliche Birkhuhn, der Birkhahn, hat blaues Gefieder, braune Flügel, weiße Schwanzfedern und rote Hautbereiche über den Augen, die man »Rosen« nennt. Birkhühner leben in Nordeuropa und Asien. Die Paarungszeit dieser Hühnervögel dauert von März bis Juni. Die Birkhenne legt etwa 8 Eier. Im Oktober werden die Jungen »flügge«, das heißt, sie können dann fliegen und verlassen das Nest. Birkhühner leben in Moor- und Heidelandschaften. Da unsere Natur immer mehr bebaut und beackert wird, werden diese schönen Wildhühner immer seltener.

Der Birkhahn tanzt zur Paarungszeit vor den Weibchen.

Noch im letzten Jahrhundert lebten in Nordamerika riesige Bisonherden.

Bison

Der Bison ist ein Wildrind. Mit einer Höhe von 1,9 m und einem Gewicht von 1000 kg ist er das größte Landsäugetier des amerikanischen Kontinents. Bisons leben in großen Gruppen in der Prärie. Diese Gruppen nennt man »Herden«. Wie bei unseren Hausrindern, so heißt auch bei den Bisons das Männchen »Bulle«, das Weibchen »Kuh« und das Junge »Kalb«. Einmal im Jahr bringt eine Bisonkuh 1 Kalb zur Welt. Die jungen Bisonkälber werden von der ganzen Herde gegen Feinde beschützt. Ein erwachsener Bison hat keine natürlichen Feinde. Der größte Feind der Bisons ist der Mensch. Vor 3000 Jahren lebten 60 Millionen Bisons in Nordamerika. Als die weißen Einwanderer kamen, töteten sie tausende von ihnen. 1889 waren von 60 Millionen Bisons nur noch 835 übrig. Damit war dieses Wildrind so gut wie ausgerottet. Heute leben wieder 30 000 Bisons in Nationalparks.

Ein ausgewachsener Bison wiegt bis zu 1000 kg. Er sieht beeindruckend und gefährlich aus.

Blässhuhn

Das Blässhuhn stammt aus der Familie der Rallen. Es lebt in Europa, Asien, Amerika und Australien. Dieser Wasservogel wird 38 cm groß, sein Gefieder ist schwarz und der Schnabel weiß. Dieser Schnabel reicht hoch bis auf die Stirn und bildet hier eine weiße Platte. Blässhühner haben sehr große Füße mit stark verbreiterten Zehen. Mit diesen Füßen können sie über Teichrosenblätter laufen, ohne einzusinken. Die Paarungszeit der Blässhühner ist im Mai. Sie paaren sich deshalb erst so spät im Jahr, weil dann das Schilf hoch gewachsen ist, und sie ihr Nest besser verstecken können. Das Weibchen legt 7-10 Eier. Wenn die Jungtiere geschlüpft sind, folgen sie der Mutter sofort ins Wasser. Blässhühner sind also Nestflüchter. Diese Wasserrallen ernähren sich von Würmern, Krebstieren und Wasserpflanzen. Die größten Feinde der Blässhühner sind Greifvögel, Iltisse und Ratten. Man darf das Blässhuhn nicht mit dem ähnlichen Teichhuhn verwechseln: Das Teichhuhn hat einen roten Schnabel mit einer gelben Spitze.

Ein Blässhuhn sitzt auf seinem Nest, das gut versteckt im Schilf liegt.

Das Blaukehlchen ist bei uns sehr selten.

Blaukehlchen

Das Blaukehlchen ist ein Singvogel, der in Europa und Nordasien lebt. Es ist eng verwandt mit der ➪ Nachtigall und dem ➪ Rotkehlchen. Die 14 cm großen Vögel haben eine blaue Kehle mit einem weißen Fleck auf der Brust. Unter den blauen Federn haben sie einen schwarzen Ring und dann einen hellbraunen Ring. Der untere Teil des Bauches ist hell. Blaukehlchen halten sich oft auf dem Boden auf. Sie lieben Sümpfe und Überschwemmungsgebiete. Das Weibchen baut sein Nest unter Wurzeln oder in Erdmulden. Die 5-6 Eier sind nach 13 Tagen ausgebrütet. Blaukehlchen ernähren sich von Insekten, Insektenlarven, Schnecken und Würmern.

Blindschleiche

Die Blindschleichen sind keine Schlangen, sondern ➪ Echsen. Viele Menschen denken, wenn sie eine Blindschleiche im Wald sehen, dass sie eine Schlange ist. Natürlich sieht eine 40 cm lange Blindschleiche, die keine Beine hat und sich deshalb über den Boden »schlängeln« muss, einer Schlange sehr ähnlich. Wenn eine Blindschleiche am Schwanz festgehalten wird, dann fällt er ab. Genau wie ihre Verwandte, die ➪ Eidechse, kann auch die Blindschleiche bei Gefahr ein Stück ihres Schwanzes abwerfen, um den Angreifer zu verwirren. Später wächst das Schwanzstück wieder nach. Eine Schlange kann dies nicht. Blindschleichen legen keine Eier, sondern bringen 12–20 lebende Junge zur Welt. Die Nahrung der Blindschleichen besteht aus Nacktschnecken und Würmern. Ihre natürlichen Feinde sind Greifvögel, Störche, Marder und Igel. Blindschleichen sind übrigens nicht blind, sondern können sehr gut sehen. Wegen ihres glänzenden Körpers nannten die Menschen diese Tiere früher »Blendschleichen«. Aus dem »e« wurde dann später ein »i«.

Die Blindschleiche ist keine Schlange. Sie ist mit den Eidechsen verwandt.

Die Brachse ist ein großer Bewohner unserer Gewässer. Sie ist eng mit dem Karpfen verwandt.

Brachse

Die Brachse ist ein Süßwasserfisch, der in ganz Europa und Asien vorkommt. Sie ist eng mit dem ➪ Karpfen und mit der Schleie verwandt. Man nennt sie, die zu den häufigsten karpfenartigen Fische gehört, auch »Blei« oder »Brasse«. Brachsen werden 70 cm lang und 6 kg schwer. Die Farbe dieser Fische ist stumpf grau bis bleifarben. Wenn sie älter werden, schimmern die Brachsen golden. Sie lieben langsam fließende oder stehende Gewässer und kommen sogar im Brackwasser der Nordsee vor. Die kleinen Jungfische schwimmen meist im flachen Wasser der Uferregion, während die vorsichtigen Altfische in der Tiefe leben. Die Paarungszeit dieser Tiere ist von April bis Juni. Das Weibchen legt dabei über 300 000 Eier ab. Da Brachsen recht ängstlich sind, lassen sie sich leicht bei der Paarung stören. Es gab sogar einmal einen Brauch in Schweden, zur Paarungszeit der Brachsen in der Nähe von Teichen keine Glocken zu läuten. Die Brachse sucht ihre Nahrung im schlammigen Teichgrund. Sie frisst Mückenlarven, Schnecken und Würmer.

Der Brachvogel ist ein großer Vertreter der Schnepfen.

Brachvogel

Der Brachvogel gehört zu den Schnepfen. Er ist mit der ➪ Bekassine und der Waldschnepfe verwandt. Dieser stolze Wasservogel lebt in Europa und in einigen asiatischen Gebieten. Seine Beine und sein Schnabel sind sehr lang, und seine Flügel haben eine Spannweite von 1 m. Im Unterschied zu vielen anderen Schnepfenvögeln ist der Schnabel des Brachvogels nicht gerade, sondern leicht nach unten gebogen. Das Gefieder hat ein Muster aus verschiedenen Brauntönen. Zur Paarungszeit baut das Männchen ein Nest. Es drückt dabei seinen Bauch gegen den Boden und scharrt mit den Beinen. So entsteht eine Mulde, in die das Weibchen die Eier legt. Beide Eltern brüten nun abwechselnd die Eier aus. Die Feinde der Brachvögel sind große Greifvögel und Eulen. Das Nest wird außerdem durch Ratten und Marder bedroht.

Braunelle

Braunellen sind unscheinbar gefärbte Singvögel, die in Europa und Asien zu Hause sind. Meist ist ihr Gefieder in verschiedenen Brauntönen gefärbt. Der Gesang der Braunelle ist ein kurzes helles Zwitschern. Ihre engsten Verwandten sind der ➪ Zaunkönig und die ➪ Wasseramsel. Die bei uns bekannteste Braunelle ist die 15 cm große, grau-braun gefärbte Heckenbraunelle. Sie hält sich viel am Boden auf und lebt in Hecken und im Gebüsch am Waldrand. Von April bis Juni ist die Paarungszeit dieser zierlichen Vögel. Ihr Nest ist wie ein Napf geformt und wird oft in der Nähe des Bodens in einem Strauch versteckt. Das Weibchen brütet die 3-6 Eier alleine aus. Nach 14 Tagen schlüpfen die Jungen, und nach weiteren 14 Tagen können sie fliegen. Braunellen fressen meistens Insekten und gelegentlich auch Früchte.

Die Braunelle ist ein kleiner Singvogel, der in Büschen und Hecken nistet.

Brüllaffen leben im Dschungel des Amazonasgebietes. Sie haben die kräftigste Stimme aller Säugetiere.

Brüllaffe

Die südamerikanischen Brüllaffen gehören zur Familie der kapuzinerartigen Affen. Ihr Verwandter ist der Satansaffe. Brüllaffen sind 57 cm groß, ihre Arme und Beine sind sehr lang und ihr Schwanz ist ein Greifschwanz, mit dem sie sich an den Ästen festhalten können. Diese Affen sind reine Baumbewohner, die in Gruppen leben. Diese Gruppen nennt man »Horden«. Brüllaffen haben ihren Namen tatsächlich verdient. Ihre Rufe schallen laut durch den Amazonasurwald. Sie kennzeichnen so ihr Gebiet und warnen mit ihrem Gebrüll andere Affenhorden. Die Weibchen bekommen meist 1 Junges, das auf dem Rücken der Mutter umhergetragen wird. Brüllaffen fressen Blätter, Knospen und Früchte. Sie sind sehr schlecht im Zoo zu halten, weil sie nur bestimmte Nahrung fressen. Ihr größter Feind im südamerikanischen Dschungel ist die ➪ Harpyie.

Buchfink

Der Buchfink ist ein kleiner Singvogel, der in ganz Europa zu Hause ist. Er gehört zu den Vögeln, denen wir auf Waldspaziergängen am häufigsten begegnen. Sein Bauch ist braun und sein Rücken dunkelbraun. Am Kopf hat er ein graues Muster, das wie ein Helm aussieht. Seine Flügel sind schwarzweiß gefärbt. Der Buchfink lebt in Wäldern, Gärten und Parks. Das napfförmige Nest baut er gut versteckt auf einem Zweig. Das Weibchen legt meistens 6 Eier. Oft brüten die Buchfinken zweimal im Jahr. Junge Buchfinkmännchen lernen ihren Gesang von ihren Vätern. So kommt es, dass in verschiedenen Gebieten verschiedene Buchfinklieder auftreten. Buchfinken singen also sozusagen im Dialekt. Man kann an ihrem Gesang erkennen, aus welchem Gebiet ein Buchfink stammt. Diese Finken ernähren sich von Körnern und Früchten.

Der Buchfink kommt in unseren Wäldern sehr häufig vor.

Wenn man es im Wald klopfen hört, ist meist ein Buntspecht am Werk.

Buntspecht

Der Buntspecht gehört zur Ordnung der Spechtvögel. Er ist 25 cm groß, sein Gefieder ist schwarz-weiß gefärbt und am Hinterkopf hat er einen roten Fleck. Meist hält sich der Buntspecht in Mischwäldern auf. Wenn er sich einmal ein Wohngebiet ausgesucht hat, bleibt er dort sein Leben lang. Für die Aufzucht der Jungen bauen Buntspechte eine Baumhöhle. Wenn das Weibchen die Eier gelegt hat, werden sie von beiden Eltern ausgebrütet. Die Eltern füttern die Jungen mit Blattläusen und kleineren Insekten. Wenn die jungen Buntspechte die Bruthöhle verlassen haben, müssen sie sich vor dem Baummarder, dem Habicht und dem Sperber in Acht nehmen. In der warmen Jahreszeit frisst der Buntspecht Käfer und deren Larven, die im Holz der Bäume leben. Um diese Beute zu erreichen, klopft er die Rinde mit seinem harten Schnabel auf. Seine Zunge hat die Form einer Harpune. Mit ihr spießt er die Holzinsekten auf und frisst sie. Im Winter knackt der Buntspecht mit seinem Schnabel Nüsse und Tannenzapfen.

Butt

Der Butt gehört zur Ordnung der Plattfische. Er ist eng mit den Schollen verwandt. Ein bei uns sehr bekannter Butt ist der Steinbutt. Er ist wie die Scholle ein Grundfisch, der flach am Meeresgrund liegt. Dieser 1 m lange Fisch lebt im Nordatlantik, im Mittelmeer und in der Ostsee. Wie alle anderen Plattfische, so macht auch der Butt eine erstaunliche Entwicklung durch. Wenn die Buttweibchen zwischen April und August ihre Eier ins freie Wasser abgegeben haben, und die Fischlarven daraus geschlüpft sind, sehen sie zuerst wie alle anderen Fische aus und schwimmen frei umher. Nach einiger Zeit wandert ihr rechtes Auge auf die linke Körperseite und sie liegen auf der rechten Seite auf dem Boden. Der Steinbutt ist ein großer Jäger, der sich von Schollen, Schellfischen, Krebsen und Würmern ernährt.

Der Butt ist ein Speisefisch. Sein Fleisch gilt als Spezialität. Er selbst ist ein Räuber, der sich von anderen Fischen ernährt.

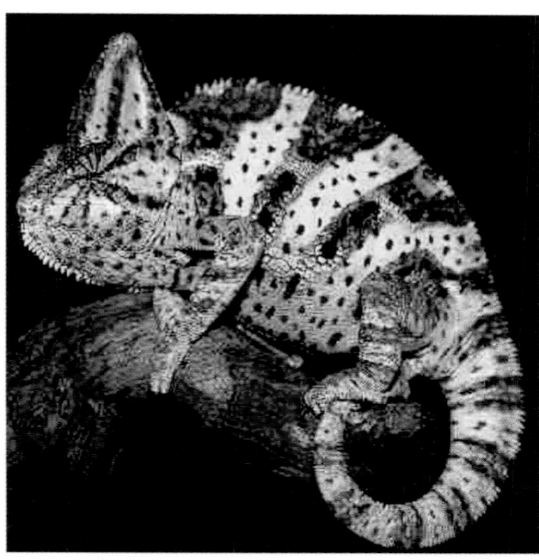

Das Chamäleon kann die Farbe wechseln.

Chamäleon

Chamäleons sind enge Verwandte der ➪ Agamen. Diese ➪ Reptilien haben einen runden, gewölbten Körper, lange Beine, große Augen und einen langen Greifschwanz. Ihre Füße sind zu Greifzangen umgebildet, mit denen sie sich sehr gut in Ästen und Zweigen festhalten können. Auch ihr langer Greifschwanz hilft ihnen beim Klettern. Chamäleons leben in Nordafrika. Sie können ein paar Dinge, die sie einzigartig machen. Chamäleons wechseln nämlich ihre Farbe. Je nachdem, wie der Untergrund aussieht, auf dem sie laufen, ändern sie ihre Farbe und werden so fast unsichtbar. Außerdem haben Chamäleons sehr bewegliche Augen, die sie unabhängig voneinander bewegen können. Das heißt, sie können mit dem linken Auge nach vorne sehen und mit dem rechten gleichzeitig nach hinten. So finden sie ihre Beute immer. Chamäleons bewegen sich im Geäst langsam und bedächtig. Sie fressen Fliegen, die sie mit ihrer langen Zunge einfangen. Als Haustiere sind sie nicht zu empfehlen, obwohl einige Zoogeschäfte sie anbieten.

Chinchilla

Chinchillas sind südamerikanische Nagetiere, die mit dem ➪ Meerschweinchen und dem ➪ Baumstachler verwandt sind. Sie werden über 20 cm lang und ihr Fell ist grau und sehr weich. Chinchillas sind geschickte Kletterer und können sehr weit springen. In freier Natur sind diese Nager fast ausgerottet, weil sie wegen ihres schönen Pelzes gejagt wurden. Zu tausenden sind sie heutzutage in Pelztierfarmen eingepfercht. Die Paarungszeit der Chinchillas ist im Oktober. Chinchillas leben in Einehe, das heißt, die Eltern bleiben für immer zusammen. Die Trächtigkeit der Weibchen dauert 111 Tage. Eine Chinchillamutter bekommt 1-6 Junge, die sie in einer Höhle zur Welt bringt. Als Haustiere lassen sich Chinchillas nur schlecht halten. Sie sind nachtaktiv und brauchen viel Auslauf sowie ein Sandbad zur Fellpflege. In der Natur fressen Chinchillas Gräser, Moose und Flechten. Als Haustiere bekommen sie Heu, Salat und Früchte. Chinchillas können 18 Jahre alt werden.

Das Chinchilla wurde wegen seines Pelzes in freier Natur fast ausgerottet.

Wenn Chipmunks eine Nuss fressen, nehmen sie oft ihre Vorderbeine zur Hilfe.

Chipmunks heißen auch »Streifenhörnchen«.

Chipmunk

Die Chipmunks sind nordamerikanische Nagetiere, die eng mit den ➪ Zieseln verwandt sind. Man nennt sie auch »Streifenhörnchen« oder »Backenhörnchen«. Sie werden 15 cm lang und sehen aus wie kleine Eichhörnchen mit Streifen. Allerdings halten sich die Chipmunks öfter auf dem Boden auf als die Eichhörnchen. Die Paarungszeit dieser Nagetiere ist im April. Nach einer Trächtigkeit von 40 Tagen bringt das Weibchen bis zu 10 Junge in einer Höhle unter der Erde auf die Welt. Die Mutter säugt ihre Jungen 30 Tage lang. Streifenhörnchen halten in sehr kalten Gebieten einen Winterschlaf, der 6 Monate lang dauert. Ihre Feinde sind Eulen, Greifvögel, Hermeline, Marder und Füchse. Als Haustiere sind diese Tiere nicht geeignet, weil sie sehr viel Auslauf brauchen.

Dachs

Der Dachs stammt aus der Familie der Marder. Er ist mit dem Steinmarder und dem Wiesel verwandt. Mit einer Länge von 80 cm und 20 kg Gewicht ist er der größte Marder Europas. Dachse leben in Höhlen unter der Erde. Diese Dachswohnung, auch »Bau« genannt, gräbt sich der Dachs selbst. Die Paarungszeit der Dachse, die bei allen Mardern »Ranzzeit« heißt, ist im Sommer. Die Jungen kommen im März des nächsten Jahres auf die Welt. Sie werden 2 Monate von der Mutter gesäugt. Dann verlassen sie den Bau und gehen ihre eigenen Wege. Der Dachs ist ein Allesfresser. Er sucht im Boden nach Würmern, Schnecken und Insekten. Auch Mäuse frisst er, wenn er sie erwischt. Auf seinem Speiseplan stehen aber auch Früchte, Samen, Pilze und Wurzeln. Dachse halten Winterruhe. Das heißt, in der kalten Jahreszeit liegen sie in ihrem Bau und schlafen. Im Gegensatz zu den Winterschläfern unterbrechen sie ihren Schlaf, um zwischendurch Nahrung aufzunehmen. Dachse wurden früher in ihren Bauen stark bejagt und haben sich davon noch immer nicht ganz erholt.

Das ist ein amerikanischer Dachs.

Ein Damhirsch mit Kitzen.

Damhirsch

Der Damhirsch ist ein Mitglied der Hirschfamilie. Wie bei jedem ⇨ Hirsch trägt auch beim Damhirsch das Männchen ein Geweih. Dieses Geweih ist schaufelförmig verbreitert. Das Fell der Damhirsche ist rotbraun mit weißen Punkten. Es gibt aber auch ganz schwarze oder rein weiße Damhirsche. Diese Hirsche leben in großen Gruppen zusammen. Man sagt auch: »in Rudeln«. Damhirsche sind in fast jedem Wildpark zu sehen. Sie können sehr gut hören und riechen. Außerdem sehen sie besser als jeder andere Hirsch. Das ist der Grund, warum Spaziergänger selten einen Damhirsch zu Gesicht bekommen. Meist sieht er einen zuerst und versteckt sich. Ende Oktober beginnt die Paarungszeit der Damhirsche. Man nennt diese Zeit auch »Brunft«. In der Brunftzeit kämpfen die Männchen oft um die Weibchen. Sie senken dabei ihre Köpfe und stoßen mit ihrem Geweih aneinander.

Delfine sind gesellige und verspielte Tiere. Sie schwimmen so schnell, dass sie mit Leichtigkeit Motorboote begleiten können.

Delfin

Delfine sind kleine ⇨ Wale. Sie gehören zu den Säugetieren des Meeres. Ein Delfin wird bis zu 9 m lang. Er ist ein ausgezeichneter und schneller Schwimmer. Delfine ernähren sich hauptsächlich von Fischen, die sie in Gruppen jagen. Solche Gruppen nennt man »Schulen«. Das Delfinweibchen bringt einmal im Jahr 1 Junges zur Welt. Wenn es geboren ist, wird es von den Eltern an die Wasseroberfläche gehoben, damit es atmen kann. Delfine sind sehr intelligente Tiere, die sich gegenseitig helfen. Wenn ein Delfin verletzt ist, tragen ihn die anderen nach oben an die Wasseroberfläche, damit er atmen kann. Berühmt wurden diese liebenswerten Tiere besonders durch den Film-Delfin »Flipper«. Wegen ihrer Beliebtheit werden viele Delfine in sogenannten Delfinarien, also Schwimmbecken, zur Schau gestellt. Das Leben in Gefangenschaft macht viele der Tiere krank.

Unter den großen Tümmlern kommen manchmal Weißlinge vor. Im Hintergrund ein Grindwal.

Der Dingo ist ein Wildhund, der in Australien lebt. Da er gelegentlich Schafe jagt, wird er von den Farmern verfolgt.

Dingo

Dingos sind wilde Hunde, die in Australien leben. Ihre Farbe ist rötlich mit einem weißen Fleck auf der Brust. Der Dingo ähnelt dem Wolf und unseren Haushunden. Wie die Wölfe leben auch die Dingos in großen Gruppen oder »Rudeln«, die von einem starken Männchen oder »Rüden« angeführt werden. Dingos können übrigens weder heulen noch bellen. Einmal im Jahr ist die Dingohündin paarungsbereit. Nach einer 9-wöchigen Trächtigkeit bringt die Dingomutter 4-5 Junge zur Welt, die man bei allen Hunden »Welpen« nennt. Sie werden 2 Monate lang von der Mutter gesäugt. Später begleiten sie ihre Eltern auf der Jagd, damit sie lernen, wie man jagt. Früher waren die Kängurus die Hauptnahrung der Dingos. Später griffen sie auch die Schafe der Siedler an. Diese Jagd auf Schafe machte den Dingo bis heute in Australien sehr unbeliebt. Man baute deshalb sogar einen riesigen Zaun quer durch Australien, um die Dingos von den Schafen fern zu halten. Dingos jagen zwar Haustiere, es hat aber noch nie ein Dingo einen Menschen angegriffen.

Distelfink

Der Distelfink ist ein hübscher, kleiner Singvogel aus der Familie der ➪ Finken. Man nennt ihn auch »Stieglitz«. Sein Bauch ist hellbraun, seine Flügelspitzen schwarz mit einem kräftigen gelben Streifen, sein Rücken ist dunkelbraun und seine Schwanzspitze schwarz. Am besten erkennt man den Stieglitz an seinem Gesicht. Um den Schnabel herum und über den Augen ist er leuchtend rot, dann folgt ein weißer Streifen, und sein Hinterkopf ist schwarz. Distelfinken kommen auf allen Kontinenten vor, nur nicht in Australien. In der Paarungszeit bauen sie ihr Nest meist in einer Kolonie. Das heißt, dass viele Stieglitzpärchen ihre Nester in einem Baum haben. Diese Nester werden aus dünnen Zweigen, Moos und Flechten gebaut. Distelfinken benutzen Spinnweben, um die Zweige zusammenzukleben. Das Weibchen legt 4-6 Eier.

Der Distelfink ist ein hübscher bunter Singvogel.

Dohle

Die Dohle gehört zu den Rabenverwandten. Sie sieht der schwarzen Krähe recht ähnlich, hat aber ein etwas helleres Gefieder und braune Flügeldecken. Sie lebt im Gebirge und ist dort ähnlich häufig wie die Krähe im Flachland. Die 40 cm großen Dohlen leben in großen Gruppen oder »Schwärmen«. In diesen Dohlengesellschaften gibt es ranghohe und rangniedrige Vertreter. Wenn sich ein ranghohes Männchen mit einem jungen Weibchen paart, steigt dieses Weibchen in der Gesellschaft auf und vertreibt andere Weibchen vom Futterplatz. Ihr Nest bauen Dohlen in Felsspalten, an Hausdächern, in alten Gemäuern und auf Kirchtürmen. In vielen Alpendörfern haben sich die Dohlen an die Nähe der Menschen gewöhnt und lassen sich sogar aus der Hand füttern. Obwohl sie manchmal in großen Scharen in die Täler fliegen und Kirschen oder Trauben stehlen, sind sie wegen ihrer sehenswerten Flugkünste bei den Menschen sehr beliebt. Feinde hat die Dohle in den Alpen kaum. Sie selbst ist ein Nesträuber wie die Krähen und stiehlt die Eier aus den Nestern anderer Vögel.

Die Dohle ist im Gebirge sehr verbreitet.

Ein Dompfaffmännchen. Das Weibchen hat eine braune Brust.

Dompfaff

Der Dompfaff ist ein 15 cm großer Singvogel aus der Familie der ➪ Finken. Sein Lebensraum ist in ganz Europa und einigen Gebieten Asiens. Man nennt den Dompfaff auch »Gimpel«. Das Männchen hat einen schwarzen Kopf, sein Bauch und seine Brust sind rot. Beim Weibchen sind Bauch und Brust hellbraun. Gimpel leben in Wäldern, Gärten und Parkanlagen. In der Paarungszeit bauen sie ihr Nest in dichten Büschen. Die Eier werden nur vom Weibchen ausgebrütet. Da es in dieser Zeit nichts fressen kann, wird es vom Männchen gefüttert. Gimpel fressen Körner und Knospen. Sie machen sich manchmal bei Gärtnern unbeliebt, weil sie die Knospen von Obstbäumen besonders lieben.

Dornteufel

Eine besondere ➪ Echse ist der Dornteufel. Er gehört zu den ➪ Agamen und lebt in Australien. Man nennt den Dornteufel auch »Wüstenteufel« oder »Moloch«. Dornteufel werden 12 cm lang. Ihr Körper und ihr Schwanz sind mit Stachelschuppen besetzt. Auf dem Kopf haben sie 2 besonders große Stacheln. Die Farbe dieser Agame ist ein gelb-rot-braunes Muster. Der Moloch sieht aus wie ein Wesen aus einer Fantasy-Geschichte. Trotz ihres wilden Aussehens ist diese Echse völlig harmlos und sogar etwas träge. Die Paarungszeit dauert von Oktober bis November. Im Januar gräbt das Weibchen einen kleinen Tunnel und legt die Eier hinein. Dornteufel fressen am liebsten Ameisen. Sie sind an das Leben in der Wüste sehr gut angepasst. Sobald sie mit Wasser oder Tau in Berührung kommen, nimmt ihre stachelbewehrte Haut das Wasser auf. Durch kleine Spalten und Kanäle wird die Feuchtigkeit zum Mund geleitet und der Moloch kann sie aufnehmen. Natürliche Feinde hat er kaum.

Der Dornteufel sieht aus wie ein kleines Ungeheuer.

Für die Wüstenbewohner ist das Dromedar ein wichtiger Begleiter. Es braucht wenig Wasser und trägt schwere Lasten.

Dromedar

Das Dromedar gehört zu den ➪ Kamelen. Man nennt es auch »Einhöckriges Kamel«. Der enge Verwandte des Dromedars, das ➪ Trampeltier, hat 2 Höcker. Dromedare leben in Nordafrika. Es gibt sie nur als Haustiere. Sie werden von den Wüstenbewohnern, den Nomaden, als Last- und Reittiere benutzt. Dromedare können in der Wüste lange ohne Wasser leben. Im Februar ist die Paarungszeit. Nach der Trächtigkeit von 13 Monaten bringt das Muttertier 1 Junges zur Welt. Dieses wird über 1 Jahr lang von der Mutter gesäugt. Dromedare sind wie die Trampeltiere Passgänger. Das heißt, wenn sie gehen, bewegen sie gleichzeitig die beiden Beine der einen Seite und dann die beiden Beine der anderen Seite.

Drosseln sehen den Amseln sehr ähnlich, ihr Gefieder ist aber bunter.

Drusenkopf

Der Drusenkopf ist ein ➪ Leguan von den Galapagosinseln. Er ist mit der Meeresechse verwandt, lebt aber auf dem Land und nicht im Wasser. Drusenköpfe werden 50 cm lang. Ihr Körper ist massig und sie haben einen Dornenkamm, der vom Nacken bis über den Rücken reicht. Wie viele andere Reptilien, so legen auch die Drusenköpfe Eier. Das Weibchen gräbt die Eier in die Erde ein und überlässt sie dann sich selbst. Nach 2 Monaten schlüpfen die Jungen und graben sich frei. Gerade die kleinen Drusenköpfe werden vom Galapagos-Habicht gejagt. Wenn sie keine Verstecke finden, sind sie dem Greifvogel ausgeliefert. Man nimmt an, dass die Ziegen auf Galapagos Schuld sind am Rückgang der Drusenköpfe, weil sie die Pflanzen herunterfressen und damit den jungen Drusenköpfen die Möglichkeit nehmen, sich zu verstecken.

Drossel

Die Drosseln sind eine Gattung der Singvögel. Bei uns sind die Singdrossel, die Wacholderdrossel und die Misteldrossel bekannt. Sie sind in ganz Europa verbreitet. Drosseln werden über 20 cm groß, ihr Rücken ist braun und ihr Bauch ist hell mit schwarzen Tupfen. Der Rücken der Wacholderdrossel ist grau. Die ➪ Amsel ist ein enger Verwandter der Drossel. Das Amselweibchen wird manchmal mit einer Drossel verwechselt. Ihr Gefieder ist aber viel dunkler. Drosseln bauen ihr Nest hoch oben auf einem Baum. Das Weibchen legt 4-5 Eier, die nach 2 Wochen ausgebrütet sind. Drosseln fressen Würmer, Schnecken, Insekten und Früchte. Wenn eine Drossel das harte Gehäuse einer Schnecke knacken will, schlägt sie die Schnecke so lange auf einen Stein, bis die Schale bricht.

Drusenköpfe sind große Echsen und leben auf den Galapagosinseln.

Die Krötenechse ist ein kleiner Leguan aus Nordamerika.

Der Halsbandleguan ist ein geschickter Eidechsenjäger.

Echse

Echsen sind eine Unterordnung der ➪ Reptilien. Sie sehen alle ungefähr so aus wie die berühmte ➪ Eidechse. Nur dass einige deutlich größer sind. Es gibt auch Echsen, die wie Schlangen aussehen, weil sie keine Beine haben. Diese Echsen sind die Schleichen. Die berühmteste Schleiche ist die Blindschleiche. Echsen sind wie alle Reptilien wechselwarm. Das heißt, sie brauchen die Wärme der Sonne, um Energie zu tanken. Das ist der Grund, warum man oft eine Eidechse dabei beobachten kann, wie sie sich auf einem Stein sonnt. Echsen gibt es auf der ganzen Erde außer in den kalten Gebieten. Zu den Echsen zählen auch Geckos und Warane.

Edelhirsch

Edelhirsche sind eine Gattung aus der Unterfamilie der Echthirsche. Zu den Edelhirschen gehören der ➪ Zackenhirsch, der Sikahirsch und der Rothirsch. Rothirsche sind bei uns die bekannteste Hirschart. Der nordamerikanische Rothirsch ist der große ➪ Wapiti. Rothirsche werden 2,6 m lang und 1,5 m hoch. Die Männchen tragen auf dem Kopf ein Geweih. Im Winter verliert der Hirsch dieses Geweih, und im Frühjahr wächst es ihm wieder neu. Im Herbst ist die Paarungszeit der Rothirsche. Diese Zeit heißt auch »Brunft«. Der männliche Hirsch versammelt nun ein paar Weibchen um sich und verteidigt sie gegen andere Männchen. Nach 8 Monaten Trächtigkeit bringt das Weibchen, man nennt es auch »Hirschkuh«, 1 Junges zur Welt. Bei uns sind die natürlichen Feinde des Rothirsches, wie die Wölfe, der Bär und der Luchs, bereits ausgestorben. Der Mensch muß deshalb durch eine verantwortungsvolle Hege den Bestand kontrollieren.

Männliche Rothirsche tragen ein Geweih.

Eichelhäher

Der Eichelhäher ist ein Rabenvogel, der sowohl in Westeuropa als auch in Ostasien lebt. Er ist mit der ➪ Elster, der ➪ Krähe und dem ➪ Kolkraben verwandt. Eichelhäher werden 35 cm groß und haben ein recht buntes Gefieder. Bauch und Rücken sind hellbraun, unter dem Schnabel ist rechts und links ein schwarzer Fleck, auf dem Kopf ist der Eichelhäher schwarz-weiß gemustert und die Flügel haben einige Federn, die blauschwarz gemustert sind. Vom Frühjahr bis in den Sommer ist die Paarungszeit dieser Vögel. Sie bauen ihr Nest gut versteckt auf einem Baum. Der Eichelhäher ernährt sich von Samen, Nüssen und Eicheln, die er eingräbt, dann aber nicht mehr findet, so dass später aus dieser Stelle kleine Bäumchen wachsen. Unbeliebt macht sich der Eichelhäher dadurch, dass er die Nester anderer Vögel plündert und deren Eier und Junge frisst.

Der Eichelhäher ist gut an seinen leuchtend blauen Flügelfedern zu erkennen.

Eichhörnchen knacken Nüsse.

Eichhörnchen

Eichhörnchen sind kleine Nagetiere, die auf Bäumen leben. Sie werden auch »Eichkatzen« genannt. Eichhörnchen werden 25 cm lang. Ihr Fell ist entweder rot oder braun gefärbt. Der Schwanz ist lang und buschig. Alle Eichhörnchen haben einen hellen Bauch und lange Haare an den Ohrspitzen. Sie sind sehr gute und flinke Kletterer, die auch von einem Baum zum nächsten springen können. Eichhörnchen bauen sich runde Nester auf den Bäumen. Diese Nester heißen »Kobel«. Hier werden die Jungen geboren. Die Trächtigkeit der Eichhörnchen dauert 38 Tage. Meist bekommen Eichhörnchen 5 Junge. Die Kinder bleiben einige Monate bei ihrer Mutter und begleiten sie auf ihren Streifzügen durch die Baumkronen. Eichhörnchen fressen Knospen, Früchte, Samen, Rinde und Nüsse. Im Herbst sammeln sie Nüsse für den Winter, denn sie halten Winterruhe und brauchen deshalb Nahrungsvorräte. Die Hauptfeinde des Eichhörnchens sind der Baummarder, die Eule und der Habicht.

Eidechse

Eidechsen sind eine Familie der ➪ Echsen und kommen in Afrika, Europa und Asien vor. Sie sehen aus wie kleine Dinosaurier aus der Urzeit. Ihre Haut ist mit Schuppen bedeckt. Sie haben 4 Beine und einen langen Schwanz. Eidechsen werden 20-30 cm lang. Sie bewegen sich dicht über dem Boden und können sehr schnell laufen. Es ist selten, dass man eine dieser flinken Echsen zu sehen bekommt. Mit etwas Glück kann man sie dabei beobachten, wie sie auf einem Stein ein Sonnenbad nehmen. Wie viele andere ➪ Reptilien legen auch die Eidechsen Eier. Die Weibchen vergraben diese Eier im Boden. Danach kümmern sie sich nicht weiter darum. Wenn die Jungen ausgeschlüpft sind und sich freigegraben haben, gehen sie sofort auf die Suche nach Nahrung. Die Hauptnahrung der Eidechsen sind Insekten und Würmer. Eidechsen haben viele Feinde. Sie werden vom Storch, vom Iltis und von der Ringelnatter gejagt. Wenn sie am Schwanz gepackt wird, wirft sie ein Stück von ihrem Schwanz ab. Der Angreifer ist dadurch verwirrt, und die Eidechse kann fliehen. Später wächst ihr der Schwanz wieder nach.

Eidechsen nehmen häufig ein Sonnenbad auf einem warmen Stein, um ihren Körper aufzuwärmen.

Die Eiderente ist ein Küstenbewohner in nördlichen Gebieten.

Eiderente

Die Eiderente gehört zu den ➪ Enten, die am weitesten nördlich zu Hause sind. Sie kommt in Grönland, Alaska und Skandinavien vor. Die Eiderente ist etwas größer als unsere ➪ Stockente. Das Gefieder des Männchens oder »Erpels« ist weiß, am Bauch ist es schwarz-blau, der Hinterkopf ist hellgrün, und auf dem Kopf hat der Erpel eine schwarze Kappe. Das Federkleid der Weibchen ähnelt dem der weiblichen Stockente. Eiderenten sind Küstenbewohner, die im Meer nach Nahrung suchen. In der Paarungszeit bauen diese Enten ein Nest am Boden. Sie polstern das Nest mit ihren eigenen Federn aus. Diese besonders feinen Federn nennt man »Daunen«. In den Gebieten, wo viele Eiderenten nisten, sammeln die Menschen diese Daunenfedern ein. Man benutzt die weichen Federn dann, um damit Daunenkissen zu füllen. Das Weibchen legt 4-6 Eier. Nach 28 Tagen schlüpfen die Jungen. Die kleinen Eiderenten können sofort schwimmen und tauchen. Eiderenten fressen Seeigel, Krebse, Fische und Fischlaich. Die natürlichen Feinde dieser Tiere sind Polarfüchse, Raubmöwen und Greifvögel.

Der Eisbär ist ein Bewohner des Nordens.

Eisbär

Der Eisbär lebt in Grönland und Alaska. Dieser ➪ Bär ist 2,5 m lang und wird über 400 kg schwer. Trotzdem kann er ausgezeichnet schwimmen und tauchen. Dabei helfen ihm seine Schwimmhäute, die er zwischen den Zehen hat. Eisbären sind Einzelgänger, die sich aus dem Weg gehen. Nur in der Paarungszeit treffen Männchen und Weibchen zusammen. Vor der Geburt baut die Bärin eine Mulde an einem Schneehang. Dort legt sie sich nieder und lässt sich einschneien. Durch ihre Körperwärme bildet sich um sie herum eine Höhle, in der es wärmer ist als draußen. Hier wird das Junge geboren. Muttertier und Junges bleiben bis zum März in der Höhle. Eisbären haben in ihrem Lebensraum keine natürlichen Feinde. Ihr größter Feind ist der Mensch, der noch heute Jagd auf sie macht. Eisbären sind so selbstsicher, dass sie nie gelernt haben, den Menschen zu fürchten. Sie kommen sogar neugierig auf Polarforscher und leider auch auf bewaffnete Pelzjäger zu.

Eisfuchs

Der Eisfuchs, auch Polarfuchs genannt, ist wahrscheinlich näher mit den ➪ Hunden als mit den ➪ Füchsen verwandt. Er wird 68 cm lang, 30 cm hoch und 5 kg schwer. Neben dem Eisbär ist er das einzige Landraubtier der kalten Eiswüsten des Nordpols. Im Winter ist sein Fell dicht, flauschig und weiß. Dieses Weiß macht ihn auf den schneebedeckten Eisschollen fast unsichtbar. Es gibt auch blau-graue Eisfüchse. Im Sommer trägt er immer ein braunes Fell. Das Weibchen bekommt nach der Paarungszeit im März 3–4 Junge. Das Männchen sucht Nahrung für das Weibchen und seine Jungen. Eisfüchse fressen Nagetiere und Vogeleier. Wenn die Nahrung knapp wird, folgen sie Eisbären, um die Reste ihrer Mahlzeit zu fressen. In solchen Zeiten begnügen sie sich auch mit Aas und Rentierkot. Wegen ihres schönen Fells werden die klugen Polarfüchse in Pelztierfarmen gehalten, wo sie ein kurzes Leben in engen Käfigen führen.

Ein Eisfuchs mit bräunlichem Sommerfell.

Eisvögel sind gute Fischjäger.

Eisvogel

Der Eisvogel gehört zur Ordnung der Rackenvögel und ist mit dem ➪ Kookaburra und dem ➪ Wiedehopf verwandt. Er wird 17 cm lang. Sein Gefieder glänzt und schillert blau-grün, so dass man ihn auch »Fliegender Edelstein« nennt. Sein Bauch ist orange und seine Kehle weiß. Eisvögel sind schnelle und gewandte Flieger, die in der Nähe von Gewässern brüten und jagen. Zur Paarungszeit fliegt das Männchen zum Weibchen hin und bietet ihm einen Fisch als Geschenk an. Dann bauen beide eine Erdhöhle in der Nähe des Ufers. Die Jungen werden von beiden Eltern gefüttert. Eisvögel jagen kleine Fische. Sie fliegen dabei mit hoher Geschwindigkeit dicht über das Wasser und stoßen plötzlich unter die Wasseroberfläche. Durch die Bebauung der Natur sind die Eisvögel selten geworden. Sie leiden auch unter besonders harten Wintern, die viele von ihnen verhungern und erfrieren lassen.

Elch

Elche sind die größten ➪ Hirsche der Erde. Sie sind so groß wie ein Pferd. Ihre Körperhöhe ist über 1,8 m und sie werden 800 kg schwer. Die Nase des Elches ist sehr lang, und seine Oberlippe ist breit und sehr beweglich. Die Männchen tragen eine Krone auf dem Kopf. Diese Krone heißt »Geweih«. Elche leben in Alaska und Nordeuropa. Im Frühjahr bringen die Elchmütter 2-3 Junge zur Welt. Diese Jungen, die »Elchkälber«, bleiben ein Jahr lang bei der Mutter und werden von ihr gesäugt. Elche ernähren sich von dünnen Ästen, Gräsern, Moor- und Heidekräutern. Sie lieben auch Wasserpflanzen. Da Elche gute Schwimmer sind, tauchen sie sogar an den Grund eines Sees hinab, um an die Wasserpflanzen zu gelangen. Ein erwachsener Elch ist sehr stark und hat kaum Feinde. Nicht einmal vor einem Bären hat ein Elch Angst. Wenn ein Elch aber krank oder noch sehr jung ist, kann er die Beute von Wölfen, Bären und Pumas werden.

Der Elch ist der größte Vertreter aus der Familie der Hirsche.

Afrikanische Elefanten haben große Ohren und eine runde Stirn.

Elefant

Elefanten sind die größten ➪ Säugetiere, die auf dem Land leben. Sie gehören zu den Rüsseltieren. So erstaunlich es klingt: Der Elefant ist mit der ➪ Seekuh verwandt, die ausschließlich im Wasser lebt. Es gibt heute noch 2 Arten: den asiatischen und den afrikanischen Elefant. Der afrikanische Elefant wird 3-4 m groß und 7500 kg schwer. Sein asiatischer Bruder ist etwas kleiner und hat kleinere Ohren. Außerdem hat dieser 2 Höcker am Kopf, die Stirn des afrikanischen Elefanten ist dagegen glatt. Alle 2 Jahre bringen Elefantenmütter 1 Junges zur Welt. Die Milchdrüsen der Elefanten liegen im Gegensatz zu vielen anderen Säugetieren zwischen den Vorderbeinen. In Indien werden Elefanten seit Jahrhunderten zur Arbeit abgerichtet. Vor allem in Asien, aber auch in Afrika ist der Elefant vom Aussterben bedroht. Der Grund für die extreme Verfolgung: Die Stoßzähne sind aus wertvollem Elfenbein. Um Schnitzereien herzustellen, werden die grauen Riesen immer noch getötet.

Ein männlicher asiatischer Elefant.

Elenantilope

Die Hörner der Elenantilope sind spitz und schraubenförmig: Eine gefährliche Waffe gegen Raubtiere.

Die Elenantilope ist die größte ➪ Antilope der Welt. Sie ist mit dem ➪ Kudu verwandt. Allerdings tragen bei den Elenantilopen nicht nur die Männchen Hörner, sondern auch die Weibchen. Elenantilopen sind 2,4 m lang, 1,8 m hoch und wiegen 1000 kg. Ihre Hörner sind spiralförmig gedreht. Ihr Fell ist ockerfarben, mit weißen Streifen an der Seite und einem schwarzen Längsstrich am Rücken. Elens leben in Süd- und Zentralafrika. Nach einer Trächtigkeit von 8 Monaten bringt das Weibchen 1 Junges zur Welt. Erstaunlich ist, dass die Muttertiere auch die Jungen anderer Elenantilopen säugen. Wenn Elenantilopen angegriffen werden, gehen sie oft zum Gegenangriff über und schlagen dabei auch Raubtiere wie Geparden und Leoparden in die Flucht. Löwen sind ihre größten Feinde, denn sie sind starke Gegner und greifen nie alleine an.

Die großen Elenantilopen haben nur wenige natürliche Feinde. Nur die Löwen trauen sich, diese Riesen anzugreifen.

Die Elster hat ein typisches schwarz-weißes Gefieder. Sie ist ein Nesträuber.

Elster

Die Elster gehört zu den Rabenvögeln. Sie ist mit dem Eichelhäher, der Krähe und dem Raben verwandt. Ihr Gefieder ist schwarzweiß gefärbt, und sie hat lange Schwanzfedern. Ihr Lebensraum reicht von Asien und Europa bis Nordamerika. Elstern sind sehr anpassungsfähig. Sie leben in Parks und Gartenanlagen, aber auch in Wäldern und im Gebirge. Das Weibchen legt 6-7 Eier. Die schlaue Elster ist als Nesträuber verhaßt, obwohl sie hauptsächlich am Boden nach pflanzlicher und tierischer Nahrung sucht. Als Allesfresser ernährt sie sich hauptsächlich von Eicheln, Beeren, Kleintieren, oft auch von Eiern und Jungvögeln. Weil Elstern Nesträuber sind, werden sie von den Menschen bejagt. Die Elster hat noch eine andere Eigenart: Sie ist genau so neugierig wie die Krähe und stiehlt manchmal Gegenstände, die glitzern. Daher kommt der Ausdruck »diebische Elster«.

Emu

Der Emu ist ein großer Laufvogel aus Australien. Er kann nicht fliegen, weil seine Flügel klein und verkümmert sind. Dafür sind die Beine des Emus sehr kräftig. Er kann damit schnell und ausdauernd laufen. Der Emu ist verwandt mit dem Vogel ⇨ Strauß aus Afrika und mit dem ⇨ Nandu aus Südamerika. Emus haben ein braunes Gefieder, einen blauen Hals und graue Beine. Sie sehen den Nandus ähnlich, die aber keinen blauen Hals haben. Emus werden 1,8 m groß und 55 kg schwer. Zur Paarungszeit legen sie ihre Eier in eine Mulde auf dem Boden. Das Ausbrüten der Eier und die Aufzucht der Jungen ist Aufgabe des Vaters. Die Jungen fressen Heuschrecken und Insektenlarven. Die Erwachsenen sind Pflanzenfresser. Sie ernähren sich von Kletten, Gras, Früchten und Beeren. Bis vor kurzem wurden die Emus von australischen Bauern verfolgt, weil sie auf die Felder gingen und die Ernte fraßen. Heute versuchen die Bauern, die Emus mit kilometerlangen Zäunen vom Getreide fernzuhalten. Dadurch ist jedoch in Dürrezeiten der Weg zu den Wasserstellen versperrt.

Der Emu lebt in Australien.

Eine männliche Stockente.

Ente

Enten sind Wasservögel. Alle Entenarten leben an einem Teich, einem See oder an der Küste. Enten haben Schwimmhäute zwischen den Zehen und einen breiten Schnabel. Sie sind gute Schwimmer und schnelle Flieger. Das Männchen heißt »Erpel«, und das Weibchen heißt »Ente«. In der Paarungszeit legt der Erpel ein buntes Prachtgefieder an. Das Weibchen ist immer braun. Das muss so sein, denn das Weibchen brütet die Eier aus. Wenn es hilflos auf dem Nest sitzt, darf es von Raubtieren nicht gesehen werden. Enten haben viele Feinde: den Fuchs, den Habicht, die Eule, den Wanderfalken und den Iltis. Bei uns gibt es zwei Unterfamilien der Enten: die Schwimmenten und die Tauchenten. Schwimmenten stecken nur den Kopf unter Wasser und strecken dabei die Schwanzfedern nach oben. Man nennt das »Gründeln«. Die Tauchenten können tauchen und bleiben dabei 1 Minute unter Wasser. Die häufigste Ente bei uns in Deutschland ist die ➪ Stockente. Sie ist eine Schwimmente. Die bunten Erpel sind an ihrem blaugrün schillernden Kopf und dem weißen Halsring gut zu erkennen.

Erdferkel

Das Erdferkel hat zwar einen ähnlichen Rüssel wie ein Schwein, es ist aber überhaupt nicht mit den Schweinen verwandt, sondern gehört zur Ordnung der Röhrchenzähner. Es ist wahrscheinlich der letzte Überlebende der frühen Urhuftiere. Erdferkel werden 2 m lang und 100 kg schwer. Sie haben einen langen Schwanz, einen lang gestreckten Kopf und große, spitze Ohren. Ihr Lebensraum ist in Süd- und Zentralafrika. Erdferkel graben sich tiefe Höhlen, in denen sie tagsüber schlafen. Erst wenn es ganz dunkel ist, kommen sie heraus und gehen auf Nahrungssuche. Die Paarungszeit dieser eigenartigen Tiere ist im April. Die Jungen kommen im Spätherbst desselben Jahres zur Welt. Nach einigen Wochen begleitet das Junge seine Mutter auf den nächtlichen Streifzügen. Später baut es sich seine eigene Höhle direkt neben der Höhle der Mutter. Erst nach 1 Jahr trennen sich die beiden. Erdferkel fressen Termiten, die sie mit ihrer langen, klebrigen Zunge aus den Termitenhügeln angeln. Mit ihren starken Krallen können die Erdferkel leicht einen Termitenhügel aufbrechen. Ihre natürlichen Feinde sind der Löwe, der Leopard und die Hyäne.

Erdferkel sehen aus wie Tiere aus einer anderen Zeit.

Esel

Esel sind mit den Pferden verwandt. Sie haben meist ein graues Fell und lange spitze Ohren. Es gibt heute noch Wildesel in Afrika. Leider sind die meisten Arten schon ausgestorben. Nur vom Somali-Wildesel gibt es noch einige hundert Tiere in Äthiopien. Von diesen Wildeseln stammen unsere Hausesel ab. Im Gegensatz zum Pferd laufen sie bei Gefahr nicht davon, sondern bleiben abwartend stehen und lassen sich auch mit Gewalt nicht zum Weitergehen bewegen. Esel darum als dumm oder stur zu bezeichnen ist völlig falsch. Ihr Mut, ihre Bedürfnislosigkeit und ihre Leistungsfähigkeit machten die Esel als Haustiere begehrt. Heute werden Esel bei uns eher zur Zierde gehalten und gezüchtet. Leider werden sie dabei häufig vernachlässigt. In südlichen Ländern ist der Esel aber immer noch ein guter Gehilfe und ein starker Lastenträger. Wenn sich ein Eselhengst mit einer Pferdestute paart, ist ihr Nachkomme ein Maultier oder Muli. Die Kreuzung zwischen einem Pferdehengst und einer Eselstute nennt man Maulesel.

Esel sind in südlichen Ländern beliebte Haustiere.

Eulen jagen in der Nacht.

Eule

Eulen sind eine Ordnung der ➪ Vögel. Sie haben einige Gemeinsamkeiten mit den ➪ Greifvögeln. Auch Eulen haben scharfe Krallen und einen scharfen Schnabel. Außerdem sind Eulen Jäger und Fleischfresser. Eulen sind an das Leben in der Nacht gut angepasst. Mit ihren großen, runden Augen können sie auch in der Dunkelheit gut sehen. Ihr Kopf ist sehr beweglich. Sie können ihn um über 180° drehen, das heißt, sie können mühelos genau hinter sich sehen. Am Ende ihrer Schwungfedern, also der Federn des Flügels, haben Eulen Fransen. Diese Fransen ermöglichen es, dass sie geräuschlos fliegen können. Alle Eulen legen weiße Eier, die vom Weibchen bebrütet werden. Als Nistplatz wählen sie Höhlen in Bäumen, in der Erde oder in Felsen. Manche Eulen brüten auch gerne in alten Häusern und Dachstühlen. Ihre Nahrung reicht von Insekten über Nagetiere bis zu größeren Wirbeltieren. Durch die Zerstörung ihrer Lebensräume sind leider viele Eulenarten selten geworden. Deshalb stehen alle Eulen bei uns unter Naturschutz.

Falke

Falken sind eine besondere Familie der ➪ Greifvögel. Sie sind Fleischfresser, die andere Tiere jagen. Falken sind Vogeljäger, die vor allem im Sturzflug schneller sind als jeder andere Vogel. Das gilt vor allem für den ➪ Wanderfalken. Die Ausnahme hiervon sind die Rüttelfalken, zu denen auch der ➪ Turmfalke zählt. Sie halten nach Beute auf dem Boden Ausschau. Dazu bleiben sie in der Luft stehen und schlagen schnell mit den Flügeln. Falken sind Bisstöter, das heißt, sie beißen dem Opfer ins Genick. Wenn Falken Eier gelegt haben, werden diese allein vom Weibchen ausgebrütet. Das Männchen sorgt in dieser Zeit für sein Weibchen und füttert es. Falken sind in vielen Gebieten vom Aussterben bedroht. Sie leiden sehr unter den Umweltgiften, von denen sie krank und unfruchtbar werden. Der kleinste Falke ist der nordamerikanische Buntfalke, der größte ist der Gerfalke aus dem Nordmeergebiet.

Der Buntfalke ist der kleinste der Familie.

Lediglich der Fasanenhahn hat ein prächtiges Gefieder.

Fasan

Der häufigste und bekannteste Fasan ist der Jagd- oder Edelfasan. Er kommt aus Asien und ist bei uns ursprünglich nicht beheimatet. Er wurde allerdings im 18. Jahrhundert eingeführt. Der Fasanenhahn hat einen grün schillernden Kopf mit großen roten Hautlappen an den Wangen. Diese Hautlappen nennt man »Rosen«. Sein übriges Gefieder ist braun-schwarz gesprenkelt. Die Schwanzfedern sind sehr lang und spitz. Das Weibchen oder »Henne« ist unscheinbar gefärbt und hat keine so langen Schwanzfedern. Fasane halten sich gern in Feldgehölzen, Auwäldern und hohen Wiesen auf. Oft leben sie in kleinen Gruppen. Bei Gefahr kann der Fasan »zu Fuß« rasch in die Büsche flüchten. Man nenn ihn deshalb spaßhaft den »Infanteristen«. Die Paarungszeit beginnt im April. Das Weibchen baut das Nest meist gut versteckt unter einem Busch und brütet die 8–14 Eier alleine aus. Nach 23 Tagen schlüpfen die Jungen und verlassen noch am selben Tag das Nest. Sie sind also Nestflüchter. Die Nahrung des Fasans sind Samen und Körner. Seine natürlichen Feinde sind: Fuchs, Hermelin, Iltis, Habicht und Eule.

Das Faultier lebt im Urwald Südamerikas.

Faultier

Faultiere sind eine Familie aus der Gruppe der Nebengelenktiere. Diese Tiere haben eine besondere Wirbelsäule, die anders aussieht als bei anderen Tieren. Das Faultier lebt in Südamerika und ist mit dem Gürteltier und dem Ameisenbär verwandt. Faultiere werden über einen halben Meter lang und 9 kg schwer. Ihre Zehen haben lange gebogene Krallen, mit denen sie gut klettern können. Faultiere heißen so, weil sie sich sehr langsam bewegen. Sie leben auf Bäumen. Tagsüber schlafen sie und nachts suchen sie nach Nahrung. Da sich Faultiere von den Blättern und Früchten der Bäume ernähren, brauchen sie sich auch nicht sehr anzustrengen: Das Fressen hängt ja direkt neben ihnen. Sie bewegen sich so wenig, dass in ihrem Fell sogar Algen und Moos wachsen. Durch die grüne Farbe der Algen sind die Faultiere in den Baumkronen gut getarnt. Nach einer Trächtigkeit von 5 Monaten bringt das Faultierweibchen 1 Junges zur Welt. Das Junge wird 9 Monate lang von der Mutter gesäugt. Die Feinde der Faultiere sind der Jaguar, die Riesenschlange und der Adler. Die südamerikanischen Einwohner jagen die Faultiere, um ihr Fleisch zu essen und um aus ihrem Fell Pferdedecken herzustellen.

Feldhuhn

Feldhühner sind eine Unterfamilie der Fasanartigen. Ihr Körper ist gedrungen und ihre Beine sind kurz. Das kleinste Feldhuhn ist die 45 g leichte Zwergwachtel, das größte ist das Königshuhn. Es wird 3 kg schwer. Auch das ⇨ Rebhuhn ist ein Feldhuhn. Feldhühner leben in kleinen Gruppen auf Äckern, in Feldgehölzen und auf Wiesen. Die Paarungszeit dieser Vögel ist im Mai. Ihr Nest ist eine Mulde im Boden, die mit Moos und Blättern gepolstert ist. Feldhühner legen meistens 3–5 Eier, beim Rebhuhn sind es aber 10. Nach der Brutzeit von 25 Tagen schlüpfen die Jungen. Sie verlassen bald das Nest, Feldhühner sind Nestflüchter. Sie fressen Körner und Samen. Aber auch Insekten, Würmer und Insektenlarven stehen auf ihrem Speisezettel. Ihre Feinde sind der Fuchs, der Marder und die Greifvögel.

Das Rothuhn ist ein bekanntes Feldhuhn aus Spanien.

Mit ihren großen Ohren können Fenneks nicht nur gut hören, sondern auch ihr Blut kühlen.

Fennek

Der kleinste und zierlichste aller Wildhunde ist der afrikanische Wüstenfuchs oder Fennek. Er ist mit den Füchsen verwandt, wird 40 cm lang und 1,5 kg schwer. Sein Fell ist gelb-braun, und er hat einen buschigen Schwanz. Sehr auffällig sind seine großen Ohren, die mehr als 15 cm lang sind. Mit diesen Ohren kann der Fennek seine Beute und seine Feinde sehr gut hören. Die Paarungszeit der Fenneks ist im März. 50 Tage später bringt die Fennekmutter 2-4 Junge zur Welt. Die Jungen, auch »Welpen« genannt, kommen in der Erdhöhle der Eltern auf die Welt. Die Welpen sind bei der Geburt noch blind. Ihre Augen öffnen sich nach 2 Wochen. Fenneks jagen in der Nacht. Ihre Beute sind Eidechsen, Heuschrecken, Nagetiere und Vögel. Die größte Gefahr droht dem Fennek von oben. Seine Hauptfeinde sind große Eulen, die auch in der Nacht unterwegs sind. Da Eulen sehr leise fliegen, bemerkt sie der Fennek trotz seiner großen Ohren manchmal zu spät.

Feuersalamander

Der Feuersalamander gehört zu den Schwanzlurchen. Er ist also eine ➪ Amphibie, genau wie der ➪ Frosch und der ➪ Molch. Der Feuersalamander wird 19 cm lang. Seine Haut ist schleimig und seine Farbe ist schwarz mit roten oder gelben Streifen und Flecken. Obwohl er ein Landbewohner ist, liebt er die Nähe von Gewässern. Das Weibchen bringt seine Jungen im Wasser auf die Welt. Feuersalamander legen also keine Eier, wie Frösche oder Molche. Die Jungen des Feuersalamanders nennt man »Larven«. Sie sehen ihren Eltern zwar schon recht ähnlich, haben aber noch keine Lunge. Zuerst atmen die Jungtiere wie die Fische durch Kiemen. Deshalb ist es wichtig, dass sie im Wasser geboren werden, da sie sonst ersticken würden. Erst nach 3 Monaten wachsen den jungen Feuersalamandern Lungen, und sie müssen das Wasser verlassen und auf dem Land leben. Die auffällige Färbung des Feuersalamanders soll Feinde vor ihm warnen. Seine Haut ist nämlich mit einer giftigen Flüssigkeit bedeckt. Die Nahrung des Feuersalamanders sind Würmer, Schnecken und Insekten.

Die auffällige gelb-schwarze Färbung des Feuersalamanders soll seine Feinde abschrecken.

Fichtenkreuzschnabel

Der Fichtenkreuzschnabel gehört zur Familie der Finken. Fichtenkreuzschnäbel sind 15 cm lang und ihr Gefieder ist rot-braun. Ihr auffälligstes Merkmal sind die gekreuzten Enden ihres Schnabels. Mit diesem Schnabel können sie den Samen aus den Zapfen der Nadelbäume herausziehen. Diese Vögel ernähren sich nur von Tannen- und Fichtenzapfen. Fichtenkreuzschnäbel brüten schon im Januar, also sehr viel früher als die meisten anderen Vögel. In dieser Zeit fallen die Samen noch nicht aus den Zapfen heraus. Das bedeutet, dass der Fichtenkreuzschnabel den Samen gut erreichen kann und genügend Futter für seine Jungen hat. Fichtenkreuzschnäbel unternehmen große Wanderungen. Alle paar Jahre sammeln sich hunderte von ihnen und verlassen gemeinsam ihren Heimatwald. Wahrscheinlich wandern sie deshalb gelegentlich umher, weil sie in ihrem Wald nicht genügend Nahrung finden.

Der Fichtenkreuzschnabel brütet im Winter.

Finken sind Körnerfresser. Ihre Jungen füttern sie aber mit Insekten.

Fink

Finken gehören zu den Singvögeln. Es gibt Finken in allen Erdteilen, außer auf Madagaskar. Finken werden ungefähr 15 cm lang und 30 g schwer. Sie alle sind Körnerfresser. Ihr Schnabel ist kurz und kräftig. Sie fressen Samen und Früchte. Wenn das Finkenweibchen die Eier ausbrütet, bleibt es auf dem Nest sitzen, bis die Jungen schlüpfen. In dieser Zeit kann es also nicht auf Nahrungssuche gehen. Damit es nicht verhungert, wird es vom Männchen gefüttert. Die frisch geschlüpften Jungen werden dann von beiden Eltern mit Nahrung versorgt. Sie bekommen keine Körner, sondern Raupen und Insekten. Erst wenn sie das Nest verlassen, man sagt auch, wenn sie »flügge« sind, fressen sie Samen und Körner. Zu den Finken gehören der ➪ Buchfink, der Grünfink, der Stieglitz oder ➪ Distelfink, der Gimpel oder ➪ Dompfaff und der ➪ Fichtenkreuzschnabel.

Von einem Pfahl aus beginnt ein Fischadler seine Jagd. Seine Beute hat er schon erblickt.

Fischadler

Der Fischadler ist ein ➪ Greifvogel, der sich auf die Fischjagd spezialisiert hat. Er ist schlank, 60 cm groß und hat einen schwarzen Streifen über seinen Augen. An seinem Hinterkopf hat er verlängerte Federn. Weil er so schlank ist und schmale Flügel hat, sieht er von Weitem nicht wie ein Adler, sondern eher wie eine große Möwe aus. Der Fischadler lebt in Europa, Asien, Nordamerika und Australien. Das Adlerweibchen legt 3-4 Eier in ein großes Nest. Dieses Nest der Greifvögel nennt man »Horst«. Nach 4 Wochen schlüpfen die Jungen, und nach 9 Wochen verlassen sie bereits das Nest. Man sagt, sie werden »flügge«. Fischadler fressen ausschließlich Fische. Auf der Jagd fliegen sie hoch über dem Wasser. Wenn sie einen Fisch erblickt haben, stoßen sie mit vorgestreckten Krallen auf ihn herab. Um die Beute richtig zu packen, tauchen sie dabei tief in das Wasser ein. Fischadler sind sehr stark. Sie können Fische tragen, die schwerer sind als sie selbst.

Fischadler haben sehr gute Augen.

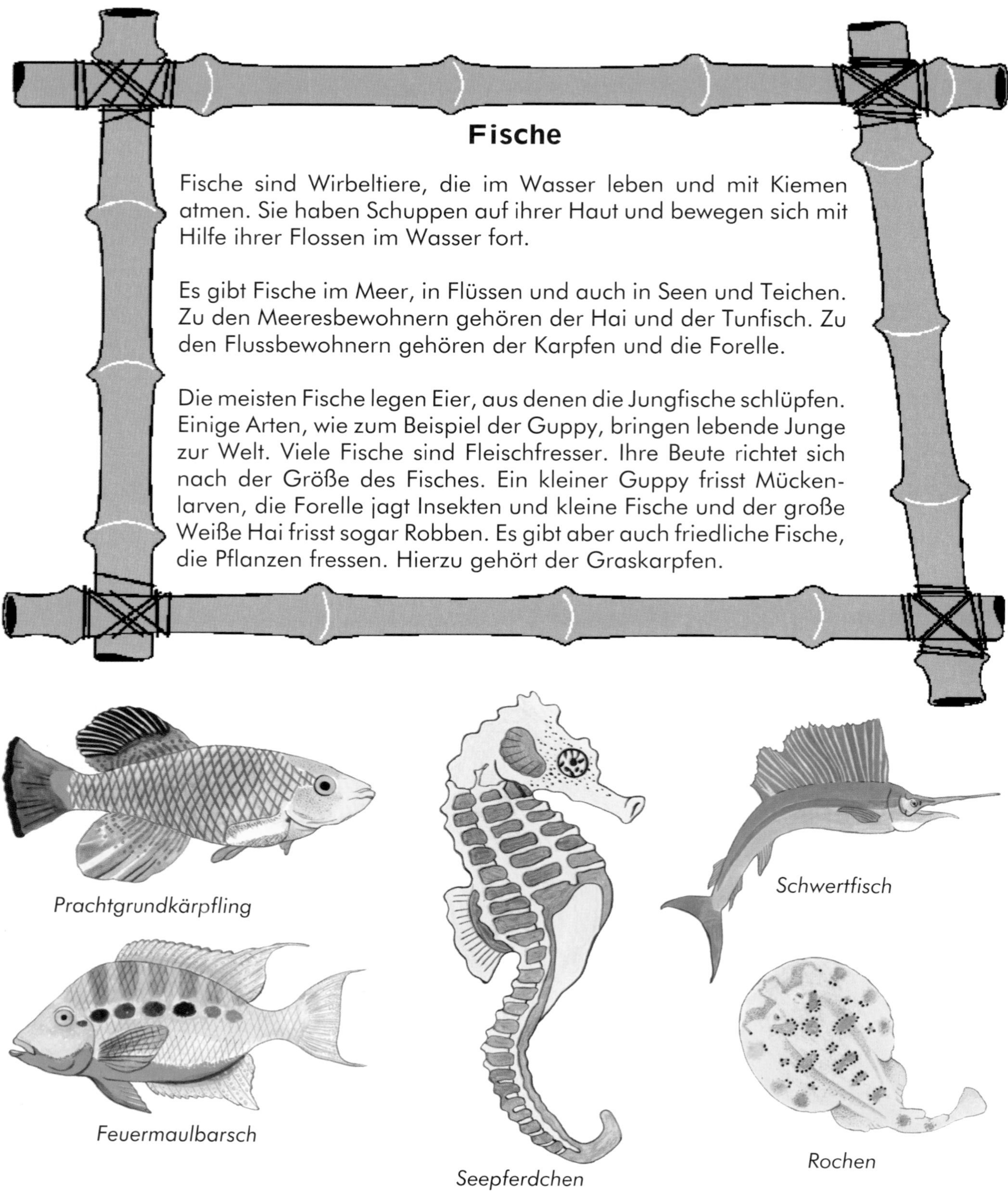

Fische

Fische sind Wirbeltiere, die im Wasser leben und mit Kiemen atmen. Sie haben Schuppen auf ihrer Haut und bewegen sich mit Hilfe ihrer Flossen im Wasser fort.

Es gibt Fische im Meer, in Flüssen und auch in Seen und Teichen. Zu den Meeresbewohnern gehören der Hai und der Tunfisch. Zu den Flussbewohnern gehören der Karpfen und die Forelle.

Die meisten Fische legen Eier, aus denen die Jungfische schlüpfen. Einige Arten, wie zum Beispiel der Guppy, bringen lebende Junge zur Welt. Viele Fische sind Fleischfresser. Ihre Beute richtet sich nach der Größe des Fisches. Ein kleiner Guppy frisst Mückenlarven, die Forelle jagt Insekten und kleine Fische und der große Weiße Hai frisst sogar Robben. Es gibt aber auch friedliche Fische, die Pflanzen fressen. Hierzu gehört der Graskarpfen.

Otter sind sehr verspielte Tiere...

...und außerdem sind sie gute Schwimmer.

Fischotter

Fischotter gehören zur Familie der Marder. Ihr Körper ist gestreckt, ihr Schwanz ist lang und kräftig. Die Beine sind kurz und zwischen den Zehen haben sie Schwimmhäute. Der Fischotter wird 1 m lang und bis zu 15 kg schwer. Er lebt in Europa, Asien und Westafrika. Otter können gut schwimmen und jagen unter Wasser Fische und Krebse. Aber auch an Land ist der Fischotter ein flinker Räuber, der Mäuse und Bisamratten jagt. Sogar Blässhühner sind nicht vor ihm sicher. Nach einer Trächtigkeit von 10 Monaten bringt die Ottermutter 2–4 Junge zur Welt. Diese sind bei der Geburt blind. Ihre Augen öffnen sich erst nach 4 Wochen. Nach 4 Monaten werden die Jungen nicht mehr von der Mutter gesäugt. Der Otter trägt ein wertvolles Fell. Deshalb und weil er Fische jagt wurde er verfolgt und in vielen Gebieten ausgerottet. Deshalb ist er heute streng geschützt.

Flamingo

Flamingos sind stelzbeinige Wasservögel mit einem abgerundeten Schnabel. Sie werden bis zu 1,9 m hoch und wiegen 3,5 kg. Hals und Beine sind sehr lang und die Zehen haben Schwimmhäute. Das Gefieder der Flamingos ist meist rot bis rosa. Flamingos leben in Süd- und Mittelamerika, in Afrika und in Asien. Zur Paarungszeit wählt das Weibchen einige Tage vor der Eiablage einen Brutplatz am Boden aus. Das Nest formt es aus Schlamm. Das Weibchen legt ein Ei, das beide Eltern ausbrüten. Die Aufzucht der Jungen ist einzigartig in der Vogelwelt: Die Kinder der Flamingos schließen sich zu einer großen Gruppe zusammen. Diese Gruppe nennt man »Krippe«. Die Jungen leben also in einer Art Kindergarten, der von den Elterntieren überwacht wird. Dabei ist es kein Problem für die Eltern, ihr Junges in der Menge wieder zu finden. Flamingos ernähren sich von kleinen Krebsen und Algen.

Ein Flamingo putzt sein Gefieder.

Fledermaus

Fledermäuse gehören zur Ordnung der Fledertiere. Fledertiere sind die einzigen Säugetiere, die aktiv fliegen können. Ihre Körpergröße reicht von 3 cm (Zwergfledermaus) bis 16 cm (Gespenstfledermaus). Ihre Flughaut an den Vorderbeinen ist immer nackt. Die meisten Fledermäuse sind nur nachts aktiv. Tagsüber hängen sie dann mit dem Kopf nach unten in Höhlen und alten Häusern. Nach einer Trächtigkeit von 7-10 Wochen bringen Weibchen 1 Junges zur Welt. Die Geburt geschieht auch im Hängen. Dabei hält die Mutter das Junge mit ihren Flughäuten fest, damit es nicht herunterfällt. Es gibt Fledermäuse, die sich nur von Früchten und Blütennektar ernähren. Andere sind Räuber, die Eidechsen, Fische, Mäuse, kleinere Fledermäuse und sogar Vögel jagen. Nur eine Familie, die Echten Vampire, saugen das Blut schlafender Rinder und anderer Säugetiere. Diese Fledermäuse leben in Südamerika. Die bei uns heimischen 22 Fledermausarten ernähren sich von Insekten. Wegen der giftigen Insektenvernichtungsmittel und der Zerstörung ihrer Schlaf- und Überwinterungsplätze sind sie allesamt bedroht.

Fledermäuse schlafen nachts in Höhlen.

Fliegende Fische haben auffällig große Brustflossen, mit deren Hilfe sie bis zu 50 m durch die Luft gleiten können.

Fliegender Fisch

Die Fliegenden Fische gehören zur Ordnung der Ährenfischartigen. Ihre Brustflossen sind sehr groß und breit. Diese Fische sehen aus wie Heringe mit Flügeln. Ihre großen Brustflossen können sie aber nicht nach oben und unten bewegen wie Vögel oder Schmetterlinge. Sie schwimmen sehr schnell dicht unter der Wasseroberfläche. Wenn sie genügend Beschleunigung haben, schießen sie aus dem Wasser und gleiten durch die Luft. Dabei erreichen sie Weiten von 50 m. Ihr Antrieb ist ihre Schwanzflosse, die sie 50 Mal in der Sekunde hin und her bewegen können. Manchmal landen sie nur ganz kurz im Wasser. Bei solchen Mehrfachsprüngen legen sie in 13 Sekunden 200 m zurück. In der Paarungszeit legen die Weibchen ihre Eier an Wasserpflanzen oder Algen ab. Die Jungfische haben zuerst noch kurze Brustflossen. Erst wenn sie ausgewachsen sind, haben sich ihre Brustflossen zu Gleitflächen entwickelt. Ihre Feinde sind schnelle Raubfische und Seevögel. Besonders der wendige Fregattvogel hat sich auf die Jagd nach Fliegenden Fischen spezialisiert.

Fliegender Hund

Fliegende Hunde oder Flughunde gehören wie die Fledermäuse zu den Fledertieren. Sie haben einen fuchsähnlichen Kopf, ein dichtes Fell und nackte Flügel. Flughunde sind größer als die ➪ Fledermäuse. Sie werden 40 cm lang und 1 kg schwer. Ihre Flügelspannweite kann 1,4 m erreichen. In ihrer Lebensweise und Fortpflanzung ähneln die Fliegenden Hunde den Fledermäusen sehr. Auch sie haben nur 1 Junges, das von der Mutter umhergetragen und gesäugt wird. Alle Flughunde sind Pflanzenfresser. Sie ernähren sich von Früchten, Blüten und sogar Nektar, wie die Insekten. Im tropischen Regenwald sind sie deshalb sehr wichtig für die Bestäubung der Pflanzen. Manchmal richten sie jedoch große Schäden in Obstplantagen an, weil sie in riesigen Schwärmen von bis zu 1000 Tieren umherfliegen.

Flughunde sind friedliche Pflanzenfresser. Sie sind in ihrer Heimat unbeliebt, weil sie Obstplantagen plündern.

Dieser Schnäpper hat sein Nest in einer Astgabel gebaut.

Fliegenschnäpper

Fliegenschnäpper sind eine Unterfamilie der Singvögel. Sie werden ungefähr 12 cm groß, haben keilförmige Flügel und einen spitzen, kurzen Schnabel. Sie sind in Europa, Asien und Australien zu Hause. Bei uns leben der Trauerschnäpper, der ein schwarz-weißes Federkleid hat, und der Zwergschnäpper, der aussieht wie ein kleines Rotkehlchen. Diese Vögel leben in Mischwäldern. Hier finden sie ideale Bedingungen, vor allem was ihre Brut betrifft: Viele Fliegenschnäpper brüten nämlich in Höhlen. Sie ziehen deshalb gerne in alte, verlassene Baumhöhlen von Spechten oder Käuzen. Wenn Vogelfreunde Nistkästen aufgehängt haben, ziehen sie auch hier ein. Das Weibchen polstert die Höhle mit Gräsern und Moos aus und legt 5-7 Eier. Die Feinde der Altvögel sind der Sperber und der Waldkauz. Der Bruthöhle droht Gefahr vom Baummarder, Hermelin, Eichhörnchen, Buntspecht und Wendehals.

Der Flugfrosch sieht dem Laubfrosch sehr ähnlich.

Flugfrosch

Flugfrösche sind eine tropische Familie der ➪ Frösche. Sie leben in Afrika, Madagaskar, Südostasien und Japan. Sie leben wie die ➪ Laubfrösche, denen sie sehr ähnlich sehen, in den Bäumen. Flugfrösche haben ihren Namen daher, weil sie von einem Baum zum anderen gleiten können. Die Häute zwischen ihren Zehen sind so breit, dass sie wie kleine Fallschirme auseinander gebreitet werden können. Da diese Frösche die Bäume niemals verlassen, können sie ihre Eier nicht im Wasser ablegen wie viele ihrer Verwandten. Aber die Flugfrösche benutzen einen Trick: Das Weibchen klettert auf einen Ast, der über einem Teich hängt. Hier gibt es eine Flüssigkeit ab, die es so lange mit den Hinterbeinen umrührt, bis ein Schaumnest entsteht. Hier legt die Mutter die befruchteten Eier hinein. Dann verlässt sie den Ast. Nach einiger Zeit entwickeln sich in diesem Schaum die Larven. Wenn diese aus den Eiern schlüpfen, fallen sie aus dem Schaumnest herunter in den Teich. Das ist wichtig, denn alle Froschlarven atmen zuerst über Kiemen und müssen deshalb ins Wasser. Später, wenn ihnen Lungen und Beine gewachsen sind, verlassen sie das Gewässer und beginnen ihr Leben auf den Bäumen.

Flughörnchen

Die Flughörnchen sind eine Unterfamilie der Nagetiere. Sie haben ein braunes Rückenfell und einen weißen Bauch. Eigentlich sehen sie aus wie Eichhörnchen mit einem langen Schwanz. Bemerkenswert an den Flughörnchen sind ihre Flughäute. An ihrer Körperseite bildet die Haut nämlich eine große Falte. Flughörnchen sind reine Baumbewohner, die mit dieser Flughaut Gleitflüge von einem Baum zum anderen machen können. Dabei springen sie ab und breiten ihre Beine aus. Die Haut zwischen den Beinen spannt sich wie ein kleiner Fallschirm, und schon gleiten die Flughörnchen durch die Luft bis zu einem anderen Baum. Flughörnchen leben in Nordamerika und Asien. Sie wohnen in Baumhöhlen, die sie sich mit weichem Gras und Moos auspolstern. Hier schlafen sie den ganzen Tag und gehen erst nachts auf Nahrungssuche. In dieser Höhle kommen auch die Jungen zur Welt. Die Weibchen gebären meist 2-4 Jungtiere. Flughörnchen fressen Baumrinde, Nüsse, Knospen und Samen. Ihre Feinde sind Baummarder, Greifvögel und vor allem Eulen, die ja auch in der Nacht unterwegs sind.

Flughörnchen können gut durch die Luft gleiten.

Dieses junge Flusspferd sieht zwar drollig aus, seine erwachsenen Artgenossen gelten jedoch als sehr angriffslustig.

Flusspferd

Die Familie der Flusspferde stammt aus der Ordnung der Paarhufer. Sie sind eng mit den Schweinen verwandt. Es gibt das Zwergflusspferd, das nur 80 cm hoch und 1,5 m lang ist, und das große Flusspferd von 4,5 m Länge, 1,6 m Höhe und 3200 kg Gewicht. Früher war das große Flusspferd in ganz Afrika verbreitet. Es wurde jedoch stark von den Menschen gejagt und ist deshalb in vielen Gegenden für immer verschwunden. In den Naturschutzgebieten sind die Flusspferde heute sicher. Sie verbringen den Tag im Wasser und gehen nachts an Land, um Gras zu fressen. Flusspferdmütter bringen ihr Junges im Wasser zur Welt. Hier ist es sicherer als auf dem Land. Auch die Muttermilch trinkt das Junge im Wasser. Flusspferde sind sehr wehrhaft und reizbar. Ein erwachsenes Flusspferd hat kaum einen natürlichen Feind. Es schlägt sogar Löwen und Krokodile in die Flucht. Die afrikanischen Eingeborenen, die zum Fischen auf das Wasser hinausfahren, fürchten das Flusspferd mehr als das Krokodil.

Forelle

Die Forelle gehört zu den Süßwasserfischen und ist eng mit dem Lachs verwandt. Bei uns ist die Bachforelle recht häufig. Sie wird 0,5 m lang. Ihr Rücken ist grün und ihr Bauch silbrig glänzend. Sie lebt in klaren, schnell fließenden Bächen und Flüssen. Forellen laichen im Herbst oder Winter. »Laichen« bedeutet, dass sie ihre Eier absetzen. Wenn die jungen Forellen im Frühjahr geschlüpft sind, fressen sie zuerst Fliegenlarven und Wasserflöhe. Forellen sind ausgesprochene Räuber, die sogar aus dem Wasser springen, um vorbeifliegende Insekten zu schnappen. Später fressen sie kleine Fische, Molche und Kaulquappen. Sie greifen aber auch junge Wasservögel und Kleinsäuger an. Man hat auch beobachtet, wie Forellen versuchten, niedrig fliegende Schwalben zu erwischen. Der Mensch schätzt die Forelle als Speisefisch: Sie wird gekocht, gebraten oder geräuchert gegessen.

Die Forelle ist ein reiner Süßwasserfisch. Sie jagt kleinere Fische, Molche und Kaulquappen.

Fregattvogel

Er sieht aus wie eine große Möwe, gehört aber zu den Ruderfüßern und ist mit dem ➪ Kormoran und dem ➪ Pelikan verwandt: der Fregattvogel. Fregattvögel sind die Flugkünstler unter den Meeresvögeln. Sie werden über 1 m groß und haben eine Flügelspannweite von 2,3 m. Ihr Gefieder ist pechschwarz und ihre Schwanzfedern sind tief gegabelt. Die Männchen haben einen roten Kehlsack, den sie zur Paarungszeit aufplustern, die Weibchen sind an der Kehle weiß. Diese Meisterflieger leben an den Küsten Afrikas und Südamerikas. Fregattvögel bauen ihr Nest auf niedrigen Bäumen oder am Boden. Das Weibchen legt ein großes Ei, aus dem nach 40 Tagen das Junge schlüpft. Fregattvögel nutzen ihr fliegerisches Können vor allem für die Jagd. Sie sind die einzigen Vögel der Welt, die die schnellen Fliegenden Fische in der Luft fangen können. Wenn andere Küstenvögel von Fischzügen heimfliegen, werden sie von den Fregattvögeln in der Luft attackiert. Diese Luftpiraten verfolgen die anderen Vögel so lange, bis diese ihre Beute fallen lassen. Die Fregattvögel schnappen sich die Beute dann in der Luft.

Das Fregattvogelmännchen plustert sich auf.

Frettchen sind zahme Iltisse. Sie werden zur Kaninchenjagd eingesetzt.

Frettchen

Das Frettchen ist die Albinoform des ➪ Iltisses. »Albino« bedeutet, dass das Fell nicht gefärbt ist. Das Frettchen ist schneeweiß oder blassgelb mit roten Augen. Auf Sardinien und Sizilien leben Frettchen in freier Wildbahn. Sie unterscheiden sich in ihrem Verhalten nur wenig von ihrem Verwandten, dem Iltis. Wenn sie von Menschen aufgezogen worden sind, sind sie sehr zahm und zutraulich. Frettchen werden für die Kaninchen- und Rattenjagd gehalten und gezüchtet. Beim »Frettieren«, also bei der Kaninchenjagd mit Frettchen, werden die Albino-Iltisse in den Kaninchenbau geschickt. Das Kaninchen flieht vor dem Frettchen und am Ausgang des Kaninchenbaus wartet der Jäger, um das Kaninchen zu erlegen. Damit das Frettchen das Kaninchen nicht schon im Bau frisst, bekommt es einen Maulkorb umgezogen und ein Glöckchen umgehängt. Frettchen werden von einigen Leuten auch als Haustiere gehalten. Sie brauchen allerdings viel Auslauf und Aufmerksamkeit.

Frosch

Frösche sind eine Familie der ➪ Amphibien. Sie sind über die ganze Erde verbreitet. Ihre Größe schwankt je nach Art zwischen dem 40 cm langen afrikanischen Goliathfrosch und dem Panama-Baumsteiger von nur 1,7 cm Länge. Die bei uns bekanntesten Frösche sind der Grasfrosch und der Wasserfrosch. Beide werden ungefähr 9 cm groß. Frösche paaren sich im Frühjahr. Die befruchteten Eier, man nennt sie auch »Laich«, werden im Wasser abgelegt. Aus ihnen schlüpfen die Larven, also die »Kaulquappen«. Diese Kaulquappen atmen über Kiemen und haben noch keine Beine. Mit der Zeit wachsen die Hinterbeine und dann die Vorderbeine. Sobald sich die Lunge entwickelt hat, ist aus der Larve ein Frosch geworden. Die Feinde der Kaulquappen sind Wasserkäfer, Libellenlarven und Ringelnattern. Auch der erwachsene Frosch hat viele Feinde. Vor dem Fuchs, dem Iltis, dem Otter, dem Dachs, der Ringelnatter, dem Storch und dem Reiher muss sich ein Frosch sein Leben lang in Acht nehmen. Der Frosch selbst frisst Würmer, Schnecken und Insekten. Große Frösche fressen auch kleine Wirbeltiere wie Mäuse.

Ein Grasfrosch lauert auf Beute.

Ein Fuchs hält nach Mäusen Ausschau.

Fuchs

Der Fuchs stammt aus der Familie der Hundeartigen. Er ist mit Wölfen, Schakalen und Hunden verwandt. Sein Lebensraum erstreckt sich über die gesamte Nordhalbkugel der Erde. In Europa lebt der Rotfuchs. Er wird 90 cm lang und 7 kg schwer. Füchse leben in Wald und Feld, aber auch in stadtnahen Gebieten. Sie sind Allesfresser und ernähren sich hauptsächlich von Mäusen und Früchten. Aber auch andere Kleintiere wie Regenwürmer stehen auf ihrer Speisekarte. Die Fortpflanzungszeit ist im Januar. Den männlichen Fuchs nennt man »Rüde«, und das Weibchen nennt man »Fähe«. Füchse leben in Familienverbänden zusammen. Sie wohnen in einem unterirdischen Bau und ziehen dort oft 4-6 Junge groß. Als Überträger der Krankheit »Tollwut« wurde der Fuchs vom Menschen verfolgt. Durch die Schluckimpfung konnte diese Krankheit jedoch erfolgreich bekämpft werden und die Füchse vermehrten sich stark. Durch ihre Aufmerksamkeit und Anpassungsfähigkeit können sie sich fast überall behaupten. Sie gelten als wahre Überlebenskünstler.

Der Gabelbock lebt in Nordamerika.

Gabelbock

Der Gabelbock ist mit keiner der großen Wiederkäuerfamilien direkt verwandt. Gabelböcke werden 1,3 m lang und 1 m hoch. Sie haben einen langen Kopf, schmale Ohren und sehr große Augen. Die Männchen haben auf der Stirn 2 gegabelte Hörner. Bei den Weibchen sind die Hörner sehr schmal oder fehlen völlig. Das Fell ist hellbraun, der Bauch und das Hinterteil sind weiß, und am Hals haben Gabelböcke zwei weiße Flecken. Diese Tiere leben in kleinen Gruppen oder »Herden« in der Steppe Nordamerikas. Gabelbockweibchen bekommen meist 1 Junges. In der ersten Zeit legen sie es ab. Das bedeutet, das Junge legt sich tagsüber flach und gut versteckt auf den Boden, und die Mutter kommt am Abend zu ihm, um es zu säugen. Gabelböcke sind die schnellsten Landsäugetiere Nordamerikas. Sie können über 1,5 km weit etwa 80 km/h schnell laufen. Wölfe, Kojoten und sogar Windhunde können da nur hinterherschauen.

Gämse

Die Gämse gehört zur Familie der Hornträger und ist demzufolge mit den ➪ Antilopen, den ➪ Ziegen und den ➪ Rindern verwandt. In Nordamerika lebt eine sehr enge Verwandte der Gämse, die weiße ➪ Schneeziege. Die Gämse wird 1,3 m lang, 85 cm hoch und bis zu 62 kg schwer. Das Gesicht der Gämse ist weiß mit zwei schwarzen Streifen über den Augen. Diese Tiere sind sehr gute Kletterer, die an steilen Felshängen genau so sicher stehen können wie auf flachem Boden. Gämsen leben in kleinen Gruppen. Man nennt diese Gruppen »Rudel«. Im Mai, wenn die Jungen geboren werden, verlassen die Mütter für kurze Zeit ihr Rudel und kehren dann später mit ihrem Jungen zurück. Das Jungtier der Gämsen nennt man »Kitz«. In den Steilhängen der Alpen hat die Gämse außer dem Menschen, der sie jagt, keine Feinde. Der Steinadler ist sehr selten geworden, und auch er greift das Kitz nur an, wenn es gerade nicht in der Nähe der Mutter ist. Wölfe und Bären sind auch keine Feinde mehr, denn diese Raubtiere sind bei uns schon lange ausgestorben.

Eine Gämsenmutter mit Kitz.

Die Streifengans ist bei uns selten zu sehen.

Gans

Gänse sind eine Unterfamilie der Entenvögel. Im Unterschied zu den ➪ Enten tragen Männchen und Weibchen das gleiche Federkleid. Auch der majestätische ➪ Schwan gehört zur Gänsefamilie. Die bekannteste Wildgans bei uns ist die ➪ Graugans. Auch ➪ Kanadagänse sieht man bei uns immer häufiger, gelegentlich sogar die Streifengans. Die meisten Formen unserer Hausgänse stammen von der Graugans ab. Der Mensch züchtet diese Vögel, um sie zu mästen und zur Gewinnung von Daunen (so nennt man die weichen Federn) für Kopfkissen und Bettdecken. Die Leber der Gänse gilt als Delikatesse. Damit die Leber möglichst groß wird, werden die Gänse oft gegen ihren Willen zwangsgefüttert. Gänse leben in Einehe, das heißt, ein Gänsepaar bleibt für immer zusammen. Beide Eltern kümmern sich um die Jungen. Wenn es im Herbst kälter wird, sammeln sie sich in Gruppen von ungefähr 20 Tieren und fliegen in den Süden. Diese Gruppen werden von einem alten Weibchen angeführt. Im Frühjahr kehren sie zu uns zurück, um zu brüten.

Gänsegeier

Der Gänsegeier ist ein großer ➪ Greifvogel, der im Mittelmeerraum und in Südasien lebt. Die Flügelspannweite dieser Vögel ist 2,4 m. Sie haben einen langen, weiß-grauen Hals und braunes Gefieder. Der Hals des Gänsegeiers ist am Ansatz mit weißen Federn besetzt, so dass es aussieht, als ob er eine Halskrause trägt. Als Lebensraum bevorzugen diese Tiere das Gebirge. Zur Paarungszeit im Januar bauen sie ihr Nest an einer steilen Felsschlucht. Die Weibchen legen nur ein einziges Ei. Beide Eltern wechseln sich mit dem Brüten ab. Nach 54 Tagen schlüpft das Junge. Nach 2 Monaten wird es »flügge«, das heißt, es lernt Fliegen. Gänsegeier fressen meist Aas, also tote Tiere. Geier haben sehr gute Augen. Wenn irgendwo ein Tier gestorben ist, zum Beispiel eine Gämse oder ein Schaf, dann sammeln sich dort in kürzester Zeit viele Geier und fressen.

Gänsegeier sind an der Beute nie alleine.

Gazelle

Gazellen sind kleine, schlanke und zierliche ➪ Antilopen, die in Afrika und Asien vorkommen. Einige Arten werden 1,7 m lang und 1,1 m hoch. Die meisten Gazellen bleiben aber kleiner. Am bekanntesten sind die Grantgazelle und die Thomsongazelle. Beide Arten sind hellbraun gefärbt und haben einen weißen Bauch. Die kleinere Thomsongazelle hat einen dicken schwarzen Längsstreifen an der Flanke, der der Grantgazelle fehlt. Gazellen leben in großen Gruppen oder »Herden«. Da die Trächtigkeit der Gazellen nur 6 Monate dauert, können die Weibchen zweimal im Jahr Junge bekommen. Diese häufigen Geburten sind deshalb nötig, weil die Gazellen viele Feinde haben und die Verluste durch Raubtiere wieder ausgeglichen werden müssen. Der Gepard ist der Spezialist unter den Gazellenjägern. Durch seine Geschwindigkeit ist er flüchtenden Gazellen fast immer überlegen. Auch Hyänenhunde, Löwen und Leoparden jagen Gazellen.

Ein starker Grantgazellenbock.

Geckos haben große Augen und eine bunte Haut.

Gecko

Die Geckos sind eine Familie der ➪ Reptilien. Man nennt sie auch »Haftzeher«, weil die Falten an ihren Zehen wie Saugnäpfe wirken, so dass sie sogar eine Glasscheibe hinaufklettern können. Die größten Geckos werden 40 cm lang. Die meisten Arten bleiben aber kleiner. Viele Geckos sind bunt gemustert, und ihre großen Augen lassen sie beinahe niedlich aussehen. Sie haben eine so bewegliche Zunge, dass sie sich ihre Augen damit säubern können. Geckos kommen in warmen und tropischen Gebieten vor. Wenn man im Süden Urlaub macht und ein Hotelzimmer bezieht, ist ein Gecko, der an der Zimmerdecke sitzt, nichts Ungewöhnliches. Sie werden von den Menschen gerne geduldet, weil sie die Häuser von Ungeziefer frei halten. Wie ihre meisten Verwandten, legen auch die Geckos Eier. Sie graben die Eier aber nicht ein, sondern legen sie in Mauerritzen und Felsspalten. Die kleinen Geckos schlüpfen erst nach 3-6 Monaten. Die meisten Geckos jagen Insekten. Sie warten bewegungslos, bis eine Beute in die Nähe kommt. Dann springen sie plötzlich das Insekt an. Ihre Feinde sind Warane, Mungos und Greifvögel.

Geier

Geier sind große ➪ Greifvögel, die sich von toten Tieren, also von »Aas«, ernähren. Die Geier, die in Amerika leben, nennt man »Neuweltgeier«. Hierzu zählen der ➪ Kondor und der ➪ Königsgeier. Die Geier der Alten Welt leben in Europa, Afrika und Asien. Zu ihnen gehören der ➪ Lämmergeier und der ➪ Gänsegeier. Altweltgeier und Neuweltgeier sind nur entfernt miteinander verwandt. Geier haben im Allgemeinen einen langen, scharfen Hakenschnabel und einen relativ nackten Hals. Viele haben beeindruckend mächtige Flügel mit großen Spannweiten. Beim Kondor sind dies über 3 m. Viele Menschen mögen die Geier nicht. Sie gelten als Symbol für Unglück und Tod, weil sie tote Tiere fressen. Das haben diese Vögel nicht verdient. Sie sind nämlich sozusagen die Gesundheitspolizei der Natur. Wenn ein Tier an einer Krankheit verendet, wird es von den Geiern in kurzer Zeit gefressen, und so wird verhindert, dass sich die Krankheit verbreitet.

Der Truthahngeier hat keinen nackten Hals.

Der Gepard ist eine Raubkatze aus Afrika. Er kann über 100 km/h schnell laufen.

Gepard

Geparde sind eine Unterfamilie der ➪ Katzen. Im Gegensatz zu normalen Katzen haben Geparden lange, dünne Beine. Außerdem können sie ihre Krallen nicht einziehen wie die Katzen, und sie haben eine runde Pupille. Die Pupille der anderen Katzen ist schlitzförmig. Der Gepard ist 80 cm hoch, 1,5 m lang und 60 kg schwer. Das Fell ist ockergelb mit schwarzen Tupfen. Man erkennt den Gepard leicht an den schwarzen Streifen, die an beiden Seiten seiner Nase über sein Gesicht laufen. Nach einer Trächtigkeit von über 1 Jahr bringt die Gepardenmutter 2-5 Junge zur Welt. Die größten Feinde der Jungtiere sind Hyänen und Schakale. Der Gepard ist das schnellste Landsäugetier der Welt. Wenn ein Gepard eine Gazelle verfolgt, kann er über 100 km/h schnell laufen. Der Gepard ist durch Bejagung sehr bedroht.

Weißhandgibbons haben lange Arme.

Gibbon

Gibbons sind eine Familie der ➪ Affen. Sie sind eng mit den ➪ Menschenaffen verwandt. Gibbons werden 90 cm groß, haben einen kleinen, runden Kopf und einen schlanken Körper. Ihr Gesicht ist schwarz und wird von weißem Fell umrahmt. Ihr übriges Fell ist schwarz, gelb oder silbergrau. Gibbons sind die Meister des Kletterns und Hangelns. Mit großer Sicherheit schwingen sie sich im Dschungel von Ast zu Ast. Auf dem Boden gehen sie oft auf den Hinterbeinen wie wir Menschen. Die Weibchen bringen alle 2 Jahre 1 Junges zur Welt. Das Kleine hält sich am Bauch der Mutter fest, damit es bei den hangelnden Ausflügen nicht herunterfällt. Gibbons fressen Früchte, Knospen, Blätter, Ameisen, Insekten, Schnecken, Vogeleier und sogar kleine Vögel. Ihre Feinde sind der Leopard, der Nebelparder, die Riesenschlangen und große Greifvögel. Alle Gibbons sind durch die Zerstörung ihres Lebensraumes bedroht.

Giftschlange

Es gibt auf der Erde 2500 Schlangenarten. 1/3 von ihnen ist giftig. Ihr Biss hat bei uns Menschen eine unangenehme oder sogar tödliche Wirkung. Giftschlangen haben ihr Gift in einer Drüse im Mund. Diese Drüse liegt in der Nähe eines Zahnes, und sobald die Schlange zubeißt, spritzt sie das Gift in ihre Beute. Die Beute stirbt schnell daran. Schlangen beißen nicht nur bei der Jagd, sondern auch, um sich zu verteidigen. Wenn ein Mensch von einer Schlange gebissen wird, handelt es sich immer um diesen Fall. Meist beißen Giftschlangen zu, wenn man versehentlich auf sie tritt. Aber das Schlangengift hat dem Menschen auch Vorteile gebracht. Man stellt daraus Medikamente gegen Schmerzen, Blutungen, Epilepsie und Asthma her. Die ➪ Mamba gilt als die giftigste Schlange der Welt, ein paar Tropfen ihres Giftes reichen aus, um einen Menschen zu töten. Aber auch ➪ Kobras, ➪ Vipern und viele ➪ Seeschlangen haben starkes Gift. Der Biss der Königskobra tötet sogar einen Elefanten. Trotzdem gibt es einige Tiere, die den Kampf gegen Giftschlangen aufnehmen. Der ➪ Mungo, der ➪ Sekretär, der Schlangenadler, der ➪ Skunk und der ➪ Pfau gehören dazu.

Giftschlangen töten ihre Beute mit ihrem Biss. Auch zur Verteidigung beißen sie zu.

Eine Giraffenfamilie in der afrikanischen Savanne.

Giraffe

Giraffen gehören zur Ordnung der Paarhufer und sind mit den ➪ Hirschen und den ➪ Rindern verwandt. Giraffen sind die Tiere mit der größten Stehhöhe der Welt. Sie beträgt bei einer ausgewachsenen Giraffe 5,8 m! Diese Tieren werden 750 kg schwer. Giraffen haben 2 Hörner, manche sogar 4 oder 5. An der Form der Flecken kann man die einzelnen Giraffen unterscheiden. Giraffen leben in Afrika. Sie ziehen in Gruppen von bis zu 20 Tieren umher. Nach einer Trächtigkeit von 15 Monaten bringt das Giraffenweibchen 1 Junges zur Welt. Die Geburt findet im Stehen statt. Das bedeutet, dass das Junge aus über 2 m Höhe auf den Boden fällt. Während der Geburt stehen andere Giraffen um die Mutter herum und beschützen sie. Der Löwe ist der einzige natürliche Feind der Giraffe. Giraffen können sich gut wehren. Mit ihren Hufen teilen sie Schläge aus, die auch für den Löwen tödlich sein können.

Zwei Massai-Giraffen.

Girlitz

Girlitze sind eine Gattung aus der Familie der ➪ Finken. Sie sind eng mit dem Kanarienvogel verwandt. Girlitze sind nur 11 cm groß, haben einen kurzen, kräftigen Schnabel und einen leicht gegabelten Schwanz. Das Männchen hat einen gelben Bauch und sein Rücken ist grün-braun gestreift. Das Weibchen ist unscheinbar braun. Girlitze leben in ganz Europa und Nordafrika. Oft wohnen sie in Parkanlagen und Obstgärten. Im Mai ist die Paarungszeit der kleinen Vögel. Ihr Nest bauen sie in Bäumen oder Büschen. Die Eier werden vom Weibchen alleine ausgebrütet. Die Aufzucht der Jungen ist aber die Aufgabe beider Eltern: Sie füttern ihre Kinder mit kleinen Würmern, Raupen und Larven. Die Altvögel fressen Samen und Körner. Die natürlichen Hauptfeinde der Girlitze sind der Sperber, die Katze und der Marder. Krähen, Elstern und Eichelhäher gefährden das Nest und die Jungen.

Ein Girlitz am Nest. Die Jungen haben schon Federn und werden bald flügge.

Das Gnu ist eine afrikanische Antilope.

Gnu

Das Gnu ist eine afrikanische ➪ Antilope. Eigentlich sieht das Gnu aber gar nicht aus wie eine Antilope. Mit seinen wuchtigen Hörnern und seinem zotteligen Kinnbart erinnert es eher an einen kleinen ➪ Kaffernbüffel. Der Schwanz und die Mähne sehen aus wie von einem Pferd. Nur die dünnen Beine sind antilopenartig. Gnus werden mit 2 m Länge und 1,5 m Höhe relativ groß. Sie ziehen in großen Gruppen oder »Herden« durch die afrikanische Steppe. Die Paarungszeit der Gnus dauert von April bis Juli. Im Februar des nächsten Jahres werden die Jungen, man nennt sie auch »Kälber«, geboren. Wenn ein Gnukalb auf die Welt gekommen ist, versucht es sofort, aufzustehen. Das ist wichtig, denn je länger es liegen bleibt, um so größer ist die Gefahr, dass es einem Raubtier zum Opfer fällt. Die natürlichen Hauptfeinde der Gnus sind Löwen, Hyänen, Hyänenhunde und Schakale.

Goldfisch

Der Goldfisch ist eine besondere Zuchtform der Karausche. Diese wiederum ist eine Verwandte des ➪ Karpfens. Sie ist unscheinbar braun gefärbt. In China hat man die Goldkarausche gezüchtet, den heutigen einfachen Goldfisch. Mittlerweile gibt es viele verschiedene Goldfischarten. Eine der beliebtesten ist der Schleierschwanz, ein Goldfisch mit kurzem Körper und langen Flossen. Auch die Farbauswahl hat sich vergrößert. Es gibt den Goldfisch heute in Weiß, Dunkelrot, Grün, Schwarz, gepunktet und gescheckt. Die meisten Goldfische zieren Garten- oder Stadtteiche. Bei der Paarung legt das Weibchen seine Eier an Wasserpflanzen ab. Wenn man viele junge Goldfische haben will, sollte man die Eltern nach der Eiablage herausfangen, denn sie fressen ihre eigenen Eier auf. Goldfische sind in Asien auch heute noch äußerst begehrt. Auf Ausstellungen werden für bestimmte Tiere Unsummen verlangt, und auch bezahlt. Menschen wollen oft etwas Besonderes besitzen. Deshalb wurden Goldfische mit Stielaugen oder großen Wucherungen am Kopf gezüchtet. Viele dieser Tiere, auch »Qualzuchten« genannt, sind durch die unnatürliche Körperform behindert.

Goldfische sind oft in Teichen zu sehen.

Gorillamännchen wiegen bis zu 275 kg.

Gorilla

Der Gorilla ist der größte ➪ Menschenaffe der Welt. Andere Menschenaffen sind der Orang-Utan, der Schimpanse und der Gibbon. Menschenaffen heißen so, weil sie uns Menschen ähnlich sind. Der Gorilla ist aufgerichtet 2,3 m groß. Er wird 275 kg schwer. Ältere Männchen bekommen einen grauen Bauch und einen grauen Rücken. Man nennt sie dann »Silberrücken«. Gorillaweibchen bekommen nur alle 3-4 Jahre ein Junges. Die Trächtigkeit dauert 7 Monate. Gorillas leben nur noch in kleinen Gebieten in Zentral- und Westafrika. Dort wird ihr Lebensraum kleiner, weil die Menschen immer mehr Bäume fällen. Außerdem werden Gorillas von Wilderern getötet. Ihr Fleisch wird auf afrikanischen Märkten verkauft und die Jungtiere an Zoos in aller Welt. Wenn die Schutzgesetze für den Gorilla nicht strenger werden, wird er in der freien Natur bald aussterben.

Gottesanbeterinnen sind gefährliche Jäger.

Gottesanbeterin

Die Gottesanbeterin ist mit der Küchenschabe verwandt. Sie wird bis zu 16 cm lang. Ihr großer Hinterkörper wird von 2 Flügelpaaren bedeckt. Ihr vorderstes Beinpaar ist zu Fangarmen umgebildet. Die Haltung dieser mit Stacheln besetzten Fangarme erinnert an einen betenden Menschen. Daher hat dieses Raubinsekt seinen Namen. Die Gottesanbeterin jagt mit ihren Augen. Ihr Kopf ist also sehr beweglich und die Augen sehr groß. Regungslos verharrt die Fangschrecke im Gras und lauert auf Beute. Durch ihre Tarnfarbe wird sie von den anderen Tieren nicht bemerkt. Wenn ein Insekt vorbeikommt, schnappen ihre Fangarme plötzlich zu. Dabei macht sie auch vor ihren nächsten Verwandten, den Heuschrecken, nicht halt. Von den Spinnen weiß man, dass die Männchen sich dem Weibchen zur Paarung sehr vorsichtig nähern müssen, weil sie sonst gefressen werden. Dieser Kannibalismus ist bei Gottesanbeterinnen beinahe die Regel und geschieht während der Paarung und nicht vorher. Große Gottesanbeterinnen jagen sogar Eidechsen, Frösche und Jungvögel.

Graugans

Die Graugans gehört zur Unterfamilie der Gänseverwandten und ist mit der ➪ Kanadagans und mit dem ➪ Schwan verwandt. Die Graugans ist bei uns die häufigste Wildgans. Sie ist grau gefärbt, ihr Schnabel ist orange und ihre Beine rot. Von ihr stammen die meisten Hausgänseformen ab. Graugänse legen 4-6 Eier in ein Nest, das meistens im Schilf versteckt ist. Die Jungen sind Nestflüchter. Das bedeutet, kurz nach dem Schlüpfen folgen sie ihren Eltern ins Wasser. Graugänse sind Zugvögel. Wenn die kalte Jahreszeit beginnt, fliegen sie in wärmere Gebiete und kehren im Frühjahr zurück. Mann erkennt Gänse, die am Himmel über einen hinwegfliegen, daran, dass sie keilförmig, wie ein Dreieck, hintereinander herfliegen. Gänse fressen Gras, Wasserpflanzen, Algen und Würmer. Während der Brutzeit sind der Fuchs, das Hermelin und die Ratte ihre Feinde. Der berühmte Verhaltensforscher Konrad Lorenz fand heraus, dass sich Gänse statt an ihre Eltern auch an den Menschen binden. Sie akzeptieren die Lebewesen als ihre Eltern, die sie direkt nach dem Schlüpfen um sich haben. Das nennt man »Prägung«.

Graugänse sind die Vorfahren unserer Hausgänse.

Der Graupapagei ist ein Sprechkünstler.

Greifvogel

Greifvögel sind eine Ordnung aus der Klasse der ➪ Vögel. Sie ernähren sich von Fleisch und sind demzufolge Jäger. Greifvögel haben einen nach unten gebogenen, scharfen Schnabel und spitze Krallen an den Zehen. Die Greifvögel, die andere Vögel jagen, sind gute und schnelle Flieger. Hierzu gehören der ➪ Wanderfalke, der ➪ Habicht und der ➪ Sperber. Andere segeln in der Luft und suchen nach Beutetieren, die am Boden leben. Als Beispiel sind hier der ➪ Bussard und der ➪ Adler zu nennen. Auch die Geier sind Greifvögel. Sie fressen Aas, also Tiere, die bereits gestorben sind. Hierzu gehören der ➪ Gänsegeier und der ➪ Kondor. Alle Greifvögel haben sehr gute Augen.

Graupapagei

Der Graupapagei gehört zur Gattungsgruppe der Stumpfschwanzpapageien. Er wird 40 cm groß, sein Gefieder ist grau und seine Schwanzfedern leuchtend rot. Graupapageien leben in großen Gruppen oder »Schwärmen« in Zentralafrika. Die Paarungszeit dieser Vögel dauert von Juli bis September. Meist legt das Weibchen 3-4 Eier. In dieser Zeit werden beide Eltern sehr angriffslustig und verteidigen ihr Nest energisch. Nach 30 Tagen schlüpfen die Jungen. Graupapageien fressen Samen, Nüsse und Früchte. Ihre Feinde sind die Greifvögel. Sie gelten als große Sprechkünstler und sind als Ziervögel bei den Menschen sehr beliebt. Leider werden deshalb viele Jungvögel in Afrika aus den Baumhöhlen gestohlen und für viel Geld nach Europa und Nordamerika verkauft. Dort hält man die geselligen Tiere meist einzeln in viel zu kleinen Käfigen. Sie leiden dann unter Langeweile und Einsamkeit.

Greifvögel sind Räuber. Sie haben einen gebogenen Schnabel und scharfe Krallen.

Das Guanako ist ein wildes Lama.

Guanako

Das Guanako stammt aus der Gattung der ➪ Lamas. Es ist die Wildform des Lamas, das man gemeinhin aus Zoos und Zirkussen kennt. Dadurch, dass das Guanako kürzeres Fell hat als das Lama, wirkt es insgesamt schlanker. Es ist 2,2 m lang und 1,3 m hoch. Sein Fell ist am Rücken und an den Seiten dunkelbraun, der Bauch ist hell. Das Guanako lebt an der Ostküste Südamerikas. In Gruppen oder »Herden« von ungefähr 20 Tieren durchstreifen die wilden Lamas das unwegsame Hochland der Anden. Früher lebten diese Tiere auch in den Tälern. Die Paarungszeit der Guanakos dauert den ganzen Winter lang. Nach der Trächtigkeit von 11 Monaten kommen die Jungen in der Zeit von Oktober bis Januar auf die Welt. Sie trinken 4 Monate lang Muttermilch. Lange Zeit haben die Jungtiere sehr unter den Menschen gelitten. Sie wurden zu hunderten erschlagen, weil man ihr zartes Fell verkaufen konnte. Dadurch wäre dieses elegante Wildlama beinahe ausgestorben.

Gürteltier

Das Gürteltier gehört zur Ordnung der Nebengelenktiere und ist mit dem ➪ Ameisenbär und dem ➪ Faultier verwandt. Gürteltiere haben einen plumpen Körper, kurze Beine und einen langen Kopf. Ihre Oberseite ist mit einem Panzer aus verknöcherter Haut bedeckt. Am Bauch haben sie Fell. Diese 1 m langen und bis zu 55 kg schweren Tiere werden in ihrer Heimat Amerika »Armadillos« genannt, was »Gepanzerte« heißt. Die Paarungszeit der Gürteltiere ist im Juli. Die Jungen werden erst im Februar des nächsten Jahres geboren. Gürteltiere haben außer ihrem Panzer noch eine Besonderheit. Die Weibchen gebären immer eineiige Vierlinge. Das bedeutet, bei einer Geburt kommen immer entweder 4 Männchen oder 4 Weibchen auf die Welt. Gürteltiere sind Nestflüchter: Die Mutter säugt ihre Jungen nur wenige Wochen lang. Gürteltiere fressen Insekten und deren Larven. In ihrer süd- und mittelamerikanischen Heimat sind die natürlichen Feinde der Gürteltiere der Jaguar, der Puma, der Wolf und der Kojote.

Gürteltiere leben in Amerika.

Der Habicht ist ein gewandter Jäger.

Habicht

Der Habicht ist ein ➪ Greifvogel aus der Familie der Habichtartigen. Er ist eng verwandt mit dem Sperber, dem ➪ Bussard und dem ➪ Fischadler. Der Habicht wird 62 cm groß und hat eine Flügelspannweite von über 1 m. Der junge Habicht ist braun gefärbt, mit schwarz-braun gesprenkelter Brust. Er kann dann leicht mit dem Bussard verwechselt werden. Erst wenn er erwachsen ist, wird sein Rücken grau und seine Brust weiß mit dunklen Punkten. Er hat leuchtend gelbe Augen und kräftige Krallen an seinen Zehen. Das Weibchen ist größer als das Männchen. Der Habicht kommt in Amerika, Europa, Afrika und Asien vor. Das Habichtweibchen legt 4-5 Eier, aus denen nach 38 Tagen die Jungen schlüpfen. Nach weiteren 38 Tagen können die Junghabichte fliegen. Der Habicht ist ein sehr guter Überraschungsjäger. Mit hoher Geschwindigkeit und rasanten Flugmanövern schießt er durch Büsche und Bäume. Der Habicht jagt alle Vögel bis zur Größe des Fasans und sogar Mäusebussarde. Außerdem frisst er Mäuse, Kaninchen, Hasen und Hauskatzen.

Hai

Haie sind eine Ordnung aus der Klasse der Fische. Sie gehören zu den Knorpelfischen, das heißt, ihr Skelett besteht nicht aus Knochen, sondern aus Knorpel. Sie sind eng mit den ➪ Rochen verwandt. Die meisten Haie haben einen spitzen Kopf, eine große, halbmondförmige Schwanzflosse und eine dreieckige Rückenflosse. Auch ihre Brustflossen sind lang und spitz und stehen zur Seite ab. Über die Fortpflanzung der Haie weiß man noch nicht viel. Viele von ihnen legen Eier, es gibt aber auch Haiarten, die lebende Junge zur Welt bringen. Haie sind große Räuber. Sie sehen zwar nicht sehr gut, dafür haben sie eine ausgezeichnete Nase. Viele Haie fressen andere Fische. Manche von ihnen greifen auch Robben und Wale an. Der größte Hai, der 18 m große Walhai, hat keine Zähne. Er ist ein friedlicher Fisch, der nur kleine Krebse und Algen frisst. Über Haie werden grausige Geschichten erzählt. In Wahrheit greifen nur wenige Arten den Menschen an. Millionen Haie werden jedes Jahr durch die Fischerei getötet. Vor allem ihre Flossen, die in asiatischen Restaurants zu Suppe verkocht werden, sind begehrt. Viele Haiarten sind deshalb vom Aussterben bedroht.

Der Katzenhai ist ein friedlicher Bodenbewohner, der sich von Krebsen ernährt.

Der Vari ist ein großer Lemur aus Madagaskar. Er ist vom Aussterben bedroht.

Halbaffe

Halbaffen sind mit den ➪ Affen verwandt. Sie sind im Verhalten ähnlich wie die Affen, aber sie sehen etwas anders aus. Das Gesicht der Halbaffen ist spitz und erinnert an einen Fuchs. Sie haben einen langen, buschigen Schwanz und ihre Augen sind sehr groß. Sie brauchen diese großen Augen, weil sie in der Nacht im Wald auf Nahrungssuche gehen. Halbaffen leben in den Tropen. Die meisten von ihnen wohnen auf Madagaskar, zum Beispiel die Lemuren, die Makis und die Loris. Halbaffen leben in Gruppen oder »Horden«, in denen es eine feste Rangordnung gibt. Die Jungen werden von allen Mitgliedern aufgezogen und gefüttert. Durch die Abholzung der Wälder und durch die Jagd sind die Halbaffen sehr bedroht.

Hamster

Hamster sind eine Gattung der Nagetiere. Sie sind eng mit den Mäusen und den Ratten verwandt. Ein Hamster wird 24 cm lang und 500 g schwer. Die bei uns als Haustiere gehaltenen Goldhamster sind viel kleiner und werden bis zu 180 g schwer. Ihr Bauch ist schwarz, ihre Füße und Flanken weiß und der Rücken hellbraun. Der Hamster ist ein Dämmerungstier, das heißt, er ist nur früh morgens oder spät abends unterwegs. Auch als Haustier will der Hamster tagsüber schlafen. Wird er dabei gestört, kann er mürrisch werden und beißen. Die Paarungszeit der Hamster ist im April. Nach 20 Tagen Trächtigkeit bringt die Mutter 4-12 Junge zur Welt. Hamster sind Allesfresser: Sie verzehren Getreidekörner, Regenwürmer und sogar Mäuse. Außerhalb der Paarungszeit trifft man sie nur alleine an. Wenn sich zwei Hamster begegnen, kämpfen sie meist miteinander. Man sollte deshalb den Hamster zu Hause einzeln halten und sich abends viel mit ihm beschäftigen.

Der Hamster ist ein beliebtes Nagetier.

Die Harpyie jagt im Urwald von Südamerika.

Harpyie

Der wohl stärkste Greifvogel der Welt ist die südamerikanische Harpyie. Sie wird 1 m lang und über 4 kg schwer. Am Hinterkopf hat sie eine breite Federhaube, die sie aufrichten kann. Ihr Federkleid ist schwarz-weiß gefärbt. Die Harpyie hat sehr starke Krallen. Im Dezember fangen die Harpyien an zu brüten. Sie bauen ihr Nest am Waldrand auf einem hohen Baum. Das Weibchen legt 2 Eier. Es verteidigt sein Nest und das Gebiet in der Nähe gegen jeden Eindringling. Sogar das Männchen wird jedes Mal, wenn es Futter gebracht hat, wieder fortgejagt. Nach dem Jaguar ist die Harpyie sicher der am meisten gefürchtete Räuber des südamerikanischen Dschungels. Sie überwältigt Tiere, die genau so groß sind wie sie selbst. Affen, Nasenbären, Baumstachelschweine und Faultiere werden ihre Beute.

Hase

Hasen sind eine eigene Familie. Viele Menschen glauben, dass Hasen Nagetiere sind. Das stimmt nicht, denn Hasen sind mit den Nagetieren nicht verwandt. Der Hase wird bis zu 70 cm lang und 7 kg schwer. Ein enger Verwandter des Hasen ist das Kaninchen. Man erkennt den Hasen daran, dass er immer schwarze Ohrspitzen hat. Hasen sind fast auf der ganzen Erde zu Hause. Der europäische Feldhase lebt in Europa, Afrika und Asien. Der chinesische Hase lebt in Südostasien, der Schneehase in Alaska, Grönland und Sibirien und der Schneeschuhhase in Kanada. Im Frühjahr bringt die Häsin 2-5 Junge zur Welt, die mit offenen Augen geboren werden. Hasen leben nicht in einem Bau wie die Kaninchen. Sie liegen in einem Lager aus Laub und Zweigen. Der Hase ist bei uns selten geworden. Schuld daran ist die intensive Landwirtschaft. Es gibt kaum noch Büsche und andere Versteckmöglichkeiten. Dünger und Pflanzenschutzmittel haben die Fruchtbarkeit der Hasen herabgesetzt.

Der Hase hat viele Feinde.

Haubentaucher

Der Haubentaucher ist ein Wasservogel aus der Ordnung der Lappentaucher, der in ganz Europa, in Südaustralien und in Südafrika lebt. Er wird 48 cm lang und 1,4 kg schwer. Sein Rückengefieder ist dunkelbraun, sein Bauch ist hell, und er hat einen roten Schnabel. Das Gefieder am Kopf wächst kreisförmig um sein Gesicht herum, und er kann diese Federn aufstellen. So kam dieser Vogel zu seinem Namen. Männchen und Weibchen sind äußerlich nicht zu unterscheiden. Haubentaucher brüten im dichten Schilf großer Seen. Das Weibchen legt 3 Eier. Wenn es das Nest einmal zwischendurch verlässt, legt es Zweige über die Eier, um sie zu tarnen. Wenn die Jungen geschlüpft sind, kriechen sie unter die Flügel der Eltern. So können die Altvögel ihre Kinder mitnehmen, ohne dass sie von Feinden entdeckt werden. Wenn man zur richtigen Zeit einen Haubentaucher beobachtet, kann man manchmal die Füßchen der Jungen unter seinen Federn hervorschauen sehen. Haubentaucher fressen meistens kleine Fische. Ihre natürlichen Hauptfeinde sind Greifvögel. Das Nest wird durch Ratten und Marder bedroht.

Die Federhaube ist das typische Merkmal des Haubentauchers.

Der Hahn fehlt auf keinem Bauernhof.

Haushuhn

Es gibt ungefähr 150 verschiedene Haushuhnrassen. Einige werden wegen ihrer Eier, andere wegen ihres Fleisches gehalten. Das männliche Huhn heißt »Hahn« und das weibliche »Henne«. In einer freilebenden Hühnergruppe, man sagt auch, in einer »Hühnerschar«, verteidigt ein starker Hahn seine Hennen. Er warnt die Hennen vor Gefahr, lockt sie zu einem guten Futterplatz und sucht mit ihnen den richtigen Ort zum Nisten aus. Der Hahn ist an seinem großen roten Stirnkamm zu erkennen. Auch die beiden Hautlappen an der Kehle sind beim Hahn größer als bei der Henne. Oft ist der Hahn hübscher gefiedert und hat lange, gebogene Schwanzfedern. Leider werden Hühner heute oft in engen Käfigen gehalten. Diese Käfige heißen »Legebatterien«. Die Hühner stehen auf einem Gitter und haben kaum Platz, sich zu bewegen. Das Leben in der Legebatterie ist für Hühner eine Qual. Man sollte daher immer Freilandeier kaufen. Diese Eier stammen von Hühnern, die sich im Stall frei bewegen können und Auslauf ins Freie haben.

Hecht

Hechte sind eine Familie aus der Ordnung der Lachsfische. Das bedeutet, der Hecht ist mit dem ➪ Lachs und mit der ➪ Forelle verwandt. Hechte haben eine sehr lange und breite Schnauze, die wie ein Entenschnabel aussieht. Diese Schnauze ist voll mit spitzen Zähnen. Der Hecht ist grün-weiß gefärbt und kann 15–20 kg schwer werden. Die Paarungszeit des Hechts, die man bei Fischen auch »Laichzeit« nennt, ist im März. Das Hechtweibchen legt bis zu 1 Million Eier. Die jungen Hechte, die daraus schlüpfen, ernähren sich in der ersten Zeit von Flohkrebsen. Aber schon mit 3–4 cm Länge steigen sie auf kleine Fische und Kaulquappen um. Wenn man mehrere kleine Babyhechte in einen Wasserbehälter setzt, ist bald nur noch einer übrig. Dieser eine hat die anderen alle gefressen. Hechte sind perfekte Jäger. Sie warten ruhig und bewegungslos zwischen den Wasserpflanzen und lauern auf Beute. Wenn ein Beutefisch vorbeischwimmt, schießt der Hecht plötzlich auf ihn los. Große Hechte fressen auch Ratten, Wasservögel, Frösche und Mäuse, die im Wasser schwimmen. Der größte Feind dieses Raubfisches ist der Mensch.

Der Hecht ist ein großer Räuber in unseren Teichen und Seen. Sein Maul ist voller spitzer Zähne.

Das Hermelin hat im Winter ein weißes Fell.

Hermelin

Das Hermelin ist ein Mitglied der Familie der ➪ Marder und ein enger Verwandter der ➪ Nerze und ➪ Iltisse. Es wird 29 cm lang und 450 g schwer. Das Hermelin hat einen lang gestreckten Körper und kurze Beine. Im Sommer ist es rot gefärbt mit einem hellen Bauch. Das Winterfell des Hermelins ist rein weiß und als Pelz begehrt, weshalb er im Winter bejagt wird. Die Schwanzspitze ist im Sommer wie im Winter schwarz. Das Hermelin wird auch »Großwiesel« genannt. Die Paarungszeit dauert den ganzen Sommer. Nach 7–12 Monaten werden 3–9 Junge geboren. Diese bleiben bis zum Herbst bei ihrer Mutter und gehen mit ihr auf Jagd. Hermeline sind große Jäger. Sie fressen Mäuse, Ratten, Maulwürfe, Spitzmäuse und sogar Kaninchen und Hasen. Auch Reptilien, Vögel, Frösche und Fische sind nicht vor dem Hermelin sicher. Die natürlichen Feinde des Hermelins sind Greifvögel, Störche, Eulen, Hunde und Katzen. Das Hermelin zeigt Feinden gegenüber eine Trotzhaltung. Während sich die meisten Raubtiere vor einem Feind gewöhnlich zurückziehen und sich nur wehren, wenn sie nicht mehr fliehen können, wartet das Hermelin nicht die Annäherung des Gegners ab, sondern greift selbst an.

Die Heuschrecke heißt auch »Heupferd«.

Heuschrecke

Heuschrecken gehören zur Ordnung der Schrecken. Sie sind eng mit den Grillen verwandt. Die bekannteste Heuschrecke bei uns ist das Grüne Heupferd. Seinen Namen hat es daher, weil sein Kopf an den eines Pferdes erinnert. Das dritte Beinpaar der Heuschrecke ist zu Sprungbeinen umgebildet, mit denen sie weit springen können. In der Paarungszeit erzeugen die Männchen mit ihren Flügeln ein Geräusch, mit dem sie die Weibchen anlocken. Dieses Geräusch nennt man »Zirpen«. Nach der Paarung setzt das Weibchen die Eier im Boden ab. Hierfür hat sie ein verlängertes Hinterteil, die »Legeröhre«. Die meisten Heuschrecken fressen Pflanzen. Die tropische Wanderheuschrecke wurde berühmt, weil sie in riesigen »Schwärmen«, so nennt man eine Heuschreckengruppe, über das Land zieht und schreckliche Verwüstungen hinterlässt. Bei einem Nahrungsmangel versammeln sich diese Heuschrecken und ziehen über das Land. Weil sie unterwegs alle Pflanzen auffressen, hinterlassen sie in kurzer Zeit eine Wüste. Diese Schwärme sind sehr groß. Wenn man darunter steht, kann es 6 Stunden lang dauern, bis so ein Schwarm über einen hinweg gezogen ist.

Hirsch

Hirsche sind eine Familie aus der Unterordnung der Wiederkäuer. Das bedeutet, sie haben 4 Mägen und kauen das Futter, das sie gefressen haben, mehrmals. Die Besonderheit der Hirsche ist das Geweih. Dieser verzweigte Kopfschmuck der Männchen wird jedes Jahr gewechselt. Im Spätherbst fällt das Geweih ab, und im Frühjahr wächst es wieder neu. Zur Familie der Hirsche gehören der Edelhirsch, der ⇨ Damhirsch, der ⇨ Elch und das ⇨ Reh. Hirsche haben sehr gute Sinne: Der Damhirsch erkennt einen Menschen, auch wenn dieser ganz ruhig steht. Ein Reh kann einen Menschen auch noch aus 400 m Entfernung riechen. Hirsche leben in Rudeln zusammen.

Der Weißwedelhirsch lebt in Amerika.

Die größte Wespe ist die Hornisse.

Hornisse

Die Hornisse ist die größte Vertreterin aus der Unterfamilie der Echten Wespen. Sie unterscheidet sich von anderen Wespen durch ihre Größe und den dunkelroten Bauch. Hornissen bauen ihr Nest meist in Baumhöhlen oder im Gebälk von Häusern. Das Nest besteht aus vielen Kammern, in denen die Larven großgezogen werden. Diese Kammern heißen »Waben« und bestehen aus einer Holz-Speichel-Mischung. Nur die Königin kann übrigens Eier legen. Diese Eier werden in die Waben gelegt, und nach einiger Zeit entwickeln sich aus den Larven Arbeiterinnen, die keine Eier legen können. Die Arbeiterinnen halten das Nest sauber, verteidigen es und besorgen Futter. Sie füttern die Larven mit Pflanzensäften und Insekten. Hornissen sind Jäger, die auch andere Wespen und Bienen überwältigen. Im Herbst schlüpfen aus den Eiern Männchen und Prinzessinnen. Diese paaren sich und verlassen das Nest. Kurz darauf sterben die Männchen. Die Prinzessinnen kriechen in eine Felsspalte oder unter Baumrinde und überwintern. Im Frühjahr gründen sie ein neues Hornissenvolk.

Hummel

Hummeln sind eine Gattungsgruppe aus der Familie der ➪ Bienen. Im Unterschied zu ihren engen Verwandten, den Honigbienen, haben sie ein dichtes, buntes Haarkleid, das ihnen ermöglicht, auch in kälteren Gebieten zu leben. Sie bauen ihr Nest nicht an Bäumen oder Häusern, sondern in der Erde. Die junge Königin hat den Winter in einem Versteck verbracht. Im Frühjahr sucht sie eine Stelle am Boden und gräbt eine Höhle. Dann baut sie aus einer Mischung von Holz und Speichel die Brutkammern, so genannte »Waben«. Sie legt in jede Wabe 1 Ei und pflegt und füttert die daraus geschlüpften Larven. Aus den Larven entwickeln sich so Arbeiterinnen, die, sofort nachdem sie ihre Wabe verlassen haben, mit dem Bau weiterer Waben beginnen. Je mehr Hummeln entstehen, desto weniger Arbeit hat die Königin, und bald ist sie nur noch für das Eierlegen zuständig. Hummeln haben sehr lange Saugrüssel. Sie können damit in die tiefsten Blütenkelche eindringen und den Nektar herausholen.

Die Hummel hat ihr Nest unter der Erde.

Hummer

Der Hummer ist ein Meereskrebs aus der Ordnung der Zehnfußkrebse. Er ist eng mit dem Flusskrebs und der Garnele verwandt. Sein Körper besteht aus einem flachen Schwanzstück, einem rundlich gewölbten Bruststück und dem Kopf. Die Augen des Hummers sitzen auf Stielen. Unter den Augen befinden sich lange Fühler. Eines der auffälligsten Körpermerkmale sind allerdings die mächtigen Scheren, die gemeinsam so groß sind wie sein ganzer Körper. Zur Paarungszeit legen die Hummerweibchen Eier, die sie unter ihrem Schwanz mit sich herumtragen. Größere Weibchen legen mehr als 20 000 Eier. Auch die Larven, die aus den Eiern schlüpfen, werden von der Mutter einge Zeit beschützt. Da Hummer einen harten Panzer haben, der sich nur wenig ausdehnt, muss sich dieser Krebs regelmäßig häuten. Die alte Panzerhaut wird abgeworfen. Der neue Panzer ist anfangs noch weich und angreifbar. Deshalb bleibt der Hummer die erste Zeit nach der Häutung in seinem Versteck. Hummer fressen tote Tiere und Weichtiere. Sie selbst gelten als Delikatesse. Sie werden in kochendem Wasser zubereitet.

Das Fleisch des Hummers ist eine Spezialität.

Der Dalmatiner ist ein beliebter Hund.

Hund

Die Haushunde stammen vom ➪ Wolf ab. Dieser kam bereits zu den Urmenschen und wurde von Ihnen gefüttert. Dafür warnte er die Menschen vor Gefahren. Schließlich wurde der Wolf gezähmt und half bei der Jagd. Heute werden verschiedene Hunderassen gezüchtet: Der kleinste Hund ist der Chihuahua, der größte der Irische Wolfshund. Bei der Zucht geht es den Menschen oft nur um das Aussehen der Hunde, ohne Rücksicht auf deren Gesundheit. Viele Rassen haben deshalb gesundheitliche Probleme. Hunde haben eine gute Nase und gute Ohren, aber relativ schlechte Augen. Der männliche Hund heißt »Rüde«, das Weibchen »Hündin«, die Jungen nennt man »Welpen«. Nach einer Trächtigkeit von 63 Tagen bringt die Hündin 4-8 Welpen zur Welt. Mit frühestens 8 Wochen kann man einen Welpen an ein neues Herrchen abgeben.

Husarenaffe

Der Husarenaffe stammt aus der Familie der Meerkatzenartigen. Er ist eng mit dem ➪ Pavian, dem ➪ Mandrill, dem ➪ Makak und der ➪ Meerkatze verwandt. Er bewohnt in größeren Familiengruppen die Grassteppen Zentralafrikas. Im Gegensatz zur Meerkatze ist der Husarenaffe ein Bodenbewohner. Sogar bei Gefahr laufen Husarenaffen auf dem Boden davon und flüchten nicht auf Bäume. Nach einer Trächtigkeit von 7 Monaten bringen die Weibchen 1 Junges zur Welt, das sich am Bauch der Mutter festklammert. Der größte natürliche Feind der Husarenaffen ist der Leopard. Husarenaffen haben für ihre Sicherheit eine ganz eigene Taktik: Da die Gruppen nur von einem erwachsenen Männchen angeführt werden, haben sie nicht das Selbstbewusstsein der Paviane. Anstatt laut brüllend und kreischend ihre Stärke zu demonstrieren, verhalten sich die Husarenaffen still und verständigen sich untereinander flüsternd.

Ein Husarenaffe hält Wache.

Hyänen sind mit Schleichkatzen verwandt.

Hyäne

Hyänen sind mit dem ➪ Mungo und der Ginsterkatze verwandt. Sie haben einen großen, kantigen Kopf, kräftige Kiefer und ihre Vorderbeine sind länger als ihre Hinterbeine. Am häufigsten ist die afrikanische Tüpfelhyäne. Diese Tiere werden 90 cm groß und ungefähr 80 kg schwer. Sie leben in großen Gruppen zusammen, die von einem Weibchen angeführt werden. Die Weibchen sind größer und stärker als die Männchen. Nach einer Trächtigkeit von 110 Tagen bringt das Hyänenweibchen 2 Junge zur Welt. Anders als bei vielen anderen Raubtieren kommen die Hyänenjungen nicht blind auf die Welt, sondern haben bei der Geburt bereits offene Augen. Hyänen fressen Aas, also tote Tiere. Mit ihren kräftigen Zähnen können sie mühelos dicke Knochen durchbeißen. Heute weiß man, dass sie auch lebende Gnus, Zebras und Gazellen angreifen. Der Hauptfeind der Hyäne ist der Löwe. Allerdings passiert es auch, dass eine große Gruppe Hyänen Löwen angreift, die gerade ein Beutetier gerissen haben. Die Löwen werden dann vom Futterplatz verjagt.

H Hyänenhund

Hyänenhunde halten in der Gruppe eng zusammen. Alles, was sie tun, geschieht gemeinsam.

Hyänenhund

Der afrikanische Hyänenhund, den man auch »Wildhund« nennt, stammt aus der Familie der Hundeartigen. Interessant ist, dass er nicht mit der Hyäne verwandt ist. Hyänenhunde werden 1 m hoch und 30 kg schwer. Sie haben einen breiten Kopf, große runde Ohren und ein bunt geflecktes Fell in den Farben Weiß, Braun und Gelb. Kein Hyänenhund sieht farblich aus wie der andere, aber eines haben sie alle gemeinsam: die weiße Schwanzspitze. Wildhunde leben in großen Gruppen in der afrikanischen Steppe. Innerhalb einer Gruppe haben die Jungen und die Schwachen eine Sonderstellung. Sie dürfen sogar zuerst von der Beute fressen, die die anderen erjagt haben. Nach einer Trächtigkeit von 72 Tagen Dauer bringen die Weibchen 6-8 Junge zur Welt. Diese werden auch von anderen Weibchen gesäugt und von allen Gruppenmitgliedern gefüttert. Hyänenhunde jagen Gnus, Zebras und Antilopen. Durch den Verlust ihres Lebensraumes sind sie inzwischen bedroht.

Hyänenhunde haben sehr große Ohren.

Ibis

Ibisse gehören zur Ordnung der Stelzvögel und sind mit den ➪ Reihern, den ➪ Störchen und den ➪ Flamingos verwandt. Sie kommen in Afrika und Amerika vor. Ibisse haben einen langen, leicht nach unten gebogenen Schnabel, einen langen Hals und lange Beine. Sie leben und nisten gerne in der Nähe von Gewässern und an der Küste. Die Nester werden meist auf Büschen oder Bäumen gebaut. Nach einer Brutzeit von 21 Tagen schlüpfen 3–4 Junge, die von beiden Eltern gefüttert werden. Wie die meisten Stelzvögel brüten auch die Ibisse in großen Kolonien, in denen die Nester dicht beieinander liegen. Wenn die Jungen etwas größer sind, versammeln sie sich zu einer großen Gruppe und bekommen von allen Mitgliedern der Kolonie Futter gereicht. Ibisse fressen Insekten, Larven, Spinnen, Würmer, kleine Reptilien und Lurche.

Ein Rotibis putzt sein Gefieder.

Der Igel lebt in unseren Gärten.

Igel

Der Igel gehört zur Ordnung der Insektenfresser. Er ist mit der ➪ Spitzmaus und dem ➪ Maulwurf verwandt. Igel werden 30 cm lang und 1 kg schwer. Am Rücken haben sie spitze, schwarz-weiß geringelte Stacheln. Bei Gefahr kann sich ein Igel zusammenrollen. Er sieht dann aus wie ein Nadelkissen und streckt dem Angreifer seine über 10 000 Stacheln entgegen. Igel halten Winterschlaf. Das bedeutet, wenn es draußen kalt und das Nahrungsangebot knapp wird, zieht sich der Igel in eine kleine Höhle zurück und schläft dort bis zum Frühling. Direkt nach dem Winterschlaf beginnt die Paarungszeit. Nach 6 Wochen Trächtigkeit bekommt das Igelweibchen 5–7 Junge. Anfangs werden die Kleinen von der Mutter gesäugt. Igel fressen Früchte und Wurzelknollen. Sie sind aber auch große Räuber und suchen am Boden nach Würmern, Insekten und Maden. Der Igel tötet und frisst auch Schlangen. Er greift sogar die giftige Kreuzotter an. Durch seine Stacheln ist er gegen die tödlichen Bisse der Otter geschützt. Die Feinde des Igels sind der Dachs und die Eulen, sein größter Feind ist jedoch das Auto.

Iltis

Der Iltis stammt aus der Familie der Marder. Er wird 40 cm lang und 1,5 kg schwer. Iltisse sind dunkelbraun mit weißen Ohren, weißem Gesicht und braunen Querstreifen über den Augen. Die zahme Zuchtform des Iltisses ist das weiße ➪ Frettchen. Der europäische Iltis lebt in ganz Europa und in Westasien. Die Paarungszeit der Iltisse ist in den Monaten März bis Juni. In einem Nest aus Heu und Moos bringt das Weibchen nach 6 Wochen Trächtigkeit 3-7 Junge zur Welt. Die Jungtiere sind bei der Geburt schneeweiß. Nach 3 Wochen bekommen die Jungen ihr dunkles Fell. Iltisse sind geschickte Jäger, die gerne in der Nähe von Wasser auf Beutefang gehen. Sie sind äußerst flink und können gut schwimmen. Neben Insekten und Würmern jagt der Iltis hauptsächlich Frösche und Mäuse. Auch Molche und Fische gehören zu seiner Beute.

Ein Iltis in seinem Versteck.

Ein starker Impala-Bock.

Impala

Die Impala oder »Schwarzfersenantilope« gehört zu den ➪ Gazellen. Sie ist elegant und ungefähr so groß wie ein Damhirsch. Bis auf den weißen Bauch ist ihr Fell braun. Die Männchen haben schwarze Hörner, die ab der Hälfte nach innen gebogen sind. In Gruppen oder »Herden« von 60 Tieren ziehen die Impalas durch die Savannen Südwestafrikas. Die Paarungszeit der Impalas ist zwischen Februar und April. Nach 6 Monaten Trächtigkeit bekommen die Weibchen 1 Junges. Impalas haben viele Feinde. Für Schakale und Hyänen sind sie meist zu schnell, nicht aber für den Gepard. Auch Leoparden und Löwen jagen Impalas.

Jaguar

Der Jaguar gehört zu den Großkatzen. Er sieht dem ➪ Leoparden recht ähnlich, ist aber mit 1,8 m Körperlänge und 75 cm Höhe größer als sein afrikanischer Vetter. Jaguare leben in Südamerika und sind die größten Raubkatzen dieses Kontinents. Nach einer Trächtigkeit von 93 Tagen bringt das Weibchen 2–4 Junge zur Welt. Die Jungen bleiben 2 Jahre lang bei der Mutter. Jaguare sind sehr angriffslustige Jäger. Sie sind sowohl in den Baumkronen als auch auf dem Boden und sogar im Wasser zu sehen. Auf dem Boden jagt der Jaguar Tapire und Hirsche. In den Baumkronen verfolgt er Affen und Faultiere. In den Flüssen und Seen jagt er Frösche, Fische und Schildkröten. Auch Krokodile wie der Kaiman gehören zu seiner Beute. Sogar die großen, gefürchteten Riesenschlangen haben keine Chance gegen ihn. Der Jaguar ist vom Aussterben bedroht. Wegen seines schönen Fells wurde er erbarmungslos gejagt und ist in vielen Gebieten Südamerikas für immer verschwunden.

Der Jaguar ist ein erfolgreicher Jäger.

Eine Jakmutter säugt ihr Junges.

Jak

Der Jak ist ein großes ➪ Rind mit zotteligem Fell. Er ist ein naher Verwandter des ➪ Auerochsen, des Stammvaters unserer Hausrinder. Jaks werden über 3 m lang, über 2 m hoch und 1000 kg schwer. Ihre kräftigen Hörner sind nach oben gebogen und werden 1 m lang. Vor allem am Bauch, an den Beinen und am Hals ist das Fell der Jaks besonders dicht und zottelig. Es gibt Wildjaks und Hausjaks. Der Wildjak wohnt im Gebirge Nordtibets. Hier ist er durch sein warmes Fell vor Schneestürmen und eisiger Kälte geschützt. Der Hausjak ist kleiner und leichter als sein wilder Bruder. Er wird von der Bevölkerung Kleinasiens als Haustier gehalten, weil er schwere Lasten trägt, Milch und Wolle gibt und weil man sein Fleisch essen kann. Im Oktober ist die Paarungszeit der Jaks. Das Weibchen bringt nach 9 Monaten Trächtigkeit 1 Junges zur Welt. Da das Kleine 1 Jahr lang bei seiner Mutter bleibt, werden junge Jaks nur alle 2 Jahre geboren.

Der Kabeljau lebt in großen Schwärmen. Er ist einer der wichtigsten Nutzfische.

Kabeljau

Der Kabeljau gehört zur Ordnung der Dorschfische. Man nennt ihn auch schlicht »Dorsch«. Dieser 1,5 m lange Meeresfisch ist am Rücken braun und an der Bauchseite hell. An seiner Unterlippe hat er einen wurmähnlichen Auswuchs. Dorsche leben in großen Gruppen oder »Schwärmen« im Nordatlantik und im Nordpazifik. Die Paarungszeit dieser Fische ist im Frühjahr. Laichweibchen können bis zu 9 Millionen Eier absetzen, die frei im Wasser treiben. Nach 2-4 Wochen schlüpfen daraus die Larven, so nennt man beim Kabeljau die Jungtiere. Diese machen sofort Jagd auf Kleinstlebewesen. In diesem Alter haben diese Fische viele natürliche Feinde. Seevögel, andere Fische und Robben machen Jagd auf sie. Der ausgewachsene Kabeljau frisst Heringe und andere kleine Fische, Krebse, Würmer und Weichtiere. Er ist einer der wichtigsten Nahrungslieferanten aus dem Meer. In einem Jahr werden Tonnen von Kabeljau aus dem Meer gefischt. Er ist durch »Überfischung« bedroht, das heißt, dass mehr Kabeljau gefangen wird, als durch seinen eigenen Nachwuchs wieder ausgeglichen werden kann. Er wird also immer seltener und die Fänge von Jahr zu Jahr geringer.

Käfer

Käfer sind eine Ordnung der Insekten. Die kleinsten Käfer sind nur 0,25 mm groß, der Riese ist der Goliathkäfer mit 16 cm Größe. Käfer haben 3 Beinpaare, einen großen Hinterleib, der mit Flügeln bedeckt ist, ein Bruststück und einen Kopf mit einem Augenpaar, 2 Fühlern und Mundwerkzeugen. Je nachdem, wovon der Käfer sich ernährt, sind die Mundwerkzeuge entweder Kieferzangen oder ein Rüssel. Die meisten Käfer können fliegen, aber Kunstflieger wie die Libellen sind sie alle nicht. Fast alle Käfer legen Eier, die sie entweder am Boden oder im Wasser ablegen. Daraus schlüpfen Larven, aus denen sich später die Käfer entwickeln. Einige Käfer sind ausgesprochene Räuber, die mit ihren kräftigen Kiefern Jagd auf andere Insekten, Weichtiere und sogar kleine Wirbeltiere machen. Hierzu gehört der Sandlaufkäfer. Andere ernähren sich von Aas wie der Totengräber, oder von Wirbeltierkot wie der Pillendreher. Reine Pflanzenfresser unter den Käfern sind der Rüsselkäfer und der Mehlkäfer. Es gibt aber auch Käfer, die im Wasser leben. Hierzu gehört unter anderem der räuberische Gelbrandkäfer.

Der Nashornkäfer wird 4 cm groß. Er ist ein Pflanzenfresser.

Ein ausgewachsener Kaffernbüffel.

Kaffernbüffel

Der Kaffernbüffel ist das größte afrikanische Wildrind. Er wird 2,6 m lang, 1,7 m hoch und 800 kg schwer. Sein Fell ist schwarz und er hat mächtige Hörner. Kaffernbüffel leben in ganz Afrika. Sie ziehen in großen Gruppen umher. Diese Gruppen werden »Herden« genannt. Die Trächtigkeit dauert bei Kaffernbüffeln 11 Monate. Meist kommt nur 1 Junges auf die Welt. Die Jungen werden 6 Monate von der Mutter gesäugt. Kaffernbüffel sind friedliche Pflanzenfresser. Wenn sie angegriffen werden, verteidigen sie sich allerdings erbittert. Ein erwachsener Kaffernbüffel hat keine natürlichen Feinde. Sogar die Löwen greifen nur junge oder kranke Kaffernbüffel an. Büffel, die von Löwen überwältigt werden, rufen sofort die Herde zu Hilfe. Oft gelingt es den Tieren dann gemeinsam, die Löwen zu vertreiben. Kaffernbüffel leben heute vorwiegend in Nationalparks.

Kaiman

Kaimane sind ➪ Krokodile, die in den Tropen Mittel- und Südamerikas leben. Sie sind eng mit dem nordamerikanischen ➪ Alligator verwandt. Kaimane werden jedoch nicht so groß wie die Alligatoren: Sie werden meist nicht größer als 1,5 m. Eine Ausnahme ist der Mohrenkaiman mit 4,7 m Körperlänge. Da dieser größte Kaiman auch größere Tiere erbeutet, wurde er stark gejagt. In vielen Gebieten ist dieser Riese unter den Kaimanen heute ausgerottet. Kaimane lieben langsam fließende Gewässer mit schlammigem Boden und Sandbänken. Wie alle Krokodile legen auch die Kaimane Eier. Diese Eier werden vom Weibchen im Sand vergraben. Dann bleibt es in der Nähe liegen und bewacht seine Brut. Erst wenn die Jungen schlüpfen, lässt die Mutter sie allein. Kaimane fressen Fische, kleine Säugetiere, Vögel und Reptilien. Auf der Jagd lassen sich Kaimane so im Wasser treiben, dass nur Augen und Nase herausschauen. Wenn die Beute vorbeischwimmt, schnappen sie plötzlich zu. Der einzige natürliche Feind des Kaimans ist der Jaguar. Kleinere Kaimane müssen sich im Wasser auch vor der Anakonda vorsehen. Der größte Feind des Kaimans ist der Mensch, der ihn zu zehntausenden zu Handtaschen und Gürteln verarbeitet.

Der Kaiman lebt in Südamerika.

Kakadu

Kakadus sind eine Unterfamilie der ➪ Papageien. Sie leben in Gruppen oder »Schwärmen« in Australien und Südostasien. Alle Kakadus haben verlängerte Federn am Hinterkopf, die sie haubenartig aufrichten können. Der größte dieser Vögel ist der Arakakadu mit 70 cm Länge, der kleinste ist der 30 cm große Nymphensittich. Kakadus brüten in Baumhöhlen. Das Weibchen legt 2-4 Eier, die von beiden Eltern ausgebrütet werden. Auch nach dem Schlüpfen kümmern sich beide Eltern um die Kinder. 60-70 Tage später können die Jungen fliegen und verlassen das Nest. Kakadus sind Pflanzenfresser, die sich von Körnern, Samen und Früchten ernähren. Ihre größten natürlichen Feinde sind die Greifvögel. Viele Kakaduarten sind inzwischen in der Natur selten geworden, da ständig Tiere für die Zoogeschäfte gefangen wurden. Die geselligen Vögel werden häufig allein und in zu kleinen Käfigen gehalten.

Der Kakadu ist ein beliebter Papagei.

Das Dromedar ist ein afrikanisches Kamel.

Kamel

Kamele sind eine Familie der Paarhufer. Zu ihnen gehört das afrikanische einhöckrige Kamel oder Dromedar, und das zweihöckrige Kamel oder ➪ Trampeltier aus Asien. Das Dromedar ist nur als Haustier bekannt. Von dem Trampeltier gibt es auch Wildformen. Diese wilden Kamele leben in den Grassteppen und Halbwüsten Mittelasiens. In Gruppen von 20 Tieren ziehen sie auf der Suche nach Nahrung umher und fressen Wüstengräser, Sträucher und dünne Zweige. Die Weibchen sind 13 Monate trächtig. Kamele sind für die Menschen, die in der Wüste leben, sehr wichtig. Sie sind sehr zahm und werden als Last- oder Reittiere benutzt. Außerdem liefern sie Wolle, Milch und Fleisch. Mit dem getrockneten Kamelkot wird Feuer gemacht. In Südamerika leben die Verwandten der Kamele, die Kleinkamele. Sie haben keine Höcker. Zu ihnen gehört das Lama, das ➪ Guanako und das Vikunja.

Kanadagans

Die Kanadagans gehört zur Gattung der Meergänse. Sie ist braun gefärbt, ihr Hals und ihr Schnabel sind schwarz und sie hat weiße Wangen. Kanadagänse sind die häufigsten Wildgänse Nordamerikas. Bei uns kommen diese Gänse heute auch recht häufig vor. Sie wurden hier ausgesetzt und haben sich mittlerweile gut vermehrt. Kanadagänse leben in Einehe. Die Paare bleiben also für immer zusammen. In der Paarungszeit baut das Pärchen ein Nest am Ufer eines Gewässers. Dieses Nest liegt entweder auf einer kleinen Insel oder tief im Schilf versteckt. Das Kanadagansweibchen legt ungefähr 4 Eier, die von beiden Eltern ausgebrütet werden. Die Jungen sind Nestflüchter, das heißt, dass sie das Nest sofort nach dem Schlüpfen verlassen können, um den Eltern zu folgen. Es ist ein hübscher Anblick, wenn der Vater vorneweg schwimmt, dann die Kleinen in einer Reihe hinterher, und am Ende die Mutter, die aufpasst, dass keiner zurückbleibt. Erwachsene Kanadagänse haben kaum natürliche Feinde, dafür können die Jungen dem Fuchs, dem Hermelin, den Ratten oder Greifvögeln zum Opfer fallen.

Wenn sich ein Kanadaganspärchen gefunden hat, bleibt es zusammen.

Der Kanarienvogel ist wohl der beliebteste Käfigvogel.

Kanarienvogel

Der Kanarienvogel gehört zur Familie der ➪ Finken und ist eng mit dem ➪ Girlitz verwandt. Das Männchen des Wilden Kanarienvogels hat eine gelbe Brust und einen grau-braunen Rücken. Das Weibchen ist unscheinbar braun. Diese 10 cm großen Vögel haben einen kurzen und kräftigen Schnabel. Sie leben auf den Kanaren, den Azoren und den Bermudas. Von ihnen stammt der Hauskanarienvogel ab. Es gibt ihn in den Farben Rot und Gelb. Diese Vögel werden gerne zu Hause gehalten, weil sie sehr schön und ausdauernd singen. Die Käfige sind jedoch oft viel zu klein. Die Vögel brauchen aber ausreichend Platz und die Möglichkeit zum täglichen Fliegen. Wilde Kanarienvögel leben in Parkanlagen und Obstgärten. Im Mai ist die Paarungszeit dieser Vögel. Sie bauen ihr Nest in Bäumen oder Büschen. Die Eier werden vom Weibchen alleine ausgebrütet. Die Aufzucht der Jungen ist aber die Aufgabe beider Eltern. Sie füttern ihre Jungen mit kleinen Würmern, Raupen und Larven. Die Altvögel fressen Samen und Körner. Die natürlichen Hauptfeinde der Kanarienvögel sind die Greifvögel.

Eine Gruppe Riesenkängurus.

Känguru

Kängurus sind eine Familie aus der Ordnung der Beuteltiere. Sie leben in Australien. Das Rote Riesenkänguru wird 1,6 m groß. Die Vorderbeine sind klein und kurz. Die Hinterbeine sind dafür sehr lang. Kängurus haben an den Oberschenkeln kräftige Muskeln. Deshalb können sie sehr hoch und sehr weit springen. Nach 40 Tagen Trächtigkeit bringt das Weibchen ein Junges zur Welt. Dieses Junge hat noch kein Fell, keine Augen und keine Ohren. Es muss jetzt in den Beutel der Mutter krabbeln. Dort ist nämlich die Milchdrüse. Das Baby kann riechen, wohin es krabbeln muss. Im Beutel trinkt es nun die Muttermilch und kann sich weiterentwickeln zu einem ausgewachsenen Känguru. Ihre natürlichen Feinde sind der Dingo und die Python. Wird ein Känguru von Hunden gejagt, springt es ins Wasser. Dort stellt es sich aufrecht hin, dass sein Kopf über Wasser ist. Wenn jetzt ein Hund auf das Känguru zuschwimmt, versucht es, den Hund zu ertränken.

Kaninchen

Das europäische Wildkaninchen gehört zur Familie der Hasenartigen. Man kann es gut vom ⇨ Hasen unterscheiden. Es ist kleiner als der Feldhase, hat kürzere Ohren und keine schwarzen Ohrspitzen. Kaninchen graben sich Höhlen unter der Erde. Zuerst lebte das Kaninchen nur in den Mittelmeerländern. Als die Menschen merkten, dass man sein Fleisch essen und sein Fell verwenden kann, brachten sie das Kaninchen auch in viele andere Länder. 28 Tage nach der Paarung kommen die Jungen auf die Welt. Ein Weibchen bekommt 6-mal im Jahr Junge. Diese können schon mit 4 Monaten selbst Nachwuchs haben. Kaum ein anderes Tier hat so viele Feinde wie das Kaninchen. In Deutschland wird es von Wieseln, Füchsen, Iltissen, Bussarden, Habichten, Eulen und Hunden gejagt. Als Haustier muss ein Kaninchen genug Material zum Nagen haben und Platz zum Laufen, damit es gesund bleibt.

Das Kaninchen hat viele Feinde.

Der Karakal oder »Wüstenluchs«.

Karakal

Der Karakal gehört zur Gattungsgruppe der Kleinkatzen. Man nennt ihn auch »Wüstenluchs«. Die auffälligste Gemeinsamkeit, die der Karakal mit den ➪ Luchsen hat, sind die pinselartigen Haarbüschel auf den Ohrspitzen. Karakale werden 75 cm groß. Ihr Fell ist bis auf einige schwarze Flecken über dem Auge und an den Schnurrhaaren ockerfarben, ihre Beine sind recht lang und ihr Kopf schmaler als bei anderen Luchsen. Dieses Tier lebt in den Steppengebieten Afrikas und Südwestasiens. Der Karakal ist ein Einzelgänger, der nur zur Paarungszeit die Nähe eines anderen Wüstenluchses sucht. Nach einer Trächtigkeit von über 70 Tagen bringt die Karakalmutter 1-4 Junge zur Welt, die sie ungefähr 2 Monate lang säugt. Obwohl der Karakal lange Beine hat, ist er kein ausdauernder Läufer wie der Gepard. Wie die meisten Katzen schleicht er sich an seine Beute heran und startet einen Überraschungsangriff. Er jagt Gazellen, Klippschliefer und junge Antilopen. Karakale können sehr hoch springen und fangen sogar vorbeifliegende Vögel.

Kardinal

Kardinäle sind eine Unterfamilie der Singvögel. Sie leben in ganz Amerika. Am bekanntesten ist der 21 cm große Rote Kardinal. Sein Gefieder ist rot, bis auf eine schwarze, maskenähnliche Zeichnung im Gesicht. Am Hinterkopf hat er zu einem Schopf verlängerte Federn. Der Schnabel des Kardinals ist kräftig und kurz. Kardinäle leben in Wald- und Buschlandschaften, in Gärten und in Stadtparks. Sie sind bei den Menschen sehr beliebt wegen ihrer Farbe und ihres schönen Gesangs. Zur Paarungszeit bauen diese Vögel ihr Nest meist in einem Busch oder in einer Hecke. Das Weibchen legt 2-5 bläuliche Eier, die es alleine ausbrütet. Der Vater hilft bei der Fütterung der Jungen mit. Die Kleinen bekommen von ihren Eltern Raupen, Fliegen und Würmer. Erwachsene Kardinäle sind Pflanzenfresser, die sich von Körnern, Samen und Früchten ernähren. Die Jungen des Kardinals werden von Blauhähern, Kuhstärlingen und Baumhörnchen bedroht.

Ein Kardinal füttert seine hungrigen Jungen. Dieser prächtige Singvogel lebt in Amerika.

Karpfen

Die Karpfen sind eine Gattung der Weißfische oder Karpfenfische. Es sind Süßwasserfische, die meist in großen Teichen oder Seen leben. Karpfen erkennt man leicht an den beiden dicken Fäden, die sie am Maul haben. Diese Fäden heißen »Barteln«. Der Rücken des Karpfen ist rund und bucklig. Wenn der große Fisch einmal in der Nähe der Wasseroberfläche schwimmt, kann man den Rücken manchmal herausschauen sehen. Die Bauchseite des Karpfens ist hellgelb und der Rücken grün-grau. Das Weibchen des Karpfens legt in der Paarungszeit bis zu 1,5 Millionen Eier. Nach drei Tagen schlüpfen die Jungen. Sie sind zuerst noch sehr klein und fressen kleine Krebse und Algen. Später fressen Karpfen Mückenlarven, Muschelkrebse, Schnecken und Würmer. Die natürlichen Feinde dieses großen Süßwasserfisches sind der Hecht, der Reiher, der Fischadler und der Fischotter. Der Karpfen ist ein beliebter Speisefisch. Der chinesische Koi ist ein bunter Karpfen, der zur Zierde gehalten wird.

Der Karpfen ist ein Süßwasserfisch, der in Teichen und Seen lebt.

Es gibt Hauskatzen verschiedener Rassen.

Katze

Katzen sind eine Raubtierfamilie. Die größte Katze der Erde ist der Sibirische Tiger. Zu den kleinsten Katzen gehört die Hauskatze. Bis auf den ⇨ Geparden sind alle Katzen Überraschungsjäger. Sie schleichen in die Nähe ihrer Beute und springen sie dann plötzlich an. Der Gepard dagegen hetzt seine Beute. Katzen haben sehr gute Sinne. Sie hören, riechen und sehen besser als viele andere Tiere. Auch ihre Schnurrhaare sind sehr empfindlich. Sie helfen der Katze, sich in der Dunkelheit zurecht zu finden. Man sagt, dass Katzen wasserscheu sind. Das stimmt nicht immer. Der ⇨ Tiger und der ⇨ Jaguar lieben das Wasser. Die Tragzeit dauert ungefähr 63 Tage. Bei den Großkatzen kann sie über 100 Tage lang dauern. Viele Großkatzen sind vom Aussterben bedroht. Die Menschen verfolgen sie wegen ihres Fells. Zu den bedrohten Katzen gehören der Ozelot, der Jaguar, der Tiger, der Leopard und der Gepard.

Kauz

Käuze sind eine Unterfamilie der ➪ Eulen. Sie sind im Allgemeinen kleiner als die übrigen Eulen und haben keine Ohrfedern. Der Sperlingskauz ist nur 16 cm groß, der Bartkauz dagegen über 60 cm. Käuze kommen auf allen Kontinenten vor. Sie haben einen runden Kopf und kräftige Krallen. Wie alle Eulen sind auch die Käuze in der Dämmerung aktiv. Tagsüber ruhen sie gut versteckt im Wald, und wenn es dunkel wird, suchen sie nach Nahrung. Die meisten Käuze leben in Einehe, das bedeutet, die Brutpaare bleiben für immer zusammen. Im März ist die Paarungszeit dieser Tiere. Sie brüten in Baumhöhlen, in Felsritzen oder in alten Gemäuern. Das Weibchen legt 3-6 Eier, aus denen nach ungefähr 3 Wochen die Jungen schlüpfen. Kleine Käuze fressen Insekten, Reptilien, Mäuse und Singvögel. Größere jagen Eichhörnchen und Vögel bis zur Größe eines Huhnes.

Der Kauz hat große Augen, mit denen er in der Nacht sehen kann.

Der Kiebitz lebt auf Wiesen und Feldern.

Kiebitz

Kiebitze sind mit den Regenpfeifern, den ➪ Brachvögeln, den ➪ Schnepfen und den ➪ Strandläufern verwandt. Sie werden ungefähr 32 cm groß und haben eine Flügelspannweite von 70 cm. Ihr Rücken ist oft dunkel und der Bauch hell gefärbt. Die meisten Kiebitze haben verlängerte Federn am Hinterkopf. Kiebitze kommen in Europa, Afrika und Südasien vor. Viele Kiebitzarten sind Zugvögel, die im Winter in wärmere Gebiete fliegen. Wenn sie im Frühjahr zurückkehren, beginnen sie mit der Paarung. Ihr Nest ist nur eine flache Mulde am Boden. Wenn die Jungen geschlüpft sind, verlassen sie sofort das Nest. Sie sind Nestflüchter. Wenn Gefahr droht, ducken sich die kleinen Kiebitze ganz flach auf den Boden. Durch ihr Tarngefieder werden sie fast unsichtbar. Früher hat man die Kiebitzeier gesammelt und gegessen. Dadurch und vor allem durch die Kultivierung der Landschaft wurde dieser Vogel in Europa selten. Heute ist das Sammeln von Kiebitzeiern in vielen Ländern Europas verboten.

So verteidigt sich die Klapperschlange.

Klapperschlange

Die Klapperschlange gehört zur Familie der Grubenottern. Diese Ottern haben eine besondere Öffnung am Kopf, die »Grube«. Mit dieser Öffnung kann die Schlange andere Tiere wahrnehmen, auch wenn es ganz dunkel ist. Klapperschlangen leben in den trockenen Gebieten Nordamerikas. Sie werden über 2 m lang. Am Schwanzende tragen sie eine »Klapper«. Das sind ein paar Hautringe, die nur locker miteinander verbunden sind. Wenn die Klapperschlange sich angegriffen fühlt, bewegt sie ihr Schwanzende schnell hin und her. Dabei macht die Klapper ein rasselndes Geräusch. Dieses Rasseln ist gut zu hören. Es soll Feinde vor der Klapperschlange warnen. Diese Warnung sollte man sehr ernst nehmen, denn der Biss dieser Schlange ist sehr giftig und auch für uns Menschen tödlich. Klapperschlangen haben noch eine Besonderheit, die sie von vielen anderen ➪ Reptilien unterscheidet: Sie legen keine Eier, sondern bringen bei einer Geburt gleich 8–15 lebende Junge zur Welt. Klapperschlangen ernähren sich von kleinen Säugetieren wie Mäusen, Ratten, Präriehunden und Kaninchen.

Kleiber

Der Kleiber ist ein 14 cm großer Singvogel mit blau-grauem Rücken, rosafarbener Brust und schwarzen Streifen über den Augen. Man nennt diesen Vogel auch »Spechtmeise«, weil er in Baumhöhlen brütet und wie ein Kletterkünstler die Bäume hoch und runter läuft. Zur Paarungszeit legt das Weibchen 6–8 Eier in das Baumhöhlennest. Das Einflugloch der Höhle hat es vorher mit Lehm so eng gebaut, dass nur sie hindurchpasst. So sind die Jungen vor den räuberischen Elstern und Krähen sicher. Kleiber fressen Samen, Früchte und Beeren. Sie legen auch Vorräte in Mauerspalten und Borkenritzen an. Wenn also eine Sonnenblume mitten aus einer alten Mauer herauswächst, war hier sicher die Vorratskammer eines Kleibers.

Der Kleiber ist ein hübscher Singvogel. Man nennt ihn auch »Mauerläufer«.

Der Knurrhahn ist ein Grundfisch, der in der Nähe der Küste lebt. Er gibt knurrende Laute von sich.

Knurrhahn

Der Knurrhahn gehört zur Ordnung der Panzerwangen und ist eng mit dem Rotfeuerfisch verwandt. Knurrhähne sind Meeresfische mit strahlenartig verlängerten Brustflossen, Stacheln an der Rückenflosse und einem mit Knochenplatten gepanzertem Kopf. Knurrhähne haben ihren Namen daher, weil sie mit ihrer Schwimmblase knurrende Geräusche erzeugen können. Sie leben in Küstengebieten am Meeresgrund. Dort bewegen sie sich mit ihren stelzförmigen Brustflossenstrahlen über den Boden, sie »gehen« förmlich vorwärts. Einige Knurrhähne sind »fliegende« Fische. Sie können schnell aus dem Wasser gleiten, ihre Brustflossen ausbreiten und einige Meter weit durch die Luft gleiten. Die Paarungszeit dieser Fische dauert von April bis August. Die Eier schweben frei im Wasser und werden nicht an Steinen oder Pflanzen befestigt. Die Jungen, die daraus schlüpfen, schwimmen auch vorerst im freien Wasser und leben erst am Boden, wenn sie eine Größe von 4 cm erreicht haben. Knurrhähne fressen Krebse, Muscheln und Schnecken.

Koala

Der Koala ist neben dem Känguru das bekannteste Beuteltier Australiens. Er ist kein Bär, sondern gehört zur Familie der Kletterbeutler. Sein Fell ist grau und flauschig. Das machte den Koala leider zu einer beliebten Jagdbeute. Vor 90 Jahren wurden Tausende Koalas von Pelzjägern getötet. Erst vor 50 Jahren wurde das Töten der Koalas durch Gesetze verboten. Beinahe zu spät, denn in Süd- und Westaustralien sind die Koalas bereits ausgestorben. In der Paarungszeit hat das Koalamännchen mehrere Weibchen. Nach einer Trächtigkeit von 30 Tagen bringt die Koalamutter 1 Junges zur Welt. Dieses Baby bleibt 6 Monate im Beutel der Mutter. Später trägt das Weibchen das Junge auf dem Rücken umher. Koalas ernähren sich ausschließlich von Eukalyptusblättern. Sie fressen nichts anderes. Deshalb ist es auch sehr schwierig, diese hübschen Tiere bei uns im Tiergarten zu halten. Heute sind die Koalas durch die Zerstörung der Eukalyptuswälder bedroht.

Der Koala sieht aus wie ein Teddybär.

Koboldmaki

Koboldmakis sind eine Familie der ⇨ Halbaffen. Sie werden 15-18 cm groß, haben einen runden Kopf, eine kurze Schnauze, einen langen Schwanz und sehr große Augen. Diese Tiere leben in den Dschungelgebieten Südostasiens. Sie sind meist in der Dämmerung und in der Nacht unterwegs. Koboldmakis sind Baumbewohner. Sie können sehr weit von einem Baum zum nächsten springen und benutzen dann ihren langen Schwanz als Steuerruder. Über die Paarung dieser eigenartigen Tiere weiß man noch nicht viel. Das Weibchen bekommt 1 Junges, das sich sofort nach der Geburt am Bauch der Mutter festhält und von ihr herumgetragen wird. Koboldmakis fressen Eidechsen, Käfer, kleine Fische und Krebse. Ihre Feinde sind Greifvögel und Eulen.

Die Kobra ist bereit zum Angriff.

Der Koboldmaki jagt in der Nacht.

Kobra

Die Kobra gehört zu den Giftnattern und lebt in Südasien und Nordwestafrika. Die größte Kobra ist die Königskobra. Sie wird 5 m lang, und ihr Gift kann einen Elefanten in wenigen Stunden töten. Etwas kleiner ist die Brillenschlange: Sie wird 1-2 m lang. Ihren Namen hat sie daher, weil sie am Rücken ein Muster hat, das wie eine Brille aussieht. Wenn eine Kobra angegriffen wird, richtet sie sich auf und spreizt ihren Nackenschild. Dadurch wirkt sie groß und gefährlich. Zur Paarungszeit legen Kobras Eier, die sie in die Erde eingraben. Die Kobramutter bleibt in der Nähe und bewacht ihre Eier, bis die Jungen ausschlüpfen. Kobras fressen Ratten, Mäuse, Vögel, Eidechsen, Frösche und Fische. Ihre Feinde sind Greifvögel, Eulen und der Mungo. Eine besondere Kobra ist die Speikobra aus Afrika. Wenn sie angegriffen wird, spritzt sie dem Angreifer ihr Gift ins Gesicht.

Kohlmeise

Die Kohlmeise gehört zur Familie der Eigentlichen Meisen. Sie ist eng mit der Blaumeise und der Tannenmeise verwandt. Sie wird 14 cm groß. Ihr Schnabel ist kurz und spitz, ihr Gefieder ist am Rücken blau-grün und am Bauch gelb. Sie hat einen schwarzen Kopf mit weißen Wangen. Man kann sie von der Tannenmeise dadurch unterscheiden, dass die Kohlmeise einen schwarzen Längsstrich über der Brust hat. Kohlmeisen brüten in Astlöchern, Spechthöhlen und Nistkästen. Im April baut das Weibchen ein Nest in die Höhle. Dann legt es über 8 Eier, die nach 2 Wochen ausgebrütet sind. Diese Vögel brüten mehrmals im Jahr. Ihre größten natürlichen Feinde sind der Sperber und der Kauz. Die Eier werden von Mardern, Spechten und Eichhörnchen gefressen. Auch lange und strenge Winter sind für viele Kohlmeisen eine tödliche Gefahr.

Die Kohlmeise ist ein hübscher Singvogel, der bei uns in Gärten und Parkanlagen lebt.

Ein Kojote auf der Jagd.

Kojote

Der Kojote ist ein naher Verwandter des Wolfes. Man nennt den Kojoten auch »Präriewolf«. Er ist mit 53 cm Höhe und 20 kg Gewicht kleiner und leichter als der ⇨ Wolf. Sein Fell ist braungrau und sein Maul ist weiß. Der Präriewolf lebt in ganz Nordamerika. Der Wolf geht dem Menschen aus dem Weg und lebt tief im Wald. Der Kojote kommt jedoch in die Nähe der Dörfer, um Abfälle zu fressen. Außerdem ernährt er sich von Mäusen, Ratten und Aas. 60 Tage nach der Paarung bringt das Kojotenweibchen 5-7 Junge in einer Höhle zur Welt. Das Männchen verlässt sie nach der Geburt, um auf die Jagd zu gehen. Er versorgt in der ersten Zeit die ganze Familie mit Futter. Schon vor der Geburt, als das Weibchen noch hoch trächtig war, wurde es vom Männchen gefüttert. Wenn Menschen, Hunde oder Pumas in die Nähe kommen, lockt der Vater sie von der Höhle weg. Kojoten werden stark gejagt, weil sie gelegentlich einmal ein Haustier erbeuten. Ihre natürlichen Feinde sind Wölfe, Pumas, Jaguare und große Adler.

Mit ihrem spitzen Schnabel saugen die Kolibris Nektar aus den Blüten.

Kolibri

Kolibris sind eine Ordnung in der Klasse der ➪ Vögel und kommen in ganz Amerika vor. Es sind sehr kleine Vögel: Der Hummel-Kolibri ist tatsächlich fast so klein wie eine Hummel. Kolibris haben einen langen spitzen Schnabel, meistens einen Stummelschwanz und spitze Flügel. Diese Vögel können etwas, was sonst kein anderer Vogel kann: den Schwirrflug. Sie bewegen ihre Flügel dabei so schnell, dass sie ohne Mühe plötzlich in der Luft abbremsen und auf der Stelle fliegen können. Kolibris sind die einzigen Vögel der Welt, die sogar rückwärts fliegen können. Kolibris legen in der Paarungszeit meistens 2 Eier. Das Weibchen brütet die Eier alleine aus und zieht auch alleine die Jungen groß. Es füttert seine Jungen mit Insekten. Wenn sie groß sind, ernähren sich die Kolibris auch von Blütennektar. Einige Kolibris sind regelrechte Künstler bei der Insektenjagd: Aus Spinnennetzen picken sie die darin gefangenen Insekten im Schwirrflug einfach heraus.

Kolkrabe

Der Kolkrabe ist der Riese unter den Rabenvögeln. Er wird 60 cm groß. Seine Verwandten sind die ➪ Krähe, die ➪ Elster und der ➪ Eichelhäher. Der Rabe lebt in Nordamerika, Europa und Asien. Er hat schwarze Federn und sieht aus wie eine große Krähe mit kräftigem Schnabel. In der Paarungszeit brütet das Weibchen alleine die Eier aus. Während dieser Zeit wird es vom Männchen gefüttert. Der Ausdruck »Rabenmutter« passt überhaupt nicht zum Weibchen, denn es hilft den Jungen beim Schlüpfen und macht sie sauber. Jedem seiner Kinder baut es ein kleines Nest in dem großen Rabennest. Die Mutter badet ihre Jungen sogar. Sie fliegt zu einem Teich, taucht ihre Brust in das Wasser und fliegt zum Nest zurück. Dort schüttelt sie sich über den Jungen. Das ist für die kleinen Raben eine Art »Dusche«. Kolkraben fressen Aas, Mäuse, Ratten, Früchte und Körner. Wegen gelegentlicher Nesträuberei wurden die Kolkraben bei uns lange Zeit verfolgt. Kolkraben sind ausgezeichnete Flieger. In der Luft fürchten sie nicht einmal die Greifvögel.

Der Kolkrabe ist der größte seiner Familie.

Der Kondor hält am Strand nach toten Fischen Ausschau.

Kondor

Kondore sind Geier, die in Amerika leben. Es sind also ➪ Greifvögel, die sich meistens von Aas ernähren. An der Westküste Südamerikas lebt der Anden-Kondor. Er ist mit einer Größe von über 1 m und einer Flügelspannweite von fast 3 m der größte Greifvogel der Welt. Er hält an Stränden nach toten Walen, Robben und Fischen Ausschau. Der Anden-Kondor ist bei den Menschen in Südamerika nicht sehr beliebt, weil er manchmal Kälber frisst. In Kalifornien lebt der Kalifornische Kondor. Er ist etwas kleiner als sein Bruder aus den Anden. Dieser Kondor ist so gut wie ausgerottet. Wahrscheinlich leben in freier Natur nur noch weniger als 60 Tiere. Früher legten die Viehzüchter Gift aus, um damit Wölfe und Kojoten zu töten. Leider fraßen auch viele Kondore von dem Gift und starben. Vielleicht wird der Kalifornische Kondor deshalb bald nur noch in Zoos zu sehen sein.

Königsgeier

Der Königsgeier ist ein Greifvogel, der in Süd- und Mittelamerika lebt. Er gehört zur Familie der Neuweltgeier und ist mit den ➪ Kondoren verwandt. Der Königsgeier ist der farbenprächtigste Geier der Welt. Sein Kopf ist rotgelb gemustert. Über dem Schnabel und unter den Augen hat er einen gelben, lappenartigen Auswuchs. Sein Rücken ist blassrosa und sein Bauch weiß. Die Flügelspitzen und die Schwanzfedern sind schwarz. Der Hals des Königsgeiers ist nackt und wird zur Brust hin von einer schwarzen Federkrause umrahmt. Wie seine Verwandten, die Kondore, so baut auch der Königsgeier kein Nest, sondern legt seine Eier einfach auf den Boden, in Baumhöhlen oder zwischen Felsen. Königsgeier fressen ausschließlich Aas, also tote Tiere. Bei der Nahrungssuche gibt es eine Besonderheit: Man hat Königsgeier an toten Tieren beobachtet, die so gut im Gebüsch versteckt gelegen hatten, dass die Vögel sie unmöglich aus der Luft gesehen haben konnten. Man nimmt also an, dass der Königsgeier als einziger Vogel der Welt riechen kann.

Der Königsgeier ist sehr bunt.

Königstiger

Der Königstiger, auch »Bengaltiger« genannt, lebt in den Urwaldgebieten Indiens. Er wird etwa 1,8 m lang und 80 cm groß. Sein Fell hat die typische Tigerzeichnung, schwarze Streifen auf rötlichem Grund und eine helle Unterseite. In Nordindien treten gelegentlich »Weiße Tiger« auf. Diese Königstiger haben ein weißes Fell mit schwarzen Streifen. Ihre Augen sind hellblau und färben sich gelb, wenn die Tiere aufgeregt sind. Man bemüht sich, diese Tiere weiter zu züchten, weil man sie gerne in Zoos und im Zirkus zeigt. Das Leben im Käfig ist für die große Raubkatze, die in freier Natur durch ihr Revier streift, eine enorme Einschränkung. Die Paarungszeit der Königstiger ist im Frühjahr. Nach einer Trächtigkeit von 112 Tagen bringt die Tigermutter 2-4 Junge zur Welt, die 6 Monate lang gesäugt werden. Erst nach 3 Jahren gehen die Jungen ihren eigenen Weg. Der Königstiger erbeutet Wildschweine, Hirsche, Rehe, Gazellen, Füchse und Goldschakale. Aber auch an größere Tiere, wie den Wasserbüffel und junge Elefanten, wagt er sich heran. Der Königstiger ist wie alle Tigerarten stark bedroht, da alle seine Körperteile in Asien zu Medizin verarbeitet werden. Viele Menschen dort glauben an die heilende Wirkung durch den Verzehr starker Tiere.

Königstiger gehen gerne ins Wasser.

Der Kookaburra lebt in Australien.

Kookaburra

Der australische Kookaburra stammt aus der Ordnung der Rackenvögel und ist eng mit dem ➪ Eisvogel verwandt. Er wird 40 cm groß und 360 g schwer. Der Oberschnabel dieses Vogels ist schwarz und sein Unterschnabel hell. Man nennt den Kookaburra auch »Lachenden Hans«, weil sein Ruf wie das Gelächter eines Menschen klingt. Der Kookaburra ruft meist sehr früh am Morgen und abends nach Sonnenuntergang. Die Australier nennen ihn deshalb auch »Buschmannsuhr«. Die Paarungszeit der Kookaburras dauert von September bis Dezember. Die Vögel bauen ihr Nest in Baumhöhlen und Felsspalten. Das Weibchen legt 2-4 Eier, die dann von beiden Eltern ausgebrütet werden. Nach 25 Tagen schlüpfen die Jungen. Kookaburras fressen kleine Kriechtiere, Insekten und Krabben. Sie sind aber auch Nesträuber, die die Nester anderer Vögel plündern.

Koralle

Korallen sind eine Ordnung aus der Unterabteilung der Hohltiere. Diese Tiere leben in Kolonien. Sie haften eines auf dem anderen und bilden eine Lebensgemeinschaft. So entsteht dieses pflanzenartige Gebilde, das wir »Koralle« oder »Korallenstock« nennen. Die Korallentiere sind sehr klein und sehr einfach aufgebaut. Sie ernähren sich von winzigen Schwebeteilchen aus dem Wasser. Wenn sich die Korallentiere aus einem Korallenstock vermehren, dann geschieht das durch »Sprossung«. Das bedeutet, dass ein neues Korallentier aus dem alten herauswächst. Ähnlich kennen wir das von den Ablegern bei Pflanzen. Dadurch, dass nach oben hin immer neue Korallentiere entstehen, sterben die unteren ab. Von ihnen bleibt aber ihr Kalkskelett als Stütze erhalten, damit die Koralle weiter nach oben wachsen kann. So entstehen »Korallenriffe«, also ganze Felsen, die nur aus toten und lebenden Korallentieren bestehen. Korallenriffe und die dort lebenden Tiere sind durch die zunehmende Verschmutzung der Meere bedroht. Eine Gefahr droht ihnen auch durch Urlauber. Unzählige Korallen werden in den Souvenirläden verkauft. Nur die wenigsten wissen, dass einige Arten inzwischen geschützt sind.

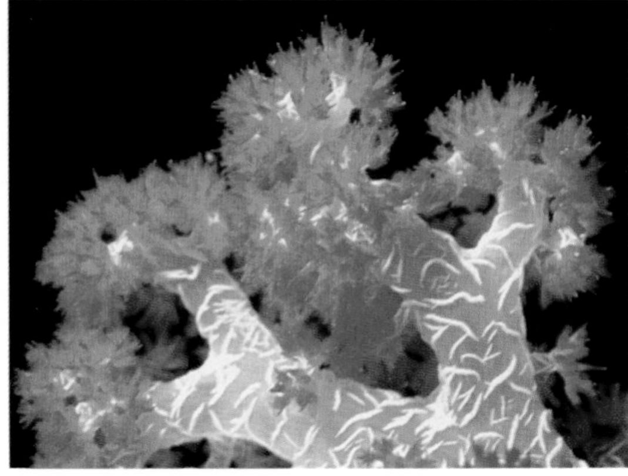

Korallen sind meist sehr farbenprächtig.

Kormorane auf ihrem Nest.

Kormoran

Die Kormorane sind eine Familie aus der Ordnung der Ruderfüßer. Sie sind mit dem ➪ Pelikan und dem ➪ Tölpel verwandt. Kormorane werden 90 cm groß und 3,5 kg schwer. Die Weibchen legen 3-4 blaue Eier. Die Jungvögel sind bei der Geburt nackt. Nach 60 Tagen sind ihnen die Federn gewachsen und sie können fliegen. Kormorane ernähren sich von Fischen, Krebsen und Tintenfischen. Sie verfolgen ihre Beute unter Wasser und fangen sie mit ihrem spitzen Schnabel. Die Federn des Kormorans lassen das Wasser durch bis auf die Haut. Dadurch kann er besser und tiefer tauchen. Nach einer Mahlzeit muss er sich allerdings in die Sonne setzen und seine Flügel zum Trocknen ausbreiten. In Ostasien werden zahme Kormorane zum Fischen abgerichtet. Sie bekommen dabei einen Halsring angelegt, der so eng ist, dass der Kormoran den Fisch, den er gefangen hat, nicht herunterschlucken kann. Sein Besitzer nimmt ihm den Fisch ab und schickt den Kormoran erneut ins Wasser. Hierzulande sind sie bei Fischteichbesitzern und Anglern verhaßt, da sie als Konkurrenz empfunden werden. Viele fordern deshalb die Bejagung von Kormoranen.

Diese bunte Krabbe lebt auf den Galapagosinseln.

Krabbe

Krabben sind eine Unterordnung aus der Klasse der Krebstiere. Sie sind mit dem ➪ Hummer verwandt. Krabben haben im Unterschied zu anderen Krebsen einen eher gedrungenen, scheibenförmigen Körper und bewegen sich nicht wie der Krebs vorwärts und rückwärts fort, sondern meistens seitwärts. Wie der Hummer, so haben auch viele Krabben sehr große Scheren. Diese Scheren benutzen sie, um damit Nahrung zu ihrem Mund zu führen. Sie dienen aber auch zum Festhalten einer Beute oder zur Verteidigung. Zur Paarungszeit legen die Krabbenweibchen 200 000 Eier. Aus diesen Eiern schlüpfen nicht direkt kleine Krabben, sondern Larven, die sich erst später zu Krabben entwickeln. Bis die Larven schlüpfen, werden die Eier von der Mutter unter ihrem Bauch umhergetragen. Zu den natürlichen Feinden der Krabben gehören einige Fische und Meeresvögel.

Kragenbär

Der Kragenbär gehört zur Untergattung der Schwarzbären und lebt in Südostasien. Er ist mit 1,6 m Größe und 120 kg Gewicht relativ klein. Der Pelz des Kragenbären ist schwarz und seine Schnauze hellbraun. An seinen Schultern und am Nacken sind seine Haare länger. Da das wie ein Kragen aussieht, gab man ihm den Namen »Kragenbär«. Man erkennt diesen Bären außerdem an der weißen Zeichnung auf seiner Brust, die wie ein »Y« aussieht. Nach einer Trächtigkeit von 9 Monaten bringt die Bärin 1-2 Junge zur Welt. Die Kleinen bleiben über 1 Jahr lang bei ihrer Mutter. Kragenbären ernähren sich hauptsächlich von pflanzlicher Nahrung und klettern sogar auf hohe Bäume, um Nüsse und Eicheln zu pflücken. Sie fressen aber auch Ameisen und Insektenlarven. Ihr einziger natürlicher Feind ist der Tiger. Er kann jungen Kragenbären gefährlich werden. Kragenbären, die in Zoos gehalten werden, gelten als launisch und aggressiv. In China werden sie leider zu tausenden in Käfigen gehalten. Dort zapft man den lebenden Tieren Gallensaft ab, der nach dem Glauben der asiatischen Medizin angeblich gesund und stark macht.

Der Kragenbär kommt aus Asien.

Die Saatkrähe hat einen hellen Schnabel.

Krähe

Krähen gehören zu den Rabenvögeln. Sie sind eng mit den ⇨ Elstern und den Raben verwandt. Bei uns kommt die Saatkrähe, die Nebelkrähe und die Rabenkrähe vor. Die Saatkrähe wurde lange Zeit gejagt, weil sie die Getreidesaat auf den Feldern frisst. Sie ernährt sich aber auch von Würmern und Insekten. Heute steht die Saatkrähe unter Naturschutz. Die berühmteste Krähe ist die Rabenkrähe. Sie sieht aus wie ein kleiner ⇨ Kolkrabe. Rabenkrähen leben nicht in so großen Gruppen wie die Saatkrähen. Sie fliegen nur zu zweit umher. Man kann Saat- und Rabenkrähen an ihren Schnäbeln gut unterscheiden: Der Schnabel der Saatkrähe ist heller. Von März bis Mai legen die Rabenkrähenweibchen 4–6 Eier, die das Weibchen alleine ausbrütet. Wenn die Jungen geschlüpft sind, werden sie von beiden Eltern gefüttert. Ein Rabenkrähenpaar bleibt ein Leben lang zusammen. Rabenkrähen sind Allesfresser. Neben Obst und Körnern fressen sie auch die Eier und die Jungen anderer Vögel. Der natürliche Feind der Krähen ist der Habicht.

Kranich

Kraniche sind eine Familie aus der Ordnung der Kranichverwandten. Der kleinste von ihnen ist der 80 cm große Jungfernkranich aus Osteuropa. Mit 1,5 m Höhe ist der Saruskranich der Riese dieser Vogelfamilie. Bei vielen Arten ist das Gefieder grau, schwarz oder weiß gefärbt und der Kopf ist rot. Der Jungfernkranich und der Kronenkranich haben zusätzlich Federbüschel am Kopf. Zur Paarungszeit bauen beide Eltern das Nest gemeinsam. Die meisten Kraniche brüten auf dem Boden. Das Weibchen legt 2 Eier, die dann von beiden Eltern 30 Tage lang ausgebrütet werden. Die Jungen können nach 10 Wochen fliegen. Kraniche sind Zugvögel, die die kalte Jahreszeit in warmen Überwinterungsgebieten verbringen. Erst wenn sie im Frühjahr zurückkehren, verlassen die Jungen ihre Eltern.

Der Sauruskranich ist sehr groß.

Kreuzotter

Die Kreuzotter gehört zur Gattung der ➪ Vipern. Sie ist eine ➪ Giftschlange, die in ganz Europa vorkommt. Sie heißt deshalb »Kreuzotter«, weil sie ein kreuzförmiges Zickzack-Muster auf dem Rücken hat. Die männlichen Kreuzottern sind grau und die Weibchen braun. Kreuzottern werden 80 cm lang. Zur Paarungszeit legen Ottern keine Eier, sondern bringen lebende Junge zur Welt. Bei der Geburt sind die kleinen Kreuzottern schon 20 cm lang. Die erste Nahrung der Jungen sind Frösche und Kröten. Später jagen sie auch Mäuse und Eidechsen. Wenn eine Maus vorbeikommt, beißt die Otter einmal zu und lässt die Maus dann wieder los. Das Gift der Otter tötet ihre Beute schnell. Die natürlichen Feinde der Kreuzotter sind Greifvögel und der Igel. Durch seine Stacheln ist dieser gegen die gefährlichen Bisse der Kreuzotter geschützt und kann sie mit einem Biss ins Genick töten. Der größte Feind ist allerdings der Mensch. Durch die Zerstörung des Lebensraumes, insbesondere durch die intensive Landwirtschaft, sind Kreuzottern inzwischen stark bedroht.

Die Kreuzotter ist die giftigste Schlange unserer Wälder.

Bewegungslos lauert die Kreuzspinne in ihrem Nest auf Beute.

Kreuzspinne

Die Kreuzspinne ist die berühmteste Spinne, die bei uns lebt. Sie gehört zur Familie der Radnetzspinnen. Diese Spinnen heißen so, weil ihr Netz wie ein Rad aussieht. Das kunstvolle Netz der Kreuzspinne hat einen Durchmesser von 50 cm. Oft baut die Spinne ihr Netz jede Nacht neu. Tagsüber sitzt sie in der Mitte des Netzes und wartet auf Beute. Wenn sich eine Fliege in den klebrigen Fäden des Netzes verfängt, krabbelt die Spinne schnell zu ihr hin und wickelt sie mit ihren Fäden ein. Dann geht die Kreuzspinne in die Mitte des Netzes zurück und wartet auf die nächste Fliege. Bei der Paarung muss das Spinnenmännchen sehr vorsichtig sein, denn es ist deutlich kleiner als das Weibchen. Es kann passieren, dass das Kreuzspinnenweibchen das kleinere Männchen für eine Beute hält und angreift. Nach der Paarung spinnt das Weibchen eine kleine Tasche, in die sie ihre Eier legt. Wie alle Radnetzspinnen ist die Kreuzspinne bei uns geschützt.

Die großen Krokodile leben in Afrika. Hier nehmen einige dieser imposanten Tiere ein Sonnenbad, um sich aufzuwärmen.

Krokodil

Krokodile sind große ➪ Reptilien. Die kleinsten Krokodile sind die südamerikanischen ➪ Kaimane. Sie gehören zu den Alligatoren. Das größte Krokodil ist das Leistenkrokodil, das in Südindien und Nordaustralien lebt. Krokodile sind Wasserbewohner, die nur gelegentlich an Land gehen, um sich zu sonnen. Sie sind allerdings keine sehr schnellen und eleganten Schwimmer. Ihre Nasenöffnungen und ihre Augen liegen so erhöht am Kopf, dass sie immer aus dem Wasser schauen, wenn der Rest des Krokodils unter Wasser ist. Krokodile legen Eier, die sie im Sand vergraben. Die Weibchen bleiben in der Nähe und bewachen die Eier, bis die Jungen schlüpfen. Manchmal hilft die Mutter den Kleinen beim Schlüpfen, indem sie die Eierschale aufbeißt. Leider werden Krokodile sehr stark gejagt. Gedankenlose Menschen zahlen viel Geld für eine Handtasche oder ein Paar Schuhe aus Kroko-Leder. Dadurch sind die Alligatoren in freier Natur fast ausgerottet worden. Auch das Nilkrokodil ist in vielen Gebieten Afrikas verschwunden.

Krokodile sind die größten lebenden Reptilien. Wahrscheinlich können sie 100 Jahre alt werden.

Kronenkraniche leben in Afrika.

Kronenkranich

Der Kronenkranich gehört zur Familie der ➪ Kraniche. Er ist mit 95 cm Länge etwas kleiner als unser Kranich. Er hat schwarze Stelzbeine, schwarzes Gefieder und rot-weiße Wangen. Am Hinterkopf tragen diese Vögel einen gelben Federbüschel, dem sie ihren Namen verdanken. Kronenkraniche leben in Zentral- und Südafrika. Sie bevorzugen die Uferzonen von Teichen, Seen und Sumpfgebiete als Lebensraum. Der Kronenkranich ist in seiner Familie der einzige, der sein Nest nicht nur auf dem Boden, sondern gelegentlich auch auf Bäumen baut. Das Weibchen legt 2 Eier, die von beiden Elterntieren in 30 Tagen ausgebrütet werden. Wenn die Jungen geschlüpft sind, verlassen sie sehr bald das Nest. Sie sind also Nestflüchter. Oft wechseln die Eltern in dieser Zeit ihr Gefieder, man nennt dies »Mauser«.

Kröte

Die Kröten gehören zu den Froschlurchen. Im Unterschied zu den ➪ Fröschen haben sie eine sehr warzige Haut und große Augen, die etwas höher am Kopf liegen als bei den Fröschen. Die meisten Kröten sind sehr gute Schwimmer. Trotzdem leben viele nicht ständig im Wasser, sondern eher in schattigen Waldgebieten und Sümpfen. In der Paarungszeit suchen sie zur Eiablage genau den Teich auf, in dem sie selbst geboren wurden. Auf dem Weg zu ihrem Teich legen sie große Entfernungen zurück, oft mehr als 3 km. Man nennt diese Phase vor der Paarungszeit deshalb »Krötenwanderung«. Wenn sie dabei eine Straße überqueren, werden viele von ihnen überfahren. Oft werden an diesen Straßen dreieckige Warnschilder aufgestellt, auf denen eine Kröte abgebildet ist, damit die Autofahrer vorsichtig fahren. Im Teich angekommen klammern sich die Männchen am Nacken der Weibchen fest und lassen bis zum Ende der Paarung nicht mehr los. Das Weibchen legt seine Eier im Wasser ab. Diese Eier sind wie eine Kette aufgereiht. Man nennt den Laich der Kröte deshalb auch »Perlschnüre«. Manche Kröten sind bei uns bereits sehr selten. Viele Gewässer, die sie zur Fortpflanzung brauchen, verschwinden.

Kröten haben eine warzige Haut.

Hier hat eine Krustenechse einige Vogeleier gefunden.

Krustenechse

Krustenechsen sind eine Familie der Waranartigen. Diese ➪ Reptilien haben einen viereckigen, kurzen Kopf, kurze, kräftige Beine und einen dicken Schwanz. Ihr schuppenbedeckter Körper hat ein buntes Muster. Die 60 cm lange Gila-Krustenechse ist rotschwarz und die 80 cm große Skorpions-Krustenechse ist gelb-schwarz gefärbt. Krustenechsen leben in den nordamerikanischen Wüstengebieten. Sie sind die einzigen Echsen, die giftig sind. Das Gift dieser Tiere ist auch für den Menschen lebensgefährlich. Die auffällige Färbung soll andere Tiere vor dem tödlichen Biss dieser Echsen warnen. Zur Paarungszeit legen die Weibchen über 10 Eier in ein Erdloch. Die Jungen schlüpfen nach 30 Tagen und sind dann 20 cm groß. Krustenechsen fressen junge Nagetiere, junge Vögel und Vogeleier. Ihr natürlicher Feind ist der Kojote, der sie mit einem Genickbiss tötet. Alle anderen Räuber gehen ihr besser aus dem Weg. Wenn man eine Krustenechse fangen will, muss man sie mit einem Stock reizen. Sobald sie sich im Holz festgebissen hat, kann man sie forttragen.

Kuckuck

Der Kuckuck ist ein Singvogel. Er ist ungefähr so groß wie eine Taube. Sein Gefieder ist am Rücken grau und am Bauch schwarz-weiß gestreift. Der Kuckuck lebt in ganz Europa und Asien. Kuckucke sind Zugvögel. Das bedeutet, dass sie im Herbst in den Süden fliegen, weil es dort wärmer ist. Im Frühling kehren sie wieder zurück. Der Kuckuck ist ein Brutschmarotzer. Das heißt, er legt seine Eier in die Nester fremder Vögel. Diese Vögel merken nicht, dass sie ein Kuckucksei ausbrüten. Sie füttern den geschlüpften Kuckuck auch und ziehen ihn groß. Unsere Singvögel mögen den Kuckuck deshalb nicht besonders gerne. Wenn ein Kuckuck irgendwo auftaucht, wird er von den anderen Vögeln energisch angegriffen. Oft lenkt das Kuckucksmännchen die anderen Vögel ab, und das Weibchen legt in der Zwischenzeit sein Ei in das fremde Nest.

Kuckucke legen ihre Eier in fremde Nester. Dieser junge Kuckuck lässt sich von einem Teichrohrsänger füttern.

Kudu

Der Kudu gehört zur Unterfamilie der Waldböcke und ist mit der ➪ Elenantilope verwandt. Der Große Kudu ist eine der stattlichsten und schönsten ➪ Antilopen. Er wird 2,4 m lang und 1,5 m hoch. Sein prächtiges Schraubengehörn kann 1,6 m lang werden. Die Weibchen haben keine Hörner. Kudus leben in Ostafrika und Südafrika. In Gruppen oder »Rudeln« von 10-30 Tieren ziehen die Kudus durch den Dschungel. In solchen Rudeln sind Weibchen und junge Männchen. Die alten Männchen sind Einzelgänger, die nur in der Paarungszeit die Nähe der Weibchen suchen. Nach einer Trächtigkeit von ungefähr 8 Monaten bringt das Kuduweibchen 1 Junges zur Welt. Das Jungtier bleibt 1 Jahr bei seiner Mutter. Kudus ernähren sich im Dschungel vom Laub der Bäume. Ihre Feinde sind Löwen, Leoparden und Hyänenhunde. Auch der Mensch jagt den Kudu vor allem deshalb, weil er ein ausgezeichneter Springer ist und die über 2 m hohen Zäune der Farmer mit Leichtigkeit überwindet.

Der Kudu hat ein gestreiftes Fell.

Kugelfische pumpen sich bei Gefahr mit Wasser voll, damit ihr Feind sie nicht fressen kann.

Kugelfisch

Der Kugelfisch gehört zur Ordnung der Kugelfischverwandten. Dieser Meeresfisch lebt in Küstengebieten und Korallenriffen. Kugelfische haben einen großen Kopf, große Augen und einen nach vorne zugespitzten Mund. Sie haben ihren Namen daher, weil sie sich, wenn sie von einem Feind belästigt werden, mit Wasser vollpumpen können. Sie sehen dann aus wie eine große Kugel. Bei vielen Arten stellen sich in diesem Moment auch noch einige Körperstacheln auf. Kugelfische legen zur Paarungszeit ihre Eier an Pflanzen oder Steinen ab. Das Männchen bewacht die Eier und fächelt ihnen Frischwasser zu. Wenn die Jungen geschlüpft sind, kümmert sich der Vater nicht mehr um sie. Kugelfische sind hochgiftig: Das Gift ist jedoch nicht in ihren Stacheln, sondern in ihren inneren Organen. In Japan isst man diese Fische trotzdem, und sie gelten sogar als Delikatesse. Dieses Kugelfisch-Gericht heißt »Fugu«.

Labyrinthfisch

Labyrinthfische sind Süßwasserfische, die in Afrika und Asien zu Hause sind. Ihren Namen haben sie daher, weil sie im Kopf ein bestimmtes Organ haben, das man »Labyrinth« nennt. Das Labyrinth macht es möglich, dass diese Fische Sauerstoff aus der Luft atmen können. Sie schwimmen also zum Atmen an die Wasseroberfläche und schnappen Luft. Der Vorteil liegt darin, dass sie in trüben und sauerstoffarmen Tümpeln leben können, ohne unter dem Mangel an Sauerstoff zu leiden. Sie können sogar das Wasser für kurze Zeit verlassen, um in einen anderen Teich zu wechseln. Zur Paarungszeit bauen die Männchen ein Nest aus Luftblasen. Dieses Nest nennt man »Schaumnest«. Hier werden die Eier des Weibchens untergebracht. Wenn die Eiablage beendet ist, jagt das Männchen das Weibchen fort und kümmert sich alleine um die Brut. Viele Labyrinthfische werden in Aquarien gehalten. Hierzu gehören der Kampffisch, der Fadenfisch und die Makropode. Labyrinthfische fressen meist Insektenlarven.

Der Kampffisch ist ein sehr beliebter Aquarienfisch.

Eine Lachmöwe in ihrem Nest. Im Winter färbt sich ihr Kopf wieder weiß.

Lachmöwe

Die Lachmöwe stammt aus der Unterordnung der Möwenartigen. Sie ist 40 cm groß, ihr Bauch ist weiß und ihre Flügeldecken grau. Sie hat schwarze Flügelspitzen und einen schwarzen Rand an den Schwanzfedern. In Europa gehört die Lachmöwe zu den häufigsten Möwenarten. Sie lebt an der Küste, in den Hafengebieten der großen Flüsse und sogar auf Äckern und Feldern. Gerne suchen diese Möwen auch Müllhalden auf, um dort nach Nahrung zu suchen. Die Paarungszeit der Lachmöwe ist im Frühjahr. Das Besondere an dieser Möwenart ist, dass sie zur Brutzeit ihr Gefieder wechselt. Sie bekommt in dieser Zeit einen dunkelbraunen Kopf, der sich spät im Jahr wieder weiß färbt. Lachmöwen bauen ihr Nest meist gut versteckt im Schilf oder im hohen Gras. Die Weibchen legen 1-3 Eier. Wenn es um die Verteidigung ihrer Nester geht, halten diese Möwen zusammen: Gemeinsam greifen sie Raubmöwen, Krähen, Igel und andere Nesträuber an und vertreiben sie.

Der Lachs ist ein begehrter Speisefisch. Zum Laichen wandert er in die Flüsse.

Lachs

Der Lachs gehört zur Ordnung der Lachsfische und ist mit der ➪ Forelle verwandt. Wenn der Lachs ausgewachsen ist, erreicht er eine Länge von 50 cm und ein Gewicht von 15 kg. Lachse sind Wanderfische. Kurz vor der Paarungszeit wandern die Elterntiere aus dem Meer in die Flüsse. Sie schwimmen dabei gegen den Wasserstrom und überspringen sogar kleinere Wasserfälle. Nachdem sie in dem Fluss angekommen sind, in dem sie selbst geboren wurden, beginnt die Paarung. Die Männchen müssen jetzt noch um die Weibchen kämpfen. Nach der Paarung sterben viele Lachse vor Erschöpfung. Viele andere werden von Bären, Reihern und Möwen gefressen. Nur wenige schaffen den Weg zurück ins Meer. Hier erholen sie sich 2-3 Jahre lang, um dann wieder den beschwerlichen Weg in die Flüsse anzutreten. Wegen der Wasserverschmutzung ist der Lachs bei uns selten geworden. Aus dem Rhein, der Weser und der Elbe ist er verschwunden. In Norwegen, Irland und Amerika gibt es jedoch immer noch viele Lachse. In immer mehr Ländern züchten Farmer die Lachse in riesigen Anlagen an der Meeresküste. Dort werden die Lachse in Netzkäfigen gehalten. Ihr angeborenes Wanderverhalten können sie hier nicht mehr ausleben.

Lama

Die südamerikanischen Lamas gehören zur Familie der ➪ Kamele. Es gibt 2 Wildformen der Lamas: das ➪ Guanako und das Vikunja. Beide sind zierlich, haben einen dünnen Hals und schmale Beine. Diese Wildformen sind stark gefährdet. Das Vikunja wird immer noch wegen seiner wertvollen Wolle gewildert, obwohl es unter Schutz gestellt ist. Die Vikunja-Wolle ist die teuerste Wolle der Welt. Das eigentliche Lama, wie man es aus dem Zoo und dem Zirkus kennt, stammt vom Guanako ab. Es wird 1,2 m hoch und über 2 m lang. In ihrer Heimat benutzt man die Lamas als Reit- und Lasttiere. Ein naher Verwandter des Lamas, das Alpaka, hat ein so langes und dichtes Fell, dass man daraus Wolle herstellen kann. Die Paarungszeit der Lamas ist im Winter. Nach einer Trächtigkeit von 9 Monaten kommen die jungen Lamas auf die Welt. Wenn man Lamas im Zoo oder Zirkus besucht, darf man ihnen nicht zu nahe kommen: Ein Lama, das sich belästigt fühlt, spuckt seinen Angreifer an.

Lamas werden in Südamerika als Haustiere gehalten.

Der Lämmergeier lebt im Gebirge.

Lämmergeier

Der Lämmergeier ist ein ➪ Greifvogel aus der Familie der Habichtartigen. Er ist ein 1,1 m großer Vogel mit einer beachtlichen Flügelspannweite von 2,8 m. Sein langer Schwanz ist am Ende keilförmig, und sein Schnabel ist von schwarzen Borstenfedern umgeben. Wegen dieser Federn nennt man ihn auch »Bartgeier«. Sein Gefieder ist hellorange, seine Flügel und der Schwanz sind schwarz. Dieser Greifvogel wohnt im Gebirge in einigen Gebieten Zentralasiens, und vereinzelt in Afrika und Europa. In einigen Bergregionen Europas wird der Bartgeier derzeit wieder eingebürgert. Lämmergeier brüten in der Zeit von Dezember bis März. Das Nest liegt meist an einem steilen Felshang. Es besteht aus kräftigen Zweigen und ist oft mit Schafhaaren ausgepolstert. Das Weibchen legt 2 Eier. Die Jungtiere, die daraus schlüpfen, haben ein dunkles Gefieder. Lämmergeier fressen Aas, also tote Tiere, von denen sie auch die Knochen verwerten. Wenn ein Knochen zu groß ist, um ihn verschlucken zu können, lässt ihn der Lämmergeier aus großer Höhe auf den Boden fallen, so dass er in kleine Stücke bricht.

Languste

Langusten sind Krebse aus der Unterordnung der Ritterkrebse. Sie leben am Meeresboden und in Küstengebieten. Ihr Hinterleib ist breit und abgeplattet. Das Bruststück ist mit Stacheln bewehrt, ebenso die großen Fühler, die unter ihren Augen herauswachsen. Wegen ihres Panzers kann die Languste nicht einfach wachsen, weil ihre harte Außenhaut nicht nachgibt. Daher muss sie sich regelmäßig häuten und die alte Panzerhaut abwerfen. Der neue Panzer ist anfangs noch weich und angreifbar. Deshalb bleibt sie nach der Häutung einige Zeit in ihrem Versteck und wartet, bis der Panzer wieder hart wird. Zur Paarungszeit legen die Weibchen Eier, die sie unter ihren Schwanz kleben und so mit sich herumtragen. Dadurch sind die Eier geschützt. Langusten fressen tote Tiere, Schnecken und Weichtiere. Ihre natürlichen Feinde sind Kraken, Robben und bestimmte Fischarten. Langusten gelten bei den Menschen als eine Delikatesse.

Langusten sind große Meereskrebse.

Laubfrosch

Laubfrösche sind eine Familie der Froschlurche. Im Gegensatz zu vielen anderen Fröschen lebt der Laubfrosch jedoch nicht im Wasser, sondern auf Pflanzen an Gewässern. An seinen Fingerspitzen hat er Saugnäpfe, mit denen er sich sehr gut an den Ästen festhalten kann. Die Haut des Laubfroschs ist hellgrün gefärbt. Ein schwarzer Streifen trennt den grünen Rücken von dem hellgrauen bis weißen Bauch. Laubfrösche kommen auf allen Kontinenten vor. Zur Paarung sucht der Laubfrosch das Wasser auf. Die Männchen sind zuerst im Wasser. Von dort aus rufen und locken sie die Weibchen. Von allen Fröschen, die bei uns leben, hat der Laubfrosch die lauteste Stimme. Die Weibchen legen ihre Eier in das Wasser ab. Laubfrösche fressen meist Fliegen und andere Insekten. Sie mögen aber auch süßes Obst wie Himbeeren und Brombeeren. Ihre Hauptfeinde sind Störche, Reiher, Iltisse und große Raubfische. Durch die Zerstörung ihres Lebensraumes sind die Laubfrösche bei uns vom Aussterben bedroht.

Ein Laubfrosch im Schilf.

Die Lederschildkröte wird 2 m lang und 600 kg schwer.

Lederschildkröte

Aus der Ordnung der ➪ Schildkröten sind die Seeschildkröten besonders an das Leben im Wasser angepasst. Ihre Beine sind zu Flossen umgebildet und sie verbringen die meiste Zeit ihres Lebens im Wasser. Die Lederschildkröte ist die größte Schildkröte der Welt. Ihr schwarzer Panzer wird 2 m lang und sie erreicht ein Gewicht von 600 kg. Ihr Panzer ist mit einer lederartigen Haut überzogen. Lederschildkröten leben in warmen Gewässern. Wenn das Weibchen seine Eier ablegen will, schwimmt es nachts an einen Strand. Dort kriecht es unter großer Anstrengung an Land und gräbt ein tiefes Loch. Nachdem es dort die Eier abgelegt hat, buddelt es das Loch wieder zu. Die Jungen schlüpfen ebenfalls nachts oder frühmorgens. Sie graben sich frei und krabbeln eilig zum Meer, damit die aufgehende Sonne sie nicht austrocknen kann. Auf diesem Weg droht ihnen große Gefahr von Möwen und anderen Seevögeln. Meeresschildkröten ernähren sich von Fischen, Tintenfischen und anderen Weichtieren. Wie alle Meeresschildkröten sind auch die Lederschildkröten vom Aussterben bedroht, da der Mensch sie wegen ihres Fleisches gnadenlos bejagt.

Leguan

Leguane sind eine Familie der ➪ Reptilien und eng mit den ➪ Chamäleons verwandt. Sie leben in Nord- und Südamerika. Andere Leguan-Arten leben in Madagaskar und im Pazifik. Der Schwanz des Leguans ist meist länger als sein Körper. Am Unterkiefer hat er einen Kehlsack, seine Zehen tragen lange Krallen und auf seinem Rücken hat er spitze Stacheln. Er sieht aus wie ein kleiner Dinosaurier aus der Urzeit. Wenn ein Leguan bedrängt wird, bläht er seinen Kehlsack auf und schlägt mit seinem Schwanz. Zur Paarungszeit vergraben die Weibchen ihre Eier im Sand. Nach der Eiablage verlassen sie die Eier und kümmern sich nicht weiter darum. Nach 2 Monaten schlüpfen die Jungen. Junge Leguane fressen kleine Wirbeltiere wie Frösche und Mäuse. Erwachsene Tiere ernähren sich von Pflanzen und Früchten. Die Meerechse, die auf den Galapagosinseln lebt, frisst Algen, die sie sich im Meer sucht.

Die Meerechse ist ein Leguan, der auf den Galapagosinseln lebt.

Lemminge gehören zu den Wühlmäusen. Sie leben in nördlichen Gebieten.

Lemming

Lemminge gehören zur Unterfamilie der Wühlmäuse und sind die häufigsten Nagetiere des hohen Nordens. Sie sind 15 cm lang und sehen aus wie kleine Meerschweinchen. Ihr Körper ist kurz, sie haben kleine Ohren und einen behaarten Stummelschwanz. Die Paarungszeit der Lemminge dauert vom Frühjahr bis zum Spätherbst. Die Trächtigkeit dauert nur 3 Wochen. Das Weibchen bringt bei einer Geburt 12 Junge zur Welt. Die Jungen können sich schon im selben Jahr paaren. Die Lemminge sind also sehr fruchtbar und vermehren sich schnell. Dadurch kann es zu einer Übervölkerung kommen. Das bedeutet, dass viel zu viele Lemminge in einem Gebiet leben. In solchen Zeiten sammeln sich die Lemminge zu tausenden und wandern in eine Richtung los, um neue Gebiete zu besiedeln. Wenn die Lemminge die Küste erreichen, springen sie ins Meer und schwimmen weiter. Hier ertrinken dann die meisten von ihnen oder landen in den Mägen von Fischen und Möwen.

Leopard

Der Leopard ist ein großer Jäger. Nichts entgeht seinen scharfen Augen.

Leopard

Der Leopard gehört zur Gruppe der Großkatzen. Trotz strenger Schutzgesetze gibt es viele Wilderer, die den Leoparden jagen, um sein schönes Fell verkaufen zu können. Der Leopard wird 1,5 m lang und 1 m hoch. Seine Beine sind relativ kurz und seine Pranken (so nennt man die Füße der Großkatzen) breit. Er hat einen langen Schwanz, der ihm hilft, beim Klettern und Springen das Gleichgewicht zu halten. Die Farbe seines Fells ist gelblich-braun mit schwarzen Flecken und Kringeln. Einige dieser Tiere sind ganz schwarz: Solche Leoparden nennt man dann »Panter«. Nach einer Trächtigkeit von 100 Tagen bringt das Leopardenweibchen 2-4 Junge zur Welt. Die Jungen bleiben bis zur nächsten Paarungszeit bei ihrer Mutter. Der Leopard jagt Affen, Antilopen, Wildschweine, Hasen, Vögel und Fische. Damit er seine Beute in aller Ruhe verzehren kann, trägt er sie auf einen Baum.

Leoparden können gut klettern. Sie schlafen und fressen auf Bäumen.

Lerche

Lerchen sind eine Familie der Singvögel. Sie werden je nach Art zwischen 11 und 20 cm lang. Ihr Gefieder ist in verschiedenen Brauntönen gefärbt, ihr Bauch ist meist weiß. Lerchen leben in Europa, Asien und im Mittelmeerraum. Die Lerchen, die im nördlichen Europa wohnen, sind Zugvögel, die im Winter in den wärmeren Süden fliegen. Im Februar kehren sie wieder zurück. Kurz nach der Ankunft beginnt die Paarungszeit. Das Weibchen wählt den Platz, wo das Nest gebaut werden soll. Die meisten Lerchen brüten auf dem Boden. Auch der Bau des Nestes ist die Aufgabe des Weibchens. Es legt 3–5 Eier, die es auch alleine ausbrütet. Erst wenn die Jungen geschlüpft sind, hilft das Männchen, sie zu füttern. Lerchen fressen Insekten, Insektenlarven und Würmer. Ihre Feinde sind der Sperber und der Kauz. Das Nest ist außerdem durch Igel, Marder, Krähen und Elstern gefährdet.

Eine Feldlerche füttert ihre Jungen.

Eine schlanke Prachtlibelle.

Libelle

Libellen sind eine Ordnung aus der Klasse der Insekten. Sie gehören zu den größten Räubern unserer Fluginsekten. Libellen werden 13 cm lang. Sie jagen mit ihren Augen, die deshalb sehr groß sind. Ihr Kopf ist sehr beweglich und sie haben 2 Flügelpaare. Bei der Paarung ergreift das Männchen im Flug mit dem Hinterleib den Nacken des Weibchens. Wenn man also zwei Libellen gemeinsam umherfliegen sieht, ist die vordere das Männchen und die hintere das Weibchen. Die Eier werden im Wasser abgelegt. Die Larven, die daraus schlüpfen, sind bereits große Räuber. Sie greifen Kaulquappen, Molchlarven und kleine Fische an. Nach 1–2 Jahren klettert die Larve an einem Pflanzenstängel aus dem Wasser. Dann schlüpft die fertige Libelle nach einiger Zeit aus der Haut der Larve. Manchmal findet man die trockene Haut einer Libellenlarve an einem Pflanzenstängel. Die Libelle jagt Insekten, die sie im Flug erreichen kann. Libellen sind gute Flieger: Sie können in der Luft stehen bleiben.

Das Lisztäffchen ist ein Krallenaffe aus Südamerika. Als Baumbewohner kann es sehr gut klettern.

Lisztäffchen

Das Lisztäffchen gehört zur Familie der Krallenaffen. Es hat seinen Namen daher, weil sein weißer Haarschopf an die Frisur des Komponisten Franz Liszt erinnert. Diese Affen werden 30 cm groß und 500 g schwer. Sie haben ein schwarzes Gesicht, einen braunen Rücken und weiße Beine. Außerdem haben sie einen Schwanz, der doppelt so lang ist wie ihr Körper. Lisztäffchen sind Baumbewohner und können sehr gut klettern und springen. Sie leben in Gruppen, die man »Horden« nennt. In diesen Horden bekommt nur das ranghöchste Weibchen Junge. Die Trächtigkeit dieser Krallenaffen dauert 170 Tage. Das Weibchen bringt meist 1 Junges zur Welt, das sich in der ersten Zeit am Bauch der Mutter festhält. Dieses Junge wird danach von unterschiedlichen Mitgliedern der Gruppe getragen. Nur wenn es Hunger hat, nimmt es die Mutter zurück, um es zu säugen. Lisztäffchen sind die großen Jäger unter den Krallenaffen. Sie haben ein sehr kräftiges Gebiss und jagen Mäuse, kleine Vögel, Eidechsen und Frösche. Die Feinde dieser Äffchen sind der Ozelot, die Eulen und die Greifvögel.

Lori

Loris sind eine Familie aus der Unterordnung der ➪ Halbaffen. Sie leben in Afrika und Asien. Loris werden über 30 cm groß, haben einen gedrungenen Körper, kleine Ohren und ein dichtes Fell. Ihre großen Augen brauchen sie, um in der Dunkelheit etwas sehen zu können, denn Loris sind in der Nacht aktiv. Als Baumbewohner können diese Halbaffen sehr gut klettern. Loris halten sich oft mit ihren Hinterbeinen an Ästen fest, um kopfüber an ihre Nahrung zu gelangen. Die Paarung der Loris findet zweimal im Jahr statt. Nach einer Trächtigkeit von 122 Tagen bringen sie 1–2 Junge zur Welt. Diese werden von der Mutter lange Zeit umhergetragen. Nach einem Jahr verlässt das Kind seine Mutter. Loris ernähren sich von Pflanzen, Nüssen, Insekten, kleinen Reptilien und Vogeleiern. Auch kleine Nagetiere fallen den Nachtjägern zum Opfer. Die natürlichen Feinde der Loris sind die ➪ Eulen, der ➪ Ozelot und die ➪ Harpyie.

Der Lori lebt in Südamerika.

In einem Löwenrudel ist es die Aufgabe der Weibchen, Beute zu machen.

Löwe

Der Löwe gilt als der »König der Tiere«. Das kommt daher, weil die Männchen mit ihrer großen Mähne am Kopf und am Hals sehr königlich aussehen. Die Weibchen haben diese Mähne nicht. Wenn zwei Löwenmännchen miteinander kämpfen, schützt die Mähne den Kopf und den Hals vor den scharfen Krallen des Gegners. Löwen werden 2 m lang und über 200 kg schwer. Sie leben in Afrika. Dort ziehen sie in kleinen Gruppen umher. Diese Gruppen nennt man »Rudel«. Das Rudel wird von einem starken Männchen angeführt und auch beschützt. Nach einer Trächtigkeit von über 3 Monaten bringt das Löwenweibchen 2-4 Junge zur Welt. Die Kleinen bleiben 1 Jahr lang bei der Mutter und lernen von ihr, wie man jagt. Löwen sind geschickte Jäger. Sie fressen Gnus, Zebras und Antilopen. Wenn sie großen Hunger haben, greifen sie auch Kaffernbüffel und Giraffen an. Die Jagd ist die Aufgabe der Weibchen. Wenn sie Beute gemacht haben, fressen die Männchen als erste davon. Löwen wurden schon immer von Menschen gejagt. Einige Löwenarten sind deshalb ausgestorben. Heute leben Löwen in Afrika vor allem in Nationalparks. Hier sind sie geschützt. Sehr selten ist der Indische Löwe. Er kommt nur noch in einem Waldgebiet vor, dem indischen Gir-Forst. Dort leben heute wahrscheinlich nur noch 60 dieser seltenen Großkatzen.

Das Männchen bewacht das Rudel.

Luchs

Luchse sind eine Gattung der ⇨ Katzen. Der in Europa lebende Nordluchs ist 1 m lang und 75 cm hoch. Luchse haben ein getüpfeltes Fell, einen Stummelschwanz und verlängerte Haare am Kopf. Sein auffälligstes Merkmal sind seine Pinselohren. An den Ohrspitzen hat er schwarze Haarbüschel. Damit kann der Luchs besser hören. Die Paarungszeit dauert bei Luchsen von Februar bis März. Nach einer Tragzeit von 70 Tagen bringt das Weibchen 1-4 Junge zur Welt. Diese bleiben bis zur nächsten Paarungszeit bei der Mutter. In Deutschland und in vielen anderen Teilen Europas ist der Luchs ausgerottet. Man jagte ihn wegen seines schönen Fells, und weil er Rehe erbeutete. Außerdem frisst der Luchs Mäuse, Lurche, Fische und Eidechsen. Inzwischen kehrt der Luchs langsam aus den europäischen Nachbarländern nach Deutschland zurück.

Der europäische Luchs ist bei uns ausgerottet. Er hat ein graues dichtes Fell.

Der Rotluchs ist eine nordamerikanische Raubkatze. Er gehört wie der Puma zu den Kleinkatzen.

Mähnenwolf

Der wohl eleganteste Wildhund ist der Mähnenwolf aus Südamerika. Er ist über 1 m lang und 23 kg schwer. Er hat sehr lange Beine und große Ohren. Sein Fell ist rötlich, seine Beine sind dunkelbraun, und seine Kehle und die Schwanzspitze sind weiß. Im Nacken und am Rücken hat er eine schwarze Mähne. Im Gegensatz zu vielen anderen Wildhunden ist der Mähnenwolf ein Einzelgänger, der nur zur Paarungszeit die Nähe von Artgenossen sucht. Die Trächtigkeit der weiblichen Mähnenwölfe dauert wie beim Hund etwas über 60 Tage. Meistens bekommen Mähnenwölfinnen 4-5 Junge, die nach der Geburt noch ein schwarz-graues Fell haben. Mähnenwölfe wurden früher gejagt, weil sie angeblich Schafe erbeuteten. Heute weiß man, dass diese eleganten Wildhunde Meerschweinchen, Mäuse, Eidechsen und sogar Insekten jagen, aber keine größeren Tiere. Heute stehen Mähnenwölfe kurz vor der Ausrottung. Sie gewöhnen sich nicht an die Nähe des Menschen, und ihr Lebensraum wird durch die Errichtung von Siedlungen und Feldern immer weiter eingeengt.

Der südamerikanische Mähnenwolf.

Der Maikäfer ist nur noch selten zu sehen.

Maikäfer

Der Maikäfer ist ein Vertreter aus der Familie der Blatthornkäfer. Er gehörte lange Zeit zu den bekanntesten ➪ Käfern bei uns. Der Maikäfer wird 8 cm lang, seine Flügeldecken sind braun und das Bruststück schwarz. Insgesamt ist der Körper gedrungen und rund. Man erkennt Maikäfer gut an ihren gefächerten Fühlern. Diese Fühler sind beim Männchen größer als beim Weibchen. Die Paarungszeit dieser Käfer ist im Sommer. Das Weibchen legt dabei 50-60 Eier in den Boden. Danach sterben die Elterntiere. Im Boden schlüpfen Larven aus den Eiern. Man nennt diese Larve »Engerling«. Die Engerlinge werden 5 cm groß. Sie haben einen weißen, wurstförmigen Körper und einen dunkelbraunen Kopf. Engerlinge sind große Pflanzenschädlinge, weil sie die Wurzeln anfressen. Die Larven bleiben 3-5 Jahre lang im Boden. Dann verwandeln sie sich in Maikäfer. Auch die Käfer gelten als Pflanzenschädlinge, weil sie in großen Gruppen oder »Schwärmen« auftreten. Früher waren Maikäfer recht häufig. Heute sind sie selten geworden. Schuld daran ist der Einsatz von Pflanzenschutzmitteln und die Bebauung freier Naturflächen.

Makak

Makaken sind eine Gattung aus der Familie der Meerkatzenartigen. Diese ➪ Affen sind also mit den ➪ Pavianen, den ➪ Mandrills, den ➪ Husarenaffen und den ➪ Meerkatzen verwandt. Makaken sind 70 cm groß und ungefähr 10 kg schwer. Ihr Fell ist braun bis grau. Unter den verschiedenen Makakenarten gibt es Felsen-, Boden- und Baumbewohner. Bis auf eine Art leben Makaken in Asien. Diese Tiere leben in großen Gruppen. Die Paarungszeit der Makaken ist im Winter. Nach der Trächtigkeit von 5 Monaten kommen die Jungen zwischen Mai und August auf die Welt. Sie klammern sich an ihrer Mutter fest und lassen sich umhertragen. Viele Makakengruppen leben in der Nähe von Städten. Da sie sich an die Menschen gewöhnt haben, verlieren sie die Scheu: Sie stehlen Handtaschen, Fotoapparate und Geldbörsen. Aber wehe, ein Mensch wagt es, einen Makaken festzuhalten: Dann hat er sofort die ganze Affengruppe gegen sich.

Viele Makaken leben in Städten.

Makrelen sind gute und schnelle Schwimmer. Sie sind begehrte Speisefische.

Makrele

Makrelen sind eine Familie der ➪ Fische und eng mit dem Tunfisch verwandt. Sie haben einen langgestreckten Körper, einen spitzen Kopf und spitze Flossen. Diese 35 cm langen Fische sind Bewohner der Hochsee. Sie schwimmen in großen Gruppen oder »Schwärmen« dicht unter der Wasseroberfläche. Makrelen können sehr schnell schwimmen: Um eine hohe Geschwindigkeit zu erzielen, klappen sie ihre Flossen an den Körper. Interessant ist, dass Makrelen keine Schwimmblase haben. Sie können deshalb auf der Flucht vor Feinden plötzlich in die Tiefe abtauchen. Die Paarungszeit der Makrelen ist im Frühjahr. Sie wandern dazu näher an die Küste. Ein großes Weibchen kann 500 000 Eier legen. Die Jungen schlüpfen nach 6 Tagen. Makrelen sind Räuber: Sie jagen Krebstiere, Heringe und andere kleine Fische. Ihre Feinde sind Haie, Tunfische und Delfine. Wegen ihres wohlschmeckenden Fleisches sind die Makrelen auch bei den Menschen sehr begehrt. Durch Überfischung sind die Makrelenbestände in manchen Meeresbereichen stark reduziert.

Mamba

Die Mambas sind ➪ Schlangen aus der Familie der Giftnattern. Sie sind eng mit den ➪ Kobras verwandt. Mambas sind Baumbewohner und leben in Afrika. Es gibt die Schwarze Mamba, die 4 m lang wird, und die 2 m große Grüne Mamba. Man sagt über die Schwarze Mamba, dass sie die gefährlichste Schlange der Welt ist. Wenige Tropfen ihres Giftes genügen, um einen Menschen in kurzer Zeit zu töten. Was diese Baumnatter im Vergleich zur Kobra so gefährlich macht, ist ihre Angriffslust. Mambas sind sehr aktive Schlangen, die eigentlich immer in Bewegung sind. Die Schwarze Mamba, die größte Giftschlange Afrikas, ist wegen ihrer plötzlichen Angriffe sehr gefürchtet. Wie viele andere Schlangen legen auch die Mambas Eier. Das Weibchen legt seine 10–15 Eier in Erdhöhlen oder hohlen Baumstümpfen ab. Die Jungen schlüpfen nach 3 Monaten. Die Beute der Mambas sind Vögel, Eidechsen und Frösche.

Die Grüne Mamba zählt zu den gefährlichsten Schlangen im afrikanischen Urwald. Ihr Biss ist sehr giftig.

Eine männliche Mandarinente.

Mandarinente

Wenn man auf einem Teich eine Ente schwimmen sieht, die exotisch bunt gefärbt ist, handelt es sich meist um ein Männchen der Mandarinente. Diese südasiatische Ente stammt aus der Gattungsgruppe der Glanzenten. Sie wird gerne auf Zierteichen gehalten, und so kommt es immer wieder vor, dass ein Pärchen ausreißt und in freier Natur weiterlebt. Die Mandarinenten sind relativ klein und das Gefieder des Männchens oder »Erpels« unterscheidet sich stark von dem des Weibchens. Der Mandarinerpel hat einen roten Schnabel und orangefarbene Beine. Sein Gefieder ist ein einziges Farbenspiel aus Grün, Weiß, Orange, Violett und Blau. Die Rückenfedern des Erpels sind nach oben gebogen. Die großen schwarzen Augen und der kurze Schnabel der Mandarinenten geben ihnen ein niedliches Aussehen. Sie haben relativ lange Krallen an ihren Zehen. Damit können sie leicht auf Bäume klettern. Mandarinenten brüten nicht im Schilf, sondern in Baumhöhlen. Ihre Feinde sind der Fuchs, der Iltis und das Hermelin.

Der Mandrill hat ein buntes Gesicht.

Mandrill

Der Mandrill ist der größte Vertreter aus der Familie der Hundsaffen. Er ist eng mit dem ➪ Pavian verwandt. Mandrills werden 80 cm groß und über 50 kg schwer. Das Gesicht der Weibchen ist blau, das des Männchens ist grell bunt: Die Nase ist leuchtend rot und seitlich der Nase ist die Haut blau. Auch das Hinterteil der Mandrills ist blau-rot gefärbt. Je mehr sich ein Männchen aufregt, desto greller werden die Farben seines Gesichtes. Mandrills leben in kleinen Gruppen im Urwald Afrikas und sind sehr wehrhafte Tiere. Selbst Leoparden greifen Mandrills nur an, wenn sie großen Hunger haben und die Männchen nicht in der Nähe sind. Die Weibchen bekommen meist 1 Junges. Bis das Junge groß ist, wird es von der Mutter getragen. Oft sitzen die Jungen auf dem Rücken der Mutter und halten sich in ihrem Fell fest. Mandrills sind Allesfresser: Sie mögen junge Triebe und Früchte, Maden, Insekten, Eidechsen, Mäuse und sogar Schlangen. Der Mandrill ist durch Bejagung und Lebensraumzerstörung ernsthaft bedroht.

Marabu

Der Marabu gehört zur Familie der ➪ Störche. Er wird 1,4 m groß und 5 kg schwer. Marabus haben mächtige Flügel. Der Sunda-Marabu hat mit 3,2 m die größte Flügelspannweite unter den Landvögeln. Diese Vögel haben lange Stelzbeine, einen langen, spitzen Schnabel und ein weißes Gefieder mit schwarzen Flügeldecken. Eines unterscheidet sie aber von allen anderen Störchen: Ihr Hals und ihr Kopf sind nackt wie bei einem Geier. Das hängt damit zusammen, dass der Marabu ein Aasfresser ist. Marabus brüten in großen Gruppen auf Bäumen. Diese Gruppen nennt man »Kolonien«. Das Marabuweibchen legt 2-3 Eier. Nach einer Brutzeit von 30 Tagen schlüpfen die Jungen. Dann ist in Afrika gerade Trockenzeit, und es gibt für die Marabus ausreichend Nahrung, weil viele Tiere verdursten. Allerdings fressen sie nicht nur tote Tiere, sondern jagen auch Eidechsen, Frösche, Schlangen und Mäuse.

Ein Marabu putzt sein Gefieder.

Auch der Fischotter gehört zu den Mardern. Hier spielt eine Fischotter-Mutter mit ihren Jungen.

Marder

Marder sind eine Familie der Raubtiere. Es gibt lange, schlanke Marder wie das Wiesel oder den ➪ Iltis. Andere Arten sind kurz und massig wie der ➪ Dachs oder der ➪ Vielfraß. Der kleinste Marder ist das Zwergwiesel mit nur 19 cm Länge. Der größte unter ihnen ist der Riesenotter. Er wird 1,5 m lang. Viele Marder können geschickt klettern wie der Baummarder oder der Steinmarder. Dachse sind reine Bodenbewohner, die sich eine Höhle unter der Erde graben. Der Iltis und der Nerz jagen in der Nähe von Gewässern, der Fischotter ist ein reiner Wassermarder. Er hat Schwimmhäute zwischen den Zehen und jagt Fische. Die meisten Marder haben ihre Paarungszeit am Ende des Sommers. Die Jungen kommen im Frühjahr des nächsten Jahres zur Welt. Sie bleiben dann bis zum Winter bei ihrer Mutter. Leider werden viele Marder wegen ihres schönen Fells gejagt. Der Otter und der Nerz sind deshalb bei uns in der Natur schon fast ausgerottet.

Der Baummarder hat eine gelbe Kehle.

Auch das Mauswiesel ist ein Marder.

Marienkäfer

Eine besonders hübsche und bekannte Familie der ⇨ Käfer sind die Marienkäfer. Sie werden 1 cm lang, haben kurze Beine und rote Flügel mit schwarzen Punkten. Auf ihrer schwarzen Brust haben sie 2 weiße Flecken. Marienkäfer paaren sich im Sommer. Die Weibchen legen ungefähr 20 gelbe Eier. Diese Eier werden ganz dicht beieinander auf einem Blatt befestigt. Die weißen Larven, die daraus schlüpfen, haben einen länglichen und flachen Körper. Sowohl die Larven als auch die Käfer sind Räuber, die sich von Insekten ernähren. Milben, Schildläuse und vor allem Blattläuse stehen auf ihrer Speisekarte. Deshalb sind die Marienkäfer recht beliebt und werden zur natürlichen Schädlingsbekämpfung eingesetzt. Zu den Blattlausjägern gehört zum Beispiel der Siebenpunkt. Es ist übrigens nicht wahr, dass man an der Anzahl der Punkte auf dem Rücken eines Marienkäfers sein Alter ablesen kann. Das Punktmuster unterscheidet verschiedene Marienkäferarten. Insektenvernichtungsmittel machen diesem nützlichen Insekt zu schaffen.

Der Marienkäfer ist ein Blattlausjäger.

Mauersegler sind große Flugkünstler.

Mauersegler

Der Mauersegler gehört zur Ordnung der Seglervögel. Er wird 16 cm lang und hat eine Flügelspannweite von 35 cm. Das Gefieder dieser Vögel ist einfarbig braun und ihre Schwanzfedern sind kurz. Diese Meisterflieger sind so an das Fliegen angepasst, dass ihre Beine sich zurückentwickelt haben. Mit diesen Beinen können sie sich nur an steilen Hauswänden halten. Laufen ist für Mauersegler fast unmöglich. Wie die Schwalben sind auch die Mauersegler Zugvögel, die den Winter in warmen Gegenden verbringen. Wenn sie im Mai wieder zurückkehren, beginnen sie sofort mit dem Brüten. Oft sind ihre Nester dann von Staren und Spatzen besetzt. Wenn es um seinen Nistplatz geht, ist der Mauersegler jedoch immer der Stärkere und wirft die Eindringlinge hinaus. Die Segler sind die einzigen Vögel, die sich im Flug paaren können. Sie tun das aber nur, wenn es an ihrem Nistplatz zu eng ist. Das Weibchen legt 2-3 Eier, die von beiden Eltern ausgebrütet werden. Mauersegler jagen Fluginsekten wie Mücken und Fliegen. Sie haben keine natürlichen Feinde. In Italien werden die Mauersegler jedoch als fragwürdige Delikatesse mit Netzen und Schlingen gefangen.

Maulwurf

Maulwürfe stammen aus der Ordnung der Insektenfresser und sind mit den ➪ Spitzmäusen verwandt. Sie werden bis zu 17 cm lang und 120 g schwer. Um unter der Erde gut vorwärts kommen zu können, sind die Füße der Maulwürfe zu kräftigen Grabkrallen umgewandelt. Ihre Nase ist lang und spitz. Mit ihr finden sich die Maulwürfe zurecht. Sie können sehr gut riechen. Dafür sind sie taub und sehen sehr schlecht. Maulwürfe graben lange Tunnel unter der Erde. Dabei werfen sie die Erde an die Oberfläche. Diese Erdhügel heißen »Maulwurfshügel«. Die Paarungszeit der Maulwürfe dauert von März bis Mai. Das Weibchen baut ein Kinderzimmer, das man »Brutkammer« nennt. Hier bringt die Mutter 4-5 Junge zur Welt. Die Maulwurfbabys sind kurz nach der Geburt weiß. Sie werden 4 Wochen lang von der Mutter gesäugt. Der Maulwurf frisst alles, was ihm unter der Erde begegnet. Würmer, Maden, Spinnen, Insekten, aber auch Lurche, Mäuse und Spitzmäuse. Obwohl der Maulwurf bei uns geschützt ist, ist er bei vielen Gartenbesitzern ein sehr unliebsamer Gast.

Maulwürfe leben unter der Erde.

Mäuse gehören zu den kleinsten Nagetieren der Erde.

Maus

Die Familie der Mäuse gehört zur Ordnung der Nagetiere. Mäuse sind eng mit den ➪ Ratten verwandt. Sie sind allerdings viel kleiner als Ratten. Die bekannteste Maus ist die Hausmaus: Sie wird 12 cm lang, ihr Fell ist grau-braun. Hausmäuse leben in der Nähe der Menschen. Meist wohnen sie in Häusern. In der Nacht kommen sie aus ihrem Versteck und fressen Küchenabfälle. Ihre Lieblingsspeise ist Getreide. Sie fressen aber auch Speck. Mäuse können gut hören und riechen. Sie sind geschickte Kletterer und gute Schwimmer. Außerdem sind sie sehr fruchtbar: Schon im Alter von nur 2 Monaten können sie Kinder haben. Ihre Trächtigkeit dauert nur 21 Tage. Bei einer Geburt kommen bis zu 12 Junge auf einmal zur Welt. Mäuse werden von den Menschen gejagt, weil sie Nahrungsmittel fressen und weil sie gefährliche Krankheiten übertragen. Wenn Mäuse im Haus sind, ist es schwer, sie wieder zu verjagen, denn sie können durch Abflussrohre schwimmen, Regenrinnen hinaufklettern und Gänge in die Wände graben.

Ein starker Mäusebussard.

Mäusebussard

Bussarde sind eine Greifvogelfamilie. Sie sind eng mit den ➪ Habichten verwandt. Der wohl bekannteste Bussard bei uns ist der Mäusebussard. Mit seiner Flügelspannweite von 1,4 m erinnert er an einen kleinen Adler. Im April ist die Paarungszeit des Bussards. Ihr Nest bauen die Elterntiere hoch oben auf einem Baum. Das Weibchen legt 2-4 Eier. Die Jungen werden von beiden Eltern gefüttert. Die Hauptnahrung des Mäusebussards sind Mäuse. Bussarde haben wie die ➪ Adler ausgezeichnete Augen. Wenn sie im Segelflug über den Feldern kreisen, halten sie nach den kleinen Nagetieren Ausschau. Häufig sitzt der Bussard aber auch auf einem Leitungsmast oder Zaunpfahl und sucht von dort die Beute. Wenn er eine Maus im Gras erblickt, schwingt er sich herab, um sie zu ergreifen. Auch Kaninchen gehören zur Beute des Mäusebussards.

Meerkatze

Meerkatzen sind eine Gattung aus der Familie der Meerkatzenartigen. Sie werden bis zu 70 cm lang und 10 kg schwer. Diese Affen haben relativ lange Beine und einen langen Schwanz. Das Fell um das Gesicht herum ist oft recht bunt, ansonsten sind sie grau-braun gefärbt. Sie leben in großen Gruppen oder »Horden«. Die Paarungszeit dieser Affen erstreckt sich über das ganze Jahr. Die Weibchen sind ungefähr 7 Monate lang trächtig. Es kommt meist 1 Junges zur Welt, das von der Mutter am Bauch getragen wird. Schon nach wenigen Tagen können die Kleinen selber laufen. Meerkatzen fressen meistens Blätter, Knospen und Früchte. Sie stehlen aber auch gerne Vogeleier, und manche Arten fressen Insekten. Ihr größter natürlicher Feind ist der Leopard. Auch von den Pavianen, die ja gelegentlich Fleisch fressen, droht ihnen Gefahr.

Meerkatzen leben in Afrika.

Meerschweinchen leben in Südamerika. Unsere Hausmeerschweinchen gibt es in verschiedenen Farben.

Meerschweinchen

Das Meerschweinchen ist ein Nagetier aus Südamerika. Es wird 30 cm lang, hat kleine Ohren, kurze Beine und einen runden Kopf. Das wilde Meerschweinchen heißt Tschudi-Meerschweinchen. Diese Tschudis leben in kleinen Gruppen von 5-10 Tieren. Sie bauen Gänge unter der Erde. Das Hausmeerschweinchen stammt von den Tschudis ab. Der Name »Meerschweinchen« kommt daher, weil dieses Tier über das Meer nach Europa kam und quiekte wie ein Schweinchen. Es gibt Meerschweinchen, die braun gefärbt sind wie die Tschudis. Es gibt aber auch gescheckte, schwarze, graue, gelbe und weiße Meerschweinchen. Die meisten dieser Hausnagetiere haben ein glattes Fell. Wenn sie ein rauhes Fell haben, heißen sie »Rosettenmeerschweinchen«. Nach einer Trächtigkeit von 9 Monaten bekommt das Muttertier 2 Junge. Die Paarungszeit dauert das ganze Jahr über. Meerschweinchen sind zahm und beißen den Menschen niemals. Zwei männliche Meerschweinchen vertragen sich aber schlecht: Sie kämpfen miteinander und können sich dabei verletzen.

Meise

Die Meisen sind eine Familie der Singvögel. Sie sind eng mit den ➪ Kleibern verwandt. Diese Vögel werden etwas über 10 cm groß und haben ein buntes Gefieder, das am Kopf meist ein schwarz-weißes Muster hat. Die Paarungszeit der Meisen ist bei uns im Frühling und im Sommer. Sie brüten in Höhlen, deren Einflugloch sie so verkleinern, dass nur sie hindurch passen. Andere Meisenarten wie die ➪ Beutelmeise bauen sich ein kunstvolles Nest. Die Weibchen legen ungefähr 10 Eier, die sie alleine ausbrüten. Das Männchen hilft dann später bei der Fütterung der Jungen mit. Meisen fressen Würmer, Raupen und Insektenlarven sowie Samen und Körner. Ihr größter natürlicher Feind ist der Sperber. Ihrem Nest droht Gefahr von Krähen, Elstern, Eichelhähern, Mardern und Spechten.

Eine Blaumeise an ihrer Nisthöhle. Sie bringt den Jungen Futter.

Schimpansen, die bei Menschen leben, lernen menschliche Gesten und Handlungsweisen.

Menschenaffe

Zur Familie der Menschenaffen gehört der ➪ Gorilla, der ➪ Orang-Utan und der ➪ Schimpanse. Diese Tiere sind uns Menschen am ähnlichsten. Sie sind sehr intelligent, und können aufrecht gehen. Ihr Körper ist behaart. Das Gesicht, die Handflächen und die Fußsohlen haben keine Haare. Die Menschenaffen leben in den tropischen Gebieten der Erde. Die meisten leben auf Bäumen und hangeln sich mit ihren langen Armen von Ast zu Ast. Einige Schimpansen leben eher auf dem Boden. Das Gehirn der Menschenaffen ist fast so aufgebaut wie das des Menschen. Es ist nur kleiner. Nach uns sind die Menschenaffen die intelligentesten Landsäugetiere der Welt. Durch Bejagung und Zerstörung ihres Lebensraumes sind alle Menschenaffen vom Aussterben bedroht.

Ein junges Gorillamännchen.

Ein Teichmolchmännchen im prächtigen Hochzeitskleid.

Molch

Molche sind eine Familie aus der Ordnung der Schwanzlurche. Sie sind sehr eng mit den ➪ Salamandern verwandt, aber im Gegensatz zu ihnen leben diese Tiere eher im Wasser. Sehr bekannte Molche bei uns sind der ➪ Bergmolch, der Teichmolch und der Kammmolch. Diese ➪ Schwanzlurche werden zwischen 7 und 30 cm lang. Sie leben im Süßwasser und kommen in Europa, Asien und Nordamerika vor. Die meisten Molche legen zur Paarungszeit Eier. Das Weibchen befestigt diese Eier an Wasserpflanzen. Die Männchen bekommen kurz vor der Paarungszeit kräftige Farben und ihre Rückenkämme schwellen an, so dass sie wie kleine Wasserdrachen aussehen. Mit diesem bunten Hochzeitskleid wollen sie auf die Weibchen Eindruck machen. Aus den Eiern schlüpfen nach einiger Zeit Larven, die noch mit Kiemen atmen. Später wachsen ihnen Lungen und die Kiemen bilden sich zurück. Den Winter verbringen Molche schlafend unter Steinen. Molche ernähren sich von Würmern, Schnecken und Insektenlarven. Ihre natürlichen Feinde sind Raubfische, Gelbrandkäfer und deren Larven, Marder und Störche.

Moschusochse

Früher dachte man, der Moschusochse sei ein Wildrind. Seine Hörner erinnern an die des Kaffernbüffels und sein langes Zottelfell erinnert an den ➪ Jak. Heute wissen wir, dass der Moschusochse eher mit den Ziegen verwandt ist. Diese Tiere werden 1,45 m hoch und 300 kg schwer. Sie leben im Norden Kanadas und auf Grönland. Die Paarungszeit der Moschusochsen ist im September. Die Männchen kämpfen nun oft gegeneinander um die Weibchen. Die Jungen, die man auch »Kälber« nennt, kommen im Mai des nächsten Jahres zur Welt. Moschusochsen sind sehr mutige Tiere. Sie fliehen nicht einmal vor Wölfen oder Bären. Wenn sie angegriffen werden, nehmen sie die Kälber in die Mitte und stellen sich im Kreis um sie herum. Dabei stehen sie so, dass ihre Köpfe mit den spitzen Hörnern nach außen zeigen. Die Moschusochsen halten zusammen. Sie würden niemals ein Kalb alleine lassen. Das ist der Grund, warum Moschusochsen früher eine leichte Beute für die bewaffneten Jäger waren, denn sie flohen nicht, sondern blieben mutig stehen.

Moschusochsen leben in Grönland und Alaska. Sie sind mit den Ziegen verwandt.

Möwen sind fluggewandte Küstenvögel.

Möwe

Der wohl bekannteste Küstenvogel ist die Möwe. Es gibt Möwen nicht nur am Meer und an großen Flüssen, sondern auch auf Feldern und Mülldeponien. Die größte Möwe ist die Mantelmöwe. Sie wird 80 cm groß. Ihr Rücken und ihre Flügel sind schwarz, und ihr Bauch ist weiß. Bei vielen anderen Möwenarten ist der Rücken grau. Eine der häufigsten Möwen ist die Silbermöwe. Sie frisst Fische, Muscheln sowie Eier und Junge anderer Vögel. Die meisten Möwen legen zur Paarungszeit 3 Eier. Ihr Nest bauen sie an Felsen, alten Gemäuern oder am Strand. Eine eng verwandte Vogelfamilie sind die Raubmöwen. Sie haben ein braunes Gefieder und schwarze Schnäbel. Sie heißen »Raubmöwen«, weil sie Seevögel, die vom Fischfang heimkehren, so lange verfolgen, bis diese vor Angst ihren Fisch aus dem Schnabel fallen lassen. Die Raubmöwen schnappen den Fisch dann in der Luft. Im Brutverhalten unterscheiden sich diese Vögel nicht von anderen Möwen. Die größte und berühmteste Raubmöwe ist die »Skua«.

Mufflon

Das Mufflon gehört zur Gattung der ➪ Schafe. Es ist mit 90 cm Größe und einem Gewicht von 50 kg das kleinste Wildschaf der Welt. Seine Hörner sind sehr dick und nach unten gebogen. Das Fell des Mufflons ist braun. Im Winter bekommt es einen großen weißen Fleck am Rücken, der wie eine Satteldecke aussieht. Man nennt diesen Fleck deshalb auch »Sattelfleck«. Mufflons lebten früher nur auf Korsika und Sardinien. Vor 100 Jahren wurden sie nach Europa gebracht. Heute haben sie sich überall vermehrt. In Deutschland leben 7000 Mufflons. Mit 1,5 Jahren können Mufflons Junge bekommen. Nach einer Trächtigkeit von 5 Monaten bringt das Weibchen 1 Junges zur Welt. Es wiegt bei der Geburt nur 2 kg. Mufflons sind reine Pflanzenfresser: Sie fressen Früchte, Blätter und Gräser.

Das Mufflon ist ein kleines Wildschaf.

Die Zebramanguste ist ein Mungo aus Afrika.

Mungo

Der Mungo gehört zur Familie der ➪ Schleichkatzen. Er sieht ein bisschen so aus wie ein Marder. Sein Fell ist grau, sein Kopf und seine Beine schwarz. Er wird 50 cm lang. Mungos leben in Afrika, Südamerika und Südostasien. Sie jagen am Tag und schlafen nachts in einer Höhle. Mungos sind sehr aktiv und beweglich. Sie laufen, klettern, springen und machen Männchen, immer auf der Suche nach Nahrung. Die Trächtigkeit der Mungoweibchen dauert 8 Wochen. Meist kommen 2–4 Junge zur Welt. Mungos können das ganze Jahr hindurch Nachwuchs bekommen. Sie haben also keine bestimmte Paarungszeit. Der Mungo ist ein großer Jäger. Die Menschen mögen ihn, weil er Schlangen und Ratten frisst. Berühmt wurde er, weil er zu den wenigen Tieren gehört, die eine Kobra besiegen können. Wenn ein Mungo mit einer Kobra kämpft, weicht er geschickt ihren tödlichen Bissen aus. Sobald die Schlange müde wird, packt er sie plötzlich am Kopf und überwältigt sie. Mungos jagen auch Insekten, Würmer, Eidechsen, Vögel und Mäuse. Mungos sind leicht zu zähmen.

Muräne

Die Muränen sind eine Familie aus der Ordnung der aalartigen Fische. Sie sind also eng mit dem ➪ Aal verwandt. Muränen werden 1 m lang. Ihr Körper ist recht dick und sehr kräftig. In ihrem großen Maul haben Muränen spitze Zähne und Giftdrüsen. Diese Tiere haben einen Flossensaum, der vom vorderen Rücken bis zum Bauch reicht. Wenn sie schwimmen, bewegen sie sich durch eine schlängelnde Bewegung des Körpers vorwärts. Die Muräne ist in allen tropischen Meeren zu Hause. Sie wohnt an felsigen Küsten und Korallenbänken. Ihre Hauptnahrung sind Fische. Wenn es Nacht wird, verlassen die Muränen ihre Höhle und gehen auf Jagd. Einige Muränenarten sollen so giftig sein, dass ihr Biss sogar für den Menschen gefährlich ist. Da die meisten Muränen recht angriffslustig sind, sollten sich Taucher davor hüten, einfach mit der Hand in eine Höhle zu fassen. Wenn man einer Muräne begegnet, ist es wichtig, dass man ruhige Bewegungen macht. Dann beißt die Muräne auch nicht zu. Die größte Muräne ist der Pampan. Er ist 3 m lang und lebt im Küstengebiet des Indischen Ozeans. Muränen sind begehrte Speisefische.

Muränen leben in tropischen Meeren. Ihre Zähne sind spitz und giftig.

Das Murmeltier ist ein Nager.

Murmeltier

Das Murmeltier gehört zu den Erdhörnchen und ist ein enger Verwandter des ⇨ Präriehundes. Es lebt in Nordamerika, Sibirien und in den Alpen. Mit einer Körperlänge von über 70 cm wird das Murmeltier relativ groß. Sein Kopf ist breit und rund. Der Schwanz ist kurz und buschig. Der Pelz des Murmeltiers ist graubraun, rau und dicht. Murmeltiere leben in großen Gruppen zusammen. An einem Berghang bauen sie mehrere Höhlen unter der Erde. Im Mai ist die Paarungszeit. Nach 5 Wochen bringt das Weibchen 2–7 Junge zur Welt. Diese Jungen bleiben 1 Jahr lang in der Höhle der Mutter. Murmeltiere halten 6 Monate Winterschlaf. Der größte Feind des Murmeltiers ist der Steinadler. Die Murmeltiere werden auch heute noch wegen ihrem Fett, das angeblich gegen Rheuma helfen soll, gejagt. Bei uns ist die Jagd jedoch verboten.

Muschel

Muscheln sind eine Klasse der Weichtiere. Sie leben im Wasser und atmen über Kiemen. Ihr Körper liegt zwischen zwei harten Kalkschalen. Sie bewegen sich entweder mit ihrem Fuß vorwärts, den sie zwischen den Schalen ausstülpen können, oder durch schnelles Öffnen und Schließen ihrer Schalen. Viele Muscheln haften an einer Unterlage wie zum Beispiel an Pfählen und Steinen. Zur Paarungszeit geben die Männchen ihre Spermazellen und die Weibchen ihre Eizellen einfach in das freie Wasser ab. Aus den befruchteten Eiern entstehen Larven. Diese wandern an eine geeignete Stelle und entwickeln sich zu Muscheln. Man nennt die Muschel den »Filter des Meeres«. Tatsächlich filtert sie das Wasser und ernährt sich von kleinen Schwebeteilchen, dem »Plankton«. Ihr natürlicher Hauptfeind im Korallenriff ist der Seestern. Er ist stark genug, um zwischen die Schalen der Muscheln eindringen zu können. Aber auch der Seeotter und einige Fische fressen gerne Muscheln. Einige Muschelarten sind gesetzlich geschützt. Da dies nur wenige Urlauber wissen, werden sie dennoch auf einheimischen Märkten gekauft.

Muscheln filtern das Meerwasser.

Es gibt sie in verschiedenen Formen.

Nachtigallen verstecken ihr Nest unter Büschen oder Brennnesseln.

Nachtigall

Die Nachtigall gehört zur Unterfamilie der Drosseln und ist eng mit dem ➪ Rotkehlchen verwandt. Sie wird 16 cm lang und ihr Gefieder ist einfarbig braun. In einem Märchen heißt es, dass der liebe Gott den Vögeln der Erde ihre Farbe gab. Aber die Nachtigall kam zu spät und es waren keine Farben mehr übrig. Nur noch ein wenig goldene Farbe war da. Da nahm der liebe Gott die Nachtigall und strich ihr das Gold in die Kehle. Deshalb kann die Nachtigall schöner singen als alle anderen Vögel. Und es ist wirklich so, dass der melodische Gesang die Nachtigall berühmt gemacht hat. Da sie auch mitten in der Nacht singt, wenn sonst kein Vogel zu hören ist, ist ihr Lied besonders eindrucksvoll. Über die etwas buntere Chinesische Nachtigall erzählt die Sage, dass ihre liebliche Stimme den Tod vertreibt. Nachtigallen bauen ihr Nest am Boden. Meist ist es gut versteckt unter Brennnesseln oder Brombeerbüschen. Die Weibchen legen 5 Eier. Beide Eltern ziehen gemeinsam die Jungen auf. Die Nahrung der kleinen braunen Meistersinger besteht aus Würmern, Larven, Insekten und Spinnen.

Nacktschnecke

Nacktschnecken kommen bei uns auf Wiesen, Wegen und Gärten recht häufig vor. Sie gehören zur Ordnung der Landlungenschnecken. Besonders bekannt sind die Großen Roten Wegschnecken. Sie werden 15–20 cm lang, sind rot und haben einen schwarzen Kopf mit schwarzen Augenstielen. Wie alle Landschnecken haben auch die Nacktschnecken sowohl einen weiblichen als auch einen männlichen Geschlechtsapparat. Sie sind also gleichzeitig Männchen und Weibchen. Solche Tiere nennt man »Zwitter«. Wenn zwei Schnecken sich miteinander paaren, überträgt jede der anderen ihre Spermazellen, sodass beide hinterher befruchtete Eier legen. Diese Eier werden in einem Schaumnest verpackt und unter Blätter oder Steine gelegt. Aus den Eiern schlüpfen fertige, kleine Schnecken, die noch nicht die Farbe der erwachsenen haben. Meist sind sie zuerst grünlich oder gräulich. Nacktschnecken sind bei den Gärtnern sehr unbeliebt, weil sie die Blätter der Pflanzen fressen. Allerdings sind Nacktschnecken keine reinen Pflanzenfresser. Wenn eine Wegschnecke von einem Auto überfahren wurde, nähern sich bald andere Wegschnecken, um die tote Verwandte aufzufressen.

Die Rote Wegschnecke wird von Gärtnern nicht gern gesehen.

Bei den Nandus sind die Männchen für den Bau des Nestes und das Ausbrüten der Eier zuständig.

Der Nandu ist ein Laufvogel, der in den Steppengebieten und Hochebenen der südamerikanischen Anden lebt.

Nandu

In den Steppengebieten Südamerikas und den Hochebenen der Anden leben die Nandus. Sie gehören zur Ordnung der Laufvögel und werden 1,7 m hoch und 25 kg schwer. Ihr Gefieder ist braun und sehr weich. Die Brutzeit der Nandus ist zwischen September und Dezember. In dieser Zeit ist der Ruf des Männchens oft zu hören. Er klingt wie: »Nandu«. So kam der Nandu zu seinem Namen. Das Nest wird vom Männchen gebaut. Es brütet die Eier auch alleine aus. Nach 40 Tagen schlüpfen die Jungen. Erwachsene Nandus haben außer dem Menschen keine natürlichen Feinde. Lediglich die Jungen werden manchmal Opfer von Greifvögeln und Raubtieren. Nandus werden wegen ihres Fleisches und ihrer Haut, die man zu Leder verarbeitet, getötet. Leider versuchen einige Leute, den exotischen Vogel auch hierzulande als Nutztier zu halten.

Nasenaffe

Der Nasenaffe gehört zu den Schlankaffen. Er ist groß und kräftig. Die Männchen werden über 70 cm lang und 22 kg schwer. Die Nase der Männchen wird 10 cm groß und sieht aus wie eine Gurke. Wenn die Nasenaffen älter werden, hängt die große Nase über ihren Mund. Wenn sie etwas essen wollen, müssen sie deshalb die Nase erst mit einer Hand zur Seite drücken. Das Fell des Nasenaffen ist sehr bunt. Die Arme und Beine sind grau, der lange Schwanz ist weiß wie ihr Bauch und der Rücken ist rostrot. Von weitem sieht es aus, als ob er bekleidet wäre: ein graues Hemd, eine helle Hose und eine rote Weste. Nasenaffen bekommen meist 1 Junges. Die Mutter trägt ihr Baby oft in ihrem Fell mit sich herum. Nasenaffen sind reine Baumbewohner. Sie leben in den tropischen Wäldern Borneos, wo auch der Orang-Utan lebt. Nasenaffen fressen Hibiskusblüten und Akazienblätter.

Nasenaffen leben in Südostasien.

Ein Nasenbär mit seinem Jungen.

Nasenbär

Der Nasenbär ist ein Kleinbär und enger Verwandter des ➪ Waschbären. Nasenbären werden auch »Coatis« genannt. Sie werden 1,3 m groß und 6 kg schwer. Ihr Schwanz ist lang und mit schwarzen Ringen gemustert. Das übrige Fell ist grau-braun. Im Gesicht haben Nasenbären weißes Fell um Augen und Nase. Diese ist lang und beweglich. Nasenbären leben in Süd- und Mittelamerika. Die Nasenbärweibchen leben in Gruppen von bis zu 20 Tieren zusammen. Die Männchen sind Einzelgänger. Das heißt, dass sie lieber alleine leben. Zur Paarungszeit kommt das Männchen zu den Weibchen. Wenn noch ein zweites Männchen dazukommt, kämpfen die beiden um die Weibchen. Nach einer Trächtigkeit von 74 Tagen bringt das Weibchen seine Jungen in einem Baumnest zur Welt. Mit 5 Wochen folgen die Kleinen ihr zurück zur Gruppe. Die Jungen bleiben bis zum nächsten Jahr bei ihrer Mutter. Die Hauptfeinde der Coatis sind der Puma, der Jaguar, der Adler und die Riesenschlangen.

Breitmaulnashörner sind die größten Nashörner der Erde.

Nashorn

Nashörner sind eine Familie aus der Ordnung der Unpaarhufer. Sie sind mit dem ➪ Tapir eng verwandt. Das kleinste Nashorn ist das Sumatranashorn mit 2,5 m Länge und 1,1 m Höhe. Es ist das einzige Nashorn, das Haare hat. In seinem Lebensraum, den südasiatischen Inseln, ist es so gut wie ausgestorben. Das größte Nashorn ist das afrikanische Breitmaulnashorn. Es wird 4 m lang, 2 m hoch und 3 t schwer und ist damit das größte Landsäugetier nach dem Elefanten. Das auffälligste Merkmal der Nashörner ist das Horn auf ihrer Nase. Viele Menschen glauben, dass das Horn magische Kräfte hat, wenn man es zu Pulver mahlt und isst. Deshalb wurden die Nashörner sehr stark gejagt. Auch heute werden noch viele Nashörner von Wilderern getötet. Das Sumatranashorn und das Javanashorn gelten sogar als die seltensten Tiere der Welt. Die Paarungszeit der Nashörner ist im April. Die Schwangerschaft dauert über 1 Jahr. Wenn das Junge geboren ist, kümmert sich nur das Weibchen darum. Erwachsene Nashörner sind so groß und stark, dass sie keine natürlichen Feinde haben. Es gibt kein Tier, das sich traut, ein Nashorn anzugreifen.

Auf diesem Spitzmaulnashorn sitzen 2 Madenhacker und befreien es von Zecken.

Nattern sind schlanke Schlangen.

Natter

Im Schlangenreich wird die Zwischenordnung der Natternartigen in die Familien der Nattern, der Giftnattern, der ➪ Seeschlangen und der ➪ Vipern unterteilt. Im Unterschied zu den Vipern haben die Nattern nicht alle einen giftigen Biss. Zwar haben die meisten Nattern Giftdrüsen, aber nicht alle machen von diesem Gift Gebrauch. Nattern haben ein eigenes Drohverhalten, wenn sie angegriffen werden. Sie zischen laut, winden sich zu einem Knäuel und erbrechen oft ihren Mageninhalt. Danach stellen sie sich tot. Nattern legen Eier. Allerdings graben sie ihre Eier nicht ein, sondern legen sie unter Laub oder Moos ab. Die Jungen, die daraus schlüpfen, sind sofort voll entwickelt und gehen auf Nahrungssuche. Sie fressen Würmer, Larven und Insekten. Viele Nattern jagen in Wassernähe. Sie sind gute Schwimmer, die mit Leichtigkeit Fische und Frösche fangen können. Andere Natternarten leben in den Bäumen und machen hier Jagd auf Vögel und Eidechsen. Feinde der Nattern sind Greifvögel, Störche, Reiher, Schleichkatzen, Iltisse und Igel.

Nautilus

Der Nautilus gehört zur Klasse der Kopffüßer. Man nennt ihn auch »Perlboot«, weil sein schneckenartiges Gehäuse innen wie eine Perle schimmert und weil er sich wie ein Boot durch das Wasser treiben lässt. Der Nautilus sieht aus wie ein Tintenfisch in einem Schneckenhaus. Er ist aber mit den Tintenfischen nicht eng verwandt. Perlboote haben 90 Fangarme. Ihre Schalen sind weiß mit einem roten Streifenmuster. Der Nautilus füllt nicht sein ganzes Gehäuse aus, sondern nur den unteren Teil. Oben ist das Gehäuse mit Luft gefüllt. Dieses Tier kann Teile seines Hauses mit Wasser füllen und so absinken. Wenn es das Wasser wieder herauspumpt, steigt es auf. Das Weibchen legt seine Eier im Oberflächenwasser ab. Perlboote sind Räuber: Tagsüber jagen sie in Tiefen von 50–60 m nach Krebstieren. In der Nacht steigen sie auf. Ihr größter Feind ist der Wind. Bei Stürmen werden viele Perlboote an den Strand geschwemmt. Der Nautilus wird in vielen Souvenirgeschäften verkauft. Leider ist dieses urtümliche Tier noch nicht geschützt. Durch den Massenhandel ist es jedoch inzwischen gefährdet.

Der Nautilus ist ein uraltes Tier.

Nebelparder

Der Nebelparder lebt in Asien. Er kann ausgezeichnet klettern.

Nebelparder

Der Nebelparder ist eine ➪ Katze. Diese über 1 m lange Raubkatze lebt im asiatischen Dschungel. Sie hat ein graugelbes Fell mit einem schwarzen Ringmuster. Der Bauch des Nebelparders ist weiß. Von allen Katzen ist er der geschickteste Kletterer. In den Baumkronen des Dschungels ist er in seinem Element: Mit großer Geschwindigkeit und waghalsigen Sprüngen verfolgt er in den Ästen Affen, Hörnchen und sogar Vögel. Er klettert mit dem Kopf nach unten die Bäume hinunter, lässt sich an Ästen hinunterhängen und hält sich dabei nur mit einer Hinterpfote fest oder hangelt sich kopfüber an waagerechten Ästen entlang. Die Trächtigkeit dauert bei Nebelpardern 90 Tage. Danach bringen die Weibchen 2-4 Junge zur Welt, die ungefähr 9 Monate lang bei ihrer Mutter bleiben. Die Hauptbeute des Nebelparders sind Affen und Vögel. Natürliche Feinde hat er kaum, allerdings hat ihn die erbarmungslose Jagd durch die Menschen, die sein Fell zu Geld machen wollen, an den Rand der Ausrottung gebracht.

Der Nebelparder hat einen großen Kopf.

Der Nektarvogel an einer Blüte.

Nektarvogel

Nektarvögel sind eine Familie der Singvögel. Sie sehen den ➪ Kolibris recht ähnlich und ernähren sich wie diese von Nektar. Sie sind aber nicht mit den Kolibris verwandt. Nektarvögel werden zwischen 10 und 25 cm groß. Viele Arten sind sehr bunt gefärbt und haben einen spitzen, leicht nach unten gebogenen Schnabel. Sie leben in den Dschungelgebieten Afrikas, Asiens und Australiens. In der Paarungszeit bauen beide Eltern ein kugeliges, geschlossenes Nest, das mit Spinnenfäden zusammengehalten wird. Das Weibchen legt 2 Eier, die es alleine ausbrütet. Nektarvögel können nicht ganz so gut fliegen wie die Kolibris, aber sie beherrschen auch das Fliegen auf der Stelle mit schnellem Flügelschlag, den so genannten »Schwirrflug«. Auf der Suche nach Nektar fliegen sie dicht vor einer Blüte und stecken ihren langen, dünnen Schnabel hinein. Sie fressen aber auch Insekten und Spinnen.

Nerz

In der Familie der ➪ Marder ist kaum ein anderer Vertreter so sehr von den Menschen verfolgt worden wie der Nerz. Bis zum Ersten Weltkrieg waren Nerze in Deutschland noch recht häufig. Inzwischen sind sie in Europa so gut wie ausgerottet. Wenn heute noch ein Nerz irgendwo auftaucht, dann ist das meist einer, der aus einer Nerzfarm ausgebrochen ist. In Asien und Amerika gibt es zum Glück noch viele dieser Tiere. Der amerikanische Nerz, den man auch »Mink« nennt, kommt in ganz Nordamerika vor. Nerze werden 40 cm lang, haben kurze Beine und ein dunkelbraunes, sehr weiches Fell. Die Paarungszeit der Nerze ist im Februar. Nach 6 Wochen Trächtigkeit kommen 2–6 Junge zur Welt. Diese Jungen werden 5 Wochen lang von der Mutter gesäugt. Nerze sind geschickte Jäger. Sie können gut sehen und sind Tag und Nacht auf Beutesuche. Sie fressen Insekten, Krebse, Fische, Frösche, Maulwürfe, Bisamratten und sogar Kaninchen. In den Pelztierfarmen werden Nerze in verschiedenen Farben gezüchtet. Leider werden sie dort in sehr kleinen Käfigen gehalten.

Nerze sind flinke Jäger. Dieser hier hat gerade einen Fisch gefangen.

Nimmersatte sind mit den Störchen verwandt.

Nimmersatt

Der Nimmersatt gehört zur Familie der ➪ Störche. Er hat schwarze Schwanzfedern, schwarze Flügel und ein rotes, nacktes Gesicht. Sein übriges Gefieder ist weiß. Nimmersatte werden ungefähr 1 m groß. Diese Vögel leben in Asien und in Afrika. Die Paarungszeit dieser Storchenvögel ist im Winter. Nimmersatte klappern übrigens auch mit dem Schnabel wie unsere Störche. Oft brüten sie in Kolonien, das bedeutet, dass viele Nimmersatte ihre Nester dicht nebeneinander bauen. Die Weibchen legen meist 2 weiße Eier, die von beiden Eltern ausgebrütet werden. Nach ungefähr 30 Tagen schlüpfen die Jungen. Bereits 2 Monate später können sie fliegen und verlassen das Nest. Nimmersatte ernähren sich meist von Fischen, die sie in Teichen und Seen finden. Sie jagen nicht mit den Augen, sondern mit ihrem Tastsinn: An seichten Stellen schieben sie ihren leicht geöffneten Schnabel durch das Wasser. Wenn sie dabei einen Fisch berühren, schnappen sie sofort zu.

Zwei Nimmersatte auf einem Baum.

Octopus

Der berühmteste aus der Klasse der ➪ Tintenfische ist der Krake oder Octopus. Da er zum Stamm der Weichtiere gehört, ist er mit den Schnecken verwandt. Der Krake hat 8 Arme mit vielen Saugnäpfen. Ausgestreckt ist der Octopus 3 m lang. Er wohnt an felsigen Küsten oder in Korallenriffen. Mit seinen Armen bewegt er sich dicht über dem Boden vorwärts. Dabei kann er die Farbe wechseln, so dass er immer die gleiche Farbe hat wie der Boden, auf dem er sitzt. Das Weibchen betreibt die Brutpflege: Wenn es nach der Paarung die Eier in einer Höhle abgelegt hat, bleibt es in der Nähe, bewacht die Höhle und hält die Eier sauber. In der ganzen Zeit frisst die Mutter nichts. Wenn die Kleinen endlich schlüpfen, ist das Weibchen manchmal so schwach, dass es stirbt. Kraken fressen große Krebse, Krabben und Muscheln. Seine größten Feinde sind die Muräne, Haie und Rundkopfdelfine. Bei Gefahr verspritzt der Octopus eine dunkle Flüssigkeit, seine Tinte. Kraken sind sehr intelligent. Sie werden zutraulich zu Menschen und spielen sogar mit ihnen.

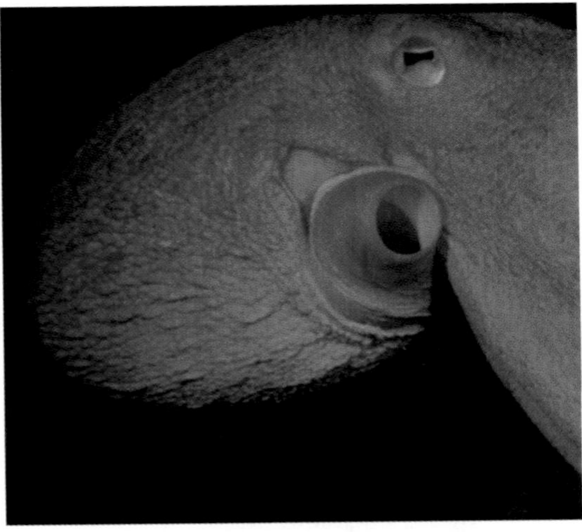

Der Octopus oder Krake gilt als sehr intelligent.

Ein Seelöwe auf einem Felsen.

Ohrenrobbe

Ohrenrobben sind eine Robbenfamilie. Diese Robben haben Ohrmuscheln. Daher haben sie ihren Namen. Das zweite Merkmal dieser Robben ist, dass sie auf dem Land ihre Hinterflossen nach vorne legen und auf allen Vieren laufen. Die Vertreter der zweiten großen Robbenfamilie, die Hundsrobben, zu denen auch der ➪ Seehund gehört, liegen an Land flach auf dem Bauch und kriechen wie eine Raupe vorwärts. Bei den Ohrenrobben unterscheidet man zwischen Seebären und Seelöwen. Seebären, auch »Pelzrobben« genannt, wurden wegen ihres Pelzes gnadenlos verfolgt. Seit diese Tiere unter Schutz gestellt wurden, nehmen die Bestände wieder langsam zu. Seelöwen haben keinen dichten Pelz. Man nennt sie deswegen »Haarrobben«. Ohrenrobben suchen zur Paarungszeit immer wieder dasselbe Küstengebiet auf. Dort kommen zuerst die Jungen von der Paarung im letzten Jahr zur Welt. Sobald die Jungen geboren sind, paaren sich die Weibchen wieder mit den Männchen. Erst danach kümmern sie sich wieder um ihr Junges. Ende September verlassen sie mit ihren Jungen die Küste wieder. Die natürlichen Feinde sind der Schwertwal und der Weiße Hai.

Okapis sind Verwandte der Giraffen. Sie leben im Kongo-Gebiet.

Okapi

Das Okapi gehört zur Familie der ➪ Giraffen. Es wird etwa 2 m lang und 1,7 m hoch. Bei den Okapis haben nur die Männchen Hörner, die Weibchen nicht. Bei den Giraffen dagegen haben beide, Männchen und Weibchen, Hörner. Okapis sind sehr bunt gefärbt. Die Beine haben das Muster eines Zebras, der Körper ist rot-braun und die Kehle und die Wangen sind weiß. Okapis sind selten. Sie leben nur in Zentralafrika im Kongo-Dschungelgebiet. Deshalb nennt man sie auch »Waldgiraffen«. Okapimütter bringen nach 15 Monaten Trächtigkeit 1 Junges zur Welt. Dieses Junge wird 6 Monate lang von der Mutter gesäugt. Das Okapi ist wie seine Verwandten, die Giraffen, ein Blätterfresser. Es nimmt einen Zweig in das Maul, zieht ihn durch die Zahnreihen und reißt so die Blätter ab. Das Okapi hat eine sehr lange, bewegliche Zunge. Diese ist so lang, dass es sich selbst damit im Ohr kratzen kann. Der größte natürliche Feind des Okapis ist der Leopard.

Onager

Der Onager oder Persische Halbesel gehört zur Untergattung der Asiatischen Halbesel. Diese Verwandten der ➪ Pferde haben sowohl Merkmale von einem Esel als auch von einem Pferd. Die Ohren und der Schwanz erinnern an einen Esel, aber der Kopf und der große Körper sind pferdeähnlich. Der Onager ist mittelgroß, sein Fell ist gelbbraun und unter dem Bauch und dem Hals ist er weiß. Diese Wildesel streifen in kleinen Gruppen oder »Herden« durch Wüsten und Halbwüsten im Nordiran, in Turkmenistan und Kasachstan. Eine Herde wird von einem starken Männchen oder »Hengst« angeführt. Die Trächtigkeit der Weibchen dauert 11 Monate. Meist bekommen sie 1 Junges oder »Fohlen«, das bis zu 1 Jahr lang bei seiner Mutter bleibt. Die natürlichen Feinde der Onager sind die Wölfe, die versuchen, die Fohlen zu erbeuten. Der Persische Halbesel ist in seinem Bestand äußerst gefährdet. Früher wurde er gnadenlos gejagt. Auch Klimaveränderungen und Wassermangel ließen diese Tiere selten werden. Sein Verwandter, der Syrische Halbesel, ist bereits ausgestorben.

Die Asiatischen Halbesel sind sowohl mit dem Pferd als auch mit dem Esel verwandt.

Neben den Kängurus und den Koalas sind die Opossums die berühmtesten Beuteltiere. Sie leben in Amerika.

Opossum

Das Opossum heißt auch »Beutelratte«. Es ist ein Beuteltier, das seine Jungen nach der Geburt in einem Beutel mit sich herumträgt. Das Opossum ist mit den Ratten nicht verwandt, sieht ihnen aber sehr ähnlich. Es ist das einzige Beuteltier der Welt, das nicht in Australien lebt, sondern in Amerika. Opossums sind ungefähr so groß wie eine Katze. Ihr Fell ist grau und struppig. Ihr Schwanz ist nackt und beweglich. Ihn benutzt das Opossum zum Greifen und Klettern. Nach nur 13 Tagen Trächtigkeit kommen die Jungtiere zur Welt und klettern in den Beutel der Mutter. Hier haben bis zu 12 Junge Platz. Nach 10 Wochen verlassen die Kleinen den Beutel und ziehen mit der Mutter umher. Nach 3 Monaten sind sie groß und gehen ihren eigenen Weg. Opossums fressen Insekten, Mäuse, Regenwürmer und Kröten. Feinde hat das Opossum kaum, denn sein Fleisch schmeckt nicht. Wenn ein Opossum angegriffen wird, stellt es sich tot. Auch ihr unangenehmer Geruch verhindert häufig, dass sie aufgefressen werden.

Beutelratten sind nicht besonders schnelle, aber gute Kletterer.

Orang-Utan

Der Orang-Utan ist ein großer rotbrauner ➪ Menschenaffe aus den Urwäldern Sumatras und Borneos. Er wird 1,5 m groß und die Männchen erreichen ein Gewicht von 100 kg. Orangs haben ein sehr menschenähnliches Gesicht. Mit ihren sehr langen Armen hangeln sie sich in freier Natur von Ast zu Ast. Die Männchen bekommen im Alter dicke Hautfalten an den Wangen. Nach einer Trächtigkeit von 8 Monaten bringt das Orang-Utan-Weibchen 1 Junges zur Welt. Es ist anfangs völlig hilflos, kann sich aber schon im Fell der Mutter festhalten. 3-4 Jahre lang trinkt das Kleine die Milch der Mutter. Zwischendurch kaut die Mutter ihrem Kind etwas Nahrung vor und füttert es damit. Das Wort »Orang-Utan« ist malaiisch und bedeutet »Waldmensch«. Diese großen Menschenaffen stehen leider kurz vor der Ausrottung. Trotz aller Jagdverbote werden Orangweibchen immer noch abgeschossen, um ihre Babys teuer verkaufen zu können. Bald wird es den »Waldmenschen« deshalb nur noch im Zoo geben.

Orang-Utans sind in freier Natur stark vom Aussterben bedroht.

Die Oryx lebt in Südafrika.

Oryx

Die Oryx-Antilope gehört zur Gattung der Spießböcke. Sie ist eine der schönsten Antilopen der Welt. Oryx werden über 2 m lang, ungefähr 1,4 m hoch und bis zu 200 kg schwer. Ihr Körper ist weiß und die Beine dunkel. Über dem Bauch haben sie einen schwarzen Strich, und im Gesicht haben sie eine schwarzweiße Zeichnung. Ihre spitzen Hörner sind schwarz und über 1 m lang. Mit diesen Stirnwaffen können sie sich gut verteidigen und einen angreifenden Leoparden schwer verletzen. Der Lebensraum der Oryx ist die Sahara, aber auch Süd- und Ostafrika und die Arabische Halbinsel. Die Trächtigkeit dieser Antilopen dauert 280 Tage. Die Weibchen bringen meist nur 1 Junges auf die Welt. Die Weiße Oryx steht heute kurz vor der Ausrottung: Man schätzt, dass es in Freiheit nur noch einige hundert Tiere gibt. So tapfer sich eine Oryx gegen einen Leoparden wehren kann, so machtlos ist sie gegen Gewehrkugeln. Wenn das Jagdverbot nicht durchgesetzt wird, können wir diese Antilope nur noch in Zoos bewundern.

Das schöne Fell des Ozelots brachte diese elegante Raubkatze an den Rand der Ausrottung.

Wie viele Raubkatzen »gähnt« der Ozelot bevor er jagt.

Ozelot

Das Fell, für das die höchsten Preise bezahlt werden, trägt der Ozelot. Er ist eine sehr anmutige Raubkatze aus dem mittel- und südamerikanischen Dschungel. Der Ozelot gehört wie der Puma zu den Kleinkatzen und wird 1 m lang. Sein Fell ist kräftig orangegelb mit schwarzen Flecken, der Bauch ist weiß. Ein Ozelot-Paar bleibt ein Leben lang zusammen. Nach einer Trächtigkeit von 70 Tagen bringt das Weibchen 2-4 Junge zur Welt. Die Nahrung dieser Raubkatze sind Mäuse, Ratten, Meerschweinchen, Wasserschweine, Affen, kleine Hirsche, Vögel und Echsen. Ihre natürlichen Feinde sind der Jaguar, die Harpyie und die Riesenschlangen. Für einen Mantel aus Ozelotfell wird viel Geld bezahlt. Obwohl der Ozelot ernsthaft vom Aussterben bedroht ist, hängen immer wieder Ozelotfelle in den Pelzgeschäften.

Pampashasen sehen aus wie kleine Antilopen.

Pampashase

Pampashasen sind Nagetiere aus Südamerika. Sie sind trotz ihres Namens nicht mit den Hasen, sondern mit den ⇨ Meerschweinchen verwandt. Man nennt diese Tiere auch »Maras«. Pampashasen werden 75 cm groß und 16 kg schwer. Auf größere Entfernung sehen sie fast aus wie kleine Antilopen, weil Maras lange, zierliche Beine haben. Ihre Ohren sind oval und ihre schwarzen Augen sind groß. Das Fell der Maras ist am Bauch und am Hinterteil weiß, der Rücken und die Flanken sind grau-braun. Diese Tiere leben gruppenweise in den südamerikanischen Graslandschaften. Sie graben sich sehr tiefe und weite Erdhöhlen. Hier bringen die Weibchen auch ihre Jungen zur Welt. Meist bekommt eine Maramutter 2-3 Junge. Die Kleinen bleiben 9 Monate lang bei der Mutter und werden erst verjagt, wenn sie wieder Junge bekommt.

Panda

Der Panda ist ein Kleinbär in den feuchten und felsigen Gebirgshängen Chinas. Er wird 1,5 m lang und 125 kg schwer. Sein Kopf ist rund und seine Ohren klein. Durch sein besonderes Fell ist der Panda sehr berühmt und beliebt geworden. An den Beinen, um die Augen herum und an den Ohren ist er schwarz. Bauch, Rücken, Hals und Kopf sind weiß gefärbt. Er sieht aus als ob er schwarze Stiefel, eine schwarze Weste und ein weißes Hemd anhat. Der Panda frisst nur Bambus. Deshalb nennt man ihn auch »Bambusbär«. Nach der Paarungszeit im April bekommt das Weibchen 1 Junges. Dieses kommt in einer Baum- oder Erdhöhle zur Welt. Seit 60 Jahren ist der Panda streng geschützt. Trotzdem ist er extrem selten. Er wird in chinesischen Zoos gezüchtet und auch an andere Länder abgegeben, wo man ihn dann bewundern kann.

Der Pandabär lebt in China.

Panter gelten als Symbol für Geschmeidigkeit und Kraft.

Panter

Panter nennt man die schwarze Form des ➪ Leoparden. Es passiert immer wieder, dass in Leopardenfamilien schwarze Junge geboren werden. Diese Panter sind aber nicht ganz schwarz. Man kann bei günstigem Licht das Fleckenmuster unter dem Schwarz erkennen. Diese Schwärzlinge sind bei asiatischen Leoparden übrigens häufiger als bei afrikanischen. Genau wie sein gefleckter Bruder ist auch der Panter ein Jäger, der Affen, Antilopen, Wildschweine, Hasen, Nagetiere, Vögel und Fische jagt. Er ist ein Überraschungsjäger. Der Panter schleicht sich so nah es geht an seine Beute heran und springt sie plötzlich an. Panter fühlen sich mit ihrer frischen Beute auf dem Boden nicht sicher, denn Löwen zögern keine Sekunde, einem Panter oder Leoparden die Beute wegzunehmen. Sie würden ihn sogar töten, weil er ein Nahrungskonkurrent ist. Deshalb tragen Leoparden ihre Beute auf einen Baum. Dabei entwickeln sie ungeheure Kräfte: Man hat schon große Antilopen auf Bäumen gefunden.

Papagei

Das Hauptmerkmal der Ordnung der Papageien ist der krumme Schnabel. Die buntesten Papageien leben in Südamerika, Neuguinea und Nordaustralien. Der kleinste Papagei ist der Spechtpapagei. Er ist nur 10 cm groß. Der Riese unter den Papageien ist der Hyazinthara, der 1 m lang wird. Der Krummschnabel ist gut dazu geeignet, harte Nüsse zu knacken. Außerdem benutzen ihn Papageien zum Klettern. Die meisten Papageien leben in Einehe. Das bedeutet, dass ein Pärchen ein Leben lang zusammenbleibt. Ihr Nest bauen sie in Baumhöhlen. Das Weibchen brütet die Eier alleine aus. Papageien, vor allem der kleine Wellensittich, sind sehr beliebte Ziervögel. Wenn man einen Papagei zu Hause hält, darf man nicht vergessen, dass er in der freien Natur in sehr großen Gruppen lebt. Der Papagei leidet, wenn er alleine leben muss.

Der größte Papagei ist der Ara.

Papageientaucher

Papageientaucher gehören zur Familie der ➪ Alken und sind ausgesprochene Meeresvögel. Sie leben im Nordatlantik und im Eismeer. Papageientaucher heißen so, weil ihr Schnabel an den eines Papageis erinnert. Mit ihrem leuchtend roten Schnabel und dem hellen Gesicht erinnern sie aber eher an einen Clown als an einen Papagei. Papageientaucher werden über 30 cm lang. Zwischen ihren Zehen haben sie Schwimmhäute, mit denen sie sehr gut schwimmen und tauchen können. Sie stoßen etwa 10 m tief ins Wasser und bleiben dort bis zu 2 Minuten. Papageientaucher schwimmen, indem sie mit ihren Flügeln auf und ab schlagen. Im Meer jagen sie ihre Beute: Fische und Tintenfische. Diese Vögel bauen ihr Nest in Erdhöhlen, die sie selbst graben. Sie legen nur 1 Ei. Das Junge hat kurz nach der Geburt ein dichtes Federkleid aus Jugendfedern oder »Daunen«. Die größten Feinde der Papageientaucher sind die Raubmöwen.

Papageientaucher haben bunte Schnäbel.

Paradiesvögel leben auf Neuguinea.

Paradiesvogel

Paradiesvögel gehören zu den Rabenverwandten. Sie sind relativ eng mit der ➪ Krähe verwandt. Die männlichen Paradiesvögel sind die auffälligsten Vögel der Welt. Einige ihrer Federn glänzen wie Seide, viele sind sehr bunt, und ein paar Federn sind verlängert. Die langen Federn nennt man »Schmuckfedern«. Die Paradiesvögel gibt es nur auf Neuguinea und in Nordaustralien. In der Paarungszeit werben die Männchen um die Weibchen. Man nennt dieses Werben bei Vögeln »Balz«. Dabei tanzen die Männchen für die Weibchen. Sie spreizen ihre Federn, wippen mit ihrem Körper und versuchen, gut auszusehen. Das Ausbrüten der Eier ist die Aufgabe des Weibchens. Die Federn der Paradiesvögel werden von den Menschen in Neuguinea als Kopfschmuck getragen. Sie verwenden die Federn aber auch als einen Ersatz für Geld. Als die Europäer nach Neuguinea kamen, töteten sie Tausende der Paradiesvögel, um ihre Federn in Europa zu verkaufen. Heute ist der Fang der Paradiesvögel verboten. Trotzdem sind sie durch die Zerstörung ihrer Lebensräume bedroht.

Pavian

Paviane sind eine Gattung aus der Familie der meerkatzenartigen ➪ Affen. Sie werden über 1 m groß und bis zu 50 kg schwer. Ihre Schnauze ist lang und eckig, die Augen und die Ohren sind klein. Die Männchen haben ein dickeres Fell als die Weibchen. Das Hinterteil der Paviane ist kräftig rot gefärbt. Die Zähne dieser Affen sind lang und spitz. Paviane kommen in ganz Afrika vor. Sie leben in großen Gruppen auf dem Boden und klettern nur dann auf Bäume, wenn sie schlafen wollen. Einmal im Jahr bekommen die Pavianweibchen 1 Junges. Das Kleine hält sich im Rückenfell der Mutter fest und lässt sich von ihr herumtragen. Paviane fressen Gras, Früchte und Knospen. Es kommt aber auch gelegentlich vor, dass sie junge Gazellen töten und fressen. Wenn Paviane angegriffen werden, wehren sie sich mutig. Es gibt kaum ein Tier, vor dem sie Angst haben: Nur vor dem Löwen fliehen sie. Der Hauptfeind der Paviane ist der Leopard. Aber die Katze muss vorsichtig sein: In einem Kampf gegen ein erwachsenes Pavianmännchen wird der Leopard oft schwer verletzt.

Paviane leben in der afrikanischen Savanne.

Halsbandpekaris gelten als wild und angriffslustig.

Pekari

Das Pekari gehört zur Überfamilie der Schweineartigen. Obwohl es die Nase und das Borstenfell der Schweine hat, ist es nicht direkt mit ihnen verwandt, sondern stammt aus einer eigenen Familie. Das Halsbandpekari ist mit nur 1 m Länge und 55 cm Höhe relativ klein. Die Anordnung seiner Zähne erinnert an ein Raubtiergebiss. Von der Schulter bis zur Kehle hat es ein gelbes Band, dem es seinen Namen verdankt. Halsbandpekaris leben in Südamerika, Mittelamerika und im Süden Nordamerikas. Sie schließen sich in Gruppen zusammen. Die Paarungszeit der Pekaris dauert das ganze Jahr. Nach einer Trächtigkeit von 140 Tagen bringen die Weibchen 2 dunkelbraune Junge zur Welt, die nicht wie die Frischlinge der ➪ Wildschweine gestreift sind. Halsbandpekaris fressen Gräser, Blätter, Wurzeln, Kleintiere und Früchte. Pekaris gelten als sehr wehrhaft und aggressiv. Ihre Hauptfeinde sind der Jaguar und der Puma. Gegen Luchse und Kojoten können sich die erwachsenen Pekaris oft erfolgreich wehren.

Der Braune Pelikan lebt an der Küste des amerikanischen Kontinents.

Pelikan

Die Pelikane sind eine Familie aus der Ordnung der Ruderfüßer. Sie sind verwandt mit den ➪ Tölpeln, den ➪ Fregattvögeln und den ➪ Kormoranen. Es sind große Wasservögel, die sich ausschließlich von Fisch ernähren. Der größte unter ihnen ist der Krauskopfpelikan mit 1,7 m Länge und einer Flügelspannweite von 3 m. Am Unterschnabel haben Pelikane einen dehnbaren Kehlsack. Hiermit fangen sie Fische. Im Flug legt der Pelikan seinen Kopf nach hinten und biegt seinen Hals s-förmig durch. Pelikane brüten in großen Kolonien. Das bedeutet, dass die Nester vieler Brutpaare nebeneinander liegen. Die Brutzeit dauert 42 Tage. Zuerst sind die kleinen Pelikane nackt. Nach 4 Monaten haben sie ein vollständiges Federkleid. Pelikane jagen ihre Beute schwimmend. Zu mehreren kreisen sie die Fische ein und stecken die Köpfe in das Wasser, um die Fische zu fangen. Nur der Braune Pelikan aus Amerika ist ein Stoßtaucher. Er stößt aus der Luft auf die Fische herab. Dabei lässt er sich so rasant fallen, dass er vollständig unter Wasser verschwindet.

Perlhuhn

Die Perlhühner gehören zu den Hühnervögeln. Sie sind eng mit dem ➪ Pfau verwandt. Ihren Namen haben sie daher, weil ihr Gefieder ein Perlenmuster hat. Es ist schwarz mit lauter kleinen weißen Punkten. Perlhühner werden 40 cm groß. Ihr Hals ist nackt und blau gefärbt. Ursprünglich kommen diese Vögel aus Afrika, man hält sie aber seit langem vielfach als zahme Hausperlhühner in Gärten und Parks. In der Paarungszeit scharren die Perlhuhnweibchen eine Mulde in den Boden, die sich gut versteckt unter Büschen befindet. Hier legt das Weibchen 12-15 hellbraune Eier hinein. Das Muttertier brütet die Eier alleine aus. Die Jungen schlüpfen nach ungefähr 27 Tagen. Perlhühner fressen alles, was sie am Boden finden, also Körner, Beeren, Samen, Spinnen, Ameisen und andere Insekten. Die Nacht verbringen sie auf Bäumen, weil es dort sicherer ist. Diese Hühnervögel haben viele Feinde. Sie müssen sich vor Raubkatzen, Schakalen, Greifvögeln und Pavianen in Acht nehmen.

Perlhühner haben ihren Namen den vielen weißen Punkten auf ihrem Gefieder zu verdanken.

Die Rückenflosse der Petermännchen hat spitze, giftige Dornen.

Petermännchen

Auf zwei Tiere muss man bei einem Strandspaziergang Acht geben, weil es sehr schmerzhaft ist, wenn man auf sie tritt – den Seeigel und das Petermännchen. Das Petermännchen ist ein 45 cm langer Fisch aus der Familie der Drachenfische. Diese Fische sind lang gestreckt und haben einen großen Kopf. Die Augen dieser Grundfische sind nach oben gerichtet, weshalb man einen nahen Verwandten des Petermännchens auch »Himmelgucker« nennt. Das Maul dieser Fische ist sehr groß und nach unten gerichtet. Die Strahlen in ihrer Rückenflosse sind sehr giftig, und wenn man darauf tritt, bekommt man heftige Schmerzen. Wenn das Gift ins Blut gelangt, treten am ganzen Körper Schwellungen auf. Auch am Kiemendeckel hat das Petermännchen einen giftigen Stachel. Die Brustflossen des Petermännchens sind recht groß und breit. Mit ihnen können sich diese Grundfische sehr schnell in den Boden eingraben. Meist liegt das Petermännchen bis zu den Augen im Sand und lauert auf Beute. Es ist so von außen kaum zu sehen. Sobald eine Garnele oder ein kleiner Fisch vorbeischwimmt, schnappt das Petermännchen blitzschnell zu.

Pfau

Die Pfauen gehören zu den größten Hühnervögeln. Sie sind eng mit den ➪ Fasanen und den ➪ Perlhühnern verwandt. Das auffälligste Merkmal dieser Vögel sind die langen Schmuckfedern des Männchens, deren Musterung wie grünblau schillernde Augen aussieht. Wenn das Männchen aufgeregt ist, richtet es diese Federn auf, sodass ein runder Bogen entsteht. Man sagt dazu, der Pfau »schlägt ein Rad«. Pfauen kommen ursprünglich aus Indien und Bangladesch. Zur Paarungszeit versammelt das Männchen 2–4 Weibchen um sich herum. Das Nest wird vom Weibchen gebaut und liegt meist gut versteckt am Boden. Die Weibchen brüten 3–5 Eier aus. Pfauen werden in ihrer Heimat gerne als Haustiere gehalten, weil sie junge Kobras fressen und weil sie mit ihrem Ruf vor ihren Hauptfeinden Tiger und Leopard warnen.

Ein Pfau schlägt ein prächtiges Rad.

Bei uns sind Pferde zu wichtigen Freizeitbegleitern des Menschen geworden.

Pferd

Die Familie der Pferde oder Einhufer stammt aus der Ordnung der Unpaarhufer. Statt Füßen haben sie Hufe, die aus Horn bestehen. Pferde sind für viele Menschen zu wertvollen Haustieren geworden. Aber die Wildpferde, von denen sie abstammen, werden leider immer seltener. Pferde haben starke Knochen und kräftige Muskeln. Zu der Familie der Pferde gehören die Zebras, die Wildesel und das asiatische Wildpferd. Dieses Wildpferd heißt »Przewalski-Pferd« und ist der Vorfahre unserer Hauspferde. In freier Natur leben Pferde in großen Gruppen, die man »Herden« nennt. Auch unsere Hauspferde sind Herdentiere, die sich zu mehreren auf großen Weiden wohl fühlen. Pferde können gut riechen und hören. Wenn sie sich gegen ein Raubtier verteidigen müssen, treten sie mit ihren Hufen oder beißen zu. Nach einer Trächtigkeit von 12 Monaten bringen die Stuten 1 Junges zur Welt, das man »Fohlen« nennt. Es muss sofort nach der Geburt aufstehen und laufen können, damit es keinen Raubtieren zum Opfer fällt.

Das Przewalski-Pferd aus Asien.

Pinguin

Pinguine sind Meeresvögel, die nicht fliegen können. Ihre Flügel sind zu Flossen umgebildet. Dafür sind sie ausgezeichnete Schwimmer. Unter Wasser bewegen sie die Flügel auf und ab. Die Beine der Pinguine sind kurz und kräftig. Zwischen den Zehen haben sie Schwimmhäute. An Land gehen die Pinguine aufrecht und watscheln dabei ein bisschen wie Enten. Das dichte Federkleid der Pinguine ist oft zweifarbig. Die Vorderseite ist weiß und der Rücken und der Kopf sind schwarz. Pinguine leben am Südpol, aber auch an den Meeresküsten von Südamerika, Südafrika und Südaustralien. Alle Pinguine leben in Gruppen. Nach der Paarungszeit legen die Weibchen 1 Ei. Damit das Ei warm bleibt, legen sie es sich auf ihre Füße und decken es mit einer Bauchfalte zu. So tragen sie ihr Ei sogar umher. Pinguine fressen Fische, Krebse und Tintenfische. Ihre Hauptfeinde sind der Schwertwal und der Seeleopard.

Der Zügelpinguin gilt als sehr mutig.

Diese Adeliepinguine gehen gemeinsam auf Nahrungssuche.

Das bunte Pinselohrschwein lebt im afrikanischen Dschungel.

Pinselohrschwein

Das Pinselohrschwein ist ein afrikanisches Wildschwein. Es wird über 1 m lang und 60 cm hoch. Seine Eckzähne sind sehr scharf und nach oben gebogen. In der Familie der ➪ Schweine haben die Pinselohrschweine das bunteste Fell. Ihr Bauch und ihr Rücken sind rostrot, ihre Beine sind schwarz, im Gesicht haben sie ein schwarz-weißes Muster und auf dem Rücken haben sie eine weiße Längslinie. Ihren Namen haben sie daher, weil das Fell an ihren Ohrspitzen pinselartig verlängert ist. Die Weibchen bekommen meist 2 Junge. Die Kleinen haben zuerst ein ähnlich gestreiftes Fell wie die Jungen der ➪ Wildschweine. Pinselohrschweine sind bei den afrikanischen Farmern sehr unbeliebt, weil sie die Felder durchwühlen und die Ernte fressen. Diese Tiere ernähren sich von Wurzeln, Früchten und Samen. Sie fressen aber auch Nagetiere, Lurche, Schlangen und Aas.

Piranha

Über keinen anderen Fisch gibt es so viele Horrorgeschichten wie über den Piranha. Er gehört zur Familie der Sägesalmler und lebt im Amazonas in Südamerika. Er wird 30 cm groß, sein Rücken ist silbergrau und sein Bauch orange. Seine scharfen, spitzen Zähne sind in seinem offenen Maul gut zu sehen. Wahrscheinlich betreiben Piranhas Brutpflege. Das heißt, die Eier, die das Weibchen gelegt hat, werden bewacht, gereinigt, und sie bekommen frisches Wasser zugefächelt. Piranhas sind bei weitem nicht so gefährlich wie ihr Ruf. Sie fressen meist nur kranke Fische, mitunter auch ihre eigenen Artgenossen. Außerdem beseitigen die Piranhas tote Tiere, die im Wasser schwimmen. Die Eingeborenen im Amazonasgebiet schwimmen völlig sorglos in Gewässern, in denen es Piranhas gibt. Man sagt, dass Piranhas nur dann gefährlich werden, wenn man mit einer blutenden Wunde ins Wasser geht. Aber auch bei großer Trockenheit, wenn das Wasser knapp wird, sollen sie aggressiv werden.

Über die Angriffslust der Piranhas gibt es viele Horrorgeschichten. In Wirklicheit sind sie für Menschen meist ungefährlich.

Der Pirol ist ein besonders hübsch gefärbter Singvogel.

Pirol

Der Pirol ist ein bunter, 24 cm großer Singvogel, der mit den ➪ Staren verwandt ist. Das Männchen hat ein leuchtend gelbes Gefieder mit schwarzen Flügeln und einem schwarzen Schwanz. Das Weibchen ist graugrün gefärbt. Diese Vögel leben auf allen Kontinenten außer Amerika. Man sieht den Pirol sehr selten, weil er ein sehr ruhiges Leben führt und weil er sich selten am Boden oder in Büschen aufhält. Sein Lebensraum sind die oberen Etagen des Waldes. Sein Ruf klingt wie: »düdlioh«. Zur Paarungszeit bauen Pirole ihr Nest in den Baumwipfeln. Das Weibchen legt 2-5 Eier, die nach 2 Wochen ausgebrütet sind. Weitere 2 Wochen später werden die Jungen »flügge«, das bedeutet, sie verlassen das Nest. Sehr früh, bereits im August, ziehen die Pirole in den warmen Süden. Erst im Mai kehren sie zurück. Man nennt sie deshalb auch »Pfingstvögel«. Pirole fressen Insekten, Spinnen und Früchte. Ihr natürlicher Hauptfeind ist der Sperber.

Präriehund

Der Präriehund gehört zu den Erdhörnchen und ist ein Nagetier aus Nordamerika. Er ist eng verwandt mit unserem ➪ Murmeltier. Präriehunde werden 35 cm lang und über 1 kg schwer. Seinen Namen hat der Präriehund, weil er wie ein Hund bellt und in der nordamerikanischen Prärie lebt. Präriehunde bauen sich Höhlen unter der Erde. Da diese Tiere in großen Gruppen leben, entstehen aus vielen Erdhöhlen ganze Städte unter der Erde. Wenn alle anderen auf Nahrungssuche gehen, sitzen einige Präriehunde auf den Hinterbeinen und halten Wache. Die Paarungszeit ist direkt nach dem Winterschlaf. 5 Wochen nach der Paarung bringt das Präriehundweibchen 2-5 Junge zur Welt. Im Alter von 6 Wochen verlassen diese zum ersten Mal die Höhle. Präriehunde fressen Gräser, Samen und Nüsse. Ihre Feinde sind Greifvögel, Klapperschlangen und Kojoten.

Aufmerksam späht der Präriehund umher.

Puma

Obwohl er die Größe eines Leoparden hat, gehört der Puma nicht zu den Großkatzen, sondern zu den Kleinkatzen. Pumas sind rot-braun gefärbt. Ihr Körper ist sehr schlank und sie haben einen langen, abgerundeten Schwanz. Der Puma lebt in ganz Amerika. Weil er angeblich auch Haustiere tötet, wird er von den Menschen erbarmungslos gejagt. In vielen Gebieten ist er deshalb schon ausgerottet. Die jungen Pumas werden im Sommer geboren. Eine Pumamutter bringt 2–4 Junge zur Welt. Zuerst haben die Jungen ein Fell mit Tupfen und Flecken und sehen aus wie kleine Leoparden. Die Mutter zieht ihre Jungen alleine auf und die Familie bleibt 1 Jahr lang zusammen. Es gibt kaum ein Tier, das der Puma nicht als Nahrung betrachtet. Von der Maus bis zum riesigen Wapitihirsch reicht seine Speisekarte. Sogar Wölfe und junge Bären werden von ihm gefressen. Ein erwachsener Puma hat außer dem Menschen kaum Feinde. Wenn sich ein Puma und ein Jaguar begegnen, gehen sie sich aus dem Weg.

Ein Puma im Schnee.

Der Python ist eine Würgeschlange.

Python

Pythonschlangen gehören neben der südamerikanischen ➪ Anakonda zu den größten ➪ Riesenschlangen der Welt. Der indische Netzpython wird 9–10 m lang, ebenso wie der Tigerpython. Pythons leben in Afrika, Australien und Asien. Sie sind Würgeschlangen, die ihr Opfer mit ihrem kräftigen Körper umschlingen und dann erwürgen. Wenn das Opfer tot ist, schlucken sie es im Ganzen hinunter. Ein 7 m langer Python kann ein Schwein verschlingen und in einem 5 m langen Python soll man angeblich einen jungen Leoparden gefunden haben. Pythons legen Eier, um die sich das Weibchen kümmert. Dies tut es in einer Art und Weise, die in der Schlangenwelt einzigartig ist. Das Pythonweibchen wickelt die Eier in Schlingen, die es mit seinem Körper bildet, ein und legt seinen Kopf darauf. Durch Muskelbewegungen wärmt es die Eier. Es brütet sie also sozusagen aus. Pythons fressen je nach ihrer Größe Mäuse, Kleinsäuger, Vögel und Reptilien. Größere Arten fressen junge Krokodile und Wildschweine. Der australische Schwarzkopfpython jagt andere Schlangen, auch solche, die giftig sind. Wegen ihrer schön gemusterten Haut verfolgen die Menschen diese Schlange seit langem.

Qualle

Quallen gehören zur Unterabteilung der Hohltiere. Sie sind mit den ➪ Korallen verwandt. Quallen haben ein halbrundes, kugelförmiges Oberteil, an dem lange Fangarme herunterhängen. Diese Meeresbewohner bewegen sich fort, indem sie ihren halbrunden Schirm zusammen- und auseinanderziehen. Es gibt Quallen in verschiedenen Formen und Größen. Kleine Arten sind nur so groß wie 2 Handflächen, große Arten, wie die Gelbe Haarqualle, haben einen Schirmdurchmesser von über 2 m. In der Paarungszeit versammeln sich die Quallen und geben Eizellen und Spermazellen ins Wasser ab. Bald darauf entwickeln sich Larven, die sich am Boden festsetzen. Man nennt sie in dieser Phase »Polypen«. Sie bestehen aus einem Stiel und mehreren Fangarmen. Nach einiger Zeit entwickeln sich aus den Polypen wieder Quallen. Es gibt Quallen, deren Fangarme sogenanntes Nesselgift enthalten. Dieses Gift kann für den Menschen schmerzhaft sein, da es die Haut regelrecht verbrennt.

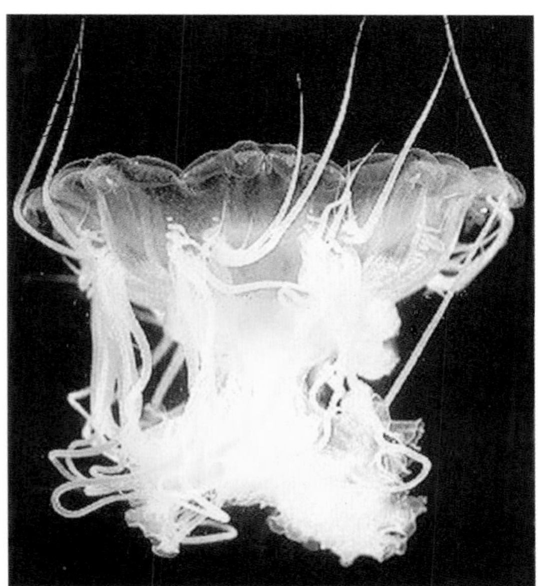

Die meisten Quallen haben Fangarme.

Das Quokka ist ein kleines Känguru, das nur noch im Südwesten Australiens vorkommt.

Quokka

Das Quokka ist ein nur 60 cm großes ➪ Känguru, das im Südwesten Australiens lebt. Es hat braunes Fell, kleine runde Ohren und kleine schwarze Augen. Seinen langen Schwanz benutzt dieses Känguru nicht als Stütze wie seine großen Verwandten, sondern schlägt ihn oft nach vorne und setzt sich darauf. Quokkas sind sehr seltene Tiere und leider vom Aussterben bedroht. Das liegt weniger daran, dass sie gejagt werden, sondern daran, dass die Menschen mit Schafen, Ziegen und Kaninchen ernste Nahrungskonkurrenten des Quokkas nach Australien brachten. Nach nur 30 Tagen Schwangerschaft bringt ein Quokkaweibchen 1 Junges zur Welt. Das winzige Junge kämpft sich nach der Geburt durch das Fell der Mutter. Wenn es den Beutel erreicht hat, saugt es sich an einer Zitze fest. Nach ungefähr 5 Monaten klettert das Kleine zum ersten Mal aus dem Beutel. Aber anfangs unternimmt es nur kurze Ausflüge. Quokkas fressen Gräser, Samen und Kräuter. Die größten natürlichen Feinde dieser Kängurus sind der Dingo und der große Keilschwanzadler.

Die Rappenantilope lebt in Afrika.

Rappenantilope

Die afrikanischen Rappenantilopen gehören zur Unterfamilie der Pferdeböcke und sind eng mit der ➪ Oryx und der ➪ Säbelantilope verwandt. Sie werden über 2 m lang, 1,4 m hoch und bis zu 300 kg schwer. Das Fell der Männchen ist schwarz mit einer weißen Zeichnung am Kopf und am Bauch. Die Weibchen sind braun. Rappenantilopen haben beeindruckende Hörner, die über 1,7 m lang werden können und nach hinten gebogen sind. Rappenantilopen leben in Gruppen oder »Rudeln«, die von einem Männchen angeführt werden. Die Paarungszeit ist nicht an eine bestimmte Jahreszeit gebunden. Die Weibchen bekommen einmal im Jahr 1 Junges. Rappenantilopen gelten als sehr wehrhaft und kampfbereit. Es kommt bei diesen Tieren relativ leicht vor, dass sie plötzlich von Flucht auf Angriff umstellen. Es ist bekannt, dass sich einzelne Rappenantilopenmännchen gegen ein ganzes Löwenrudel oder Leoparden behaupten können.

Ratte

Ratten sind Nagetiere aus der Familie der Mäuseartigen. Am bekanntesten bei uns in Deutschland sind die Hausratte und die Wanderratte. Beide Arten werden 30 cm lang. Ihr Schwanz ist lang und unbehaart, ihre Ohren sind rund. Die ursprüngliche Heimat der Ratte ist Südasien, aber sie hat sich schnell über die ganze Erde ausgebreitet. Ratten leben in der Nähe der Menschen und wohnen in Kellerräumen, Abwasserkanälen, unterirdischen Höhlen, Müllplätzen und Holzstößen. Nach einer Trächtigkeit von nur 22 Tagen bringt das Rattenweibchen 6-12 Junge zur Welt. Diese Jungen sind schon nach 22 weiteren Tagen erwachsen. Wanderratten sind Allesfresser. Sie jagen Fische, Mäuse und sogar Geflügel, fressen aber auch Küchenabfälle. Der Mensch verfolgt die Ratte mit allen Mitteln. Sie ist gefürchtet, weil sie die gefährlichen Krankheiten Pest und Tollwut überträgt. Auf dem Land hat die Ratte viele natürliche Feinde. In den Großstädten ist ihr natürlicher Hauptfeind allerdings nicht die Katze, sondern der Steinmarder.

Ratten sind Überlebenskünstler, die viele Lebensräume erobert haben.

Ein Raubwürger füttert seine Jungen.

Raubwürger

Die Würger sind eine Familie der Singvögel. Einer der bekanntesten Würger ist der 15 cm große Raubwürger. Er hat einen schwarzen, nach unten gebogenen Schnabel und schwarze Beine. Sein Gefieder ist am Rücken grau und am Bauch weiß. Die Flügel und der Schwanz sind schwarz, und über seine Augen zieht ein schwarzer Streifen. Ihr Nest bauen die Raubwürger meist in Büschen oder Hecken. Dabei beschafft das Männchen das Nistmaterial, und das Weibchen baut das Nest. Das Ausbrüten der 5-6 Eier ist alleinige Aufgabe der Mutter. Wenn nach 2 Wochen die Jungen geschlüpft sind, werden sie von beiden Eltern gefüttert. Die Singvogelfamilie der Würger zeigt ein beinahe raubvogelartiges Jagdverhalten. Sie jagen nicht etwa nur Insekten, sondern auch kleine Wirbeltiere. Sie fressen Mäuse, Eidechsen, Frösche, Blindschleichen und sogar kleine Vögel. Wenn sie ein Tier erbeutet haben, klemmen sie es zwischen eine Astgabel oder spießen es an einem Dorn oder einem Stacheldraht auf. Wahrscheinlich tun sie das, um die Beute besser auseinanderpflücken zu können.

Rebhuhn

Rebhühner gehören zur Unterfamilie der ➪ Feldhühner. Sie sind eng mit den Wachteln verwandt. Diese taubengroßen Rebhühner haben ein graues Gefieder mit rot-braunen Sprenkeln. Auf der Brust haben sie einen schwarzen Fleck, ihr Kopf ist hellbraun. Rebhühner leben in Europa und in Westasien. Ihren Namen haben sie, weil ihr Ruf wie »rep rep rep« klingt. Rebhühner leben in kleinen Gruppen auf Wiesen, Äckern und Feldern. Im Frühjahr ist die Paarungszeit dieser Feldhühner. Das Weibchen scharrt unter einem Busch eine Mulde in den Boden. Hier legt es 10-20 Eier, die es alleine ausbrütet. Nach 25 Tagen schlüpfen die Jungen. Rebhühner fressen Samen, Körner, Früchte, aber auch Insekten, Spinnen und Würmer. Ihre natürlichen Feinde sind der Iltis, das Hermelin, der Fuchs, der Habicht und andere Greifvögel. Durch die intensive Landwirtschaft sind die Bestände der Rebhühner zurückgegangen.

Das Rebhuhn hat viele Feinde.

Reh

Das Reh gehört zur Unterfamilie der Trughirsche und ist eng mit dem amerikanischen Weißwedelhirsch verwandt. Es wird 1,4 m lang und 90 cm hoch. Rehe haben große Augen, lange Ohren und sehr schlanke Beine. Nur das Männchen, das auch »Rehbock« genannt wird, hat ein Geweih. Dieser Kopfschmuck besteht aus einer Stange mit drei Spitzen. Der Jäger nennt das Geweih des Rehbocks »Gehörn«. Das Reh ist in Europa die häufigste Hirschart. Es kommt von der Atlantikküste bis zur Ostküste Asiens vor. Die Paarungszeit der Rehe nennt man »Brunft«. Sie dauert von Juli bis August. Die Jungen dieser Hirschart werden »Kitze« genannt. Diese werden im Mai des folgenden Jahres geboren. In den ersten Tagen seines Lebens liegt das Rehkitz bewegungslos im hohen Gras. Die Mutter sucht es in diesem Versteck nur auf, um es zu säugen. Die natürlichen Feinde des Rehs sind der Wolf und der Bär. Beide Tiere sind jedoch in unseren Wäldern schon lange ausgerottet. Deshalb ist heute der Mensch der einzige Feind des Rehs.

Rehe sind sehr scheue Tiere.

Der Graureiher lebt in Europa.

Reiher

Die Reiher gehören zu den Stelzvögeln und sind eng mit dem Ibis und dem ➪ Storch verwandt. Sie sind über die gesamte Erde verbreitet. Der bekannteste Reiher ist der Graureiher. Er ist 1,6 m groß, hat gelbe Beine, einen gelben Schnabel und graue Flügel. Sein Hals und sein Bauch sind hellgrau. An der Vorderseite seines Halses und über seinen Augen hat er einen schwarzen Streifen. Am Hinterkopf trägt er verlängerte Federn. Wenn der Reiher fliegt, klappt er seinen Hals s-förmig zusammen. Im Flug erkennt man den Graureiher gut an seinen mächtigen, nach unten gebogenen Flügeln. Reiher brüten in Kolonien von mehreren Vögeln. Das Weibchen legt 2-5 Eier. Beide Eltern wechseln sich mit dem Brüten ab. Im Alter von 2 Monaten verlassen die Jungreiher die Kolonie. Früher wurden die Graureiher gejagt, weil man sie für Fischereischädlinge hielt. Heute ist der Reiher geschützt und man weiß, dass er nur kleine Oberflächenfische, Kröten, Frösche, Mäuse und Insektenlarven frisst.

Ren

Das Ren gehört zur Familie der ➪ Hirsche. Mit einer Länge von 2 m, einer Höhe von 1,5 m und 300 kg Gewicht ist es so groß wie ein Pferd. Rentiere sind in den nördlichen Gebieten der Erde zu Hause. Der besondere Unterschied zwischen ihnen und allen anderen Hirschen ist, dass bei den Rentieren nicht nur die Männchen, sondern auch die Weibchen ein Geweih haben. Das »Geweih« ist die Krone der Hirsche. Im Spätherbst werfen die Rentiere diesen Kopfschmuck ab. Im nächsten Frühjahr wächst das Geweih von neuem und ist zur Paarungszeit voll ausgebildet. Das europäische Ren wird als Haustier gehalten. In Kanada heißt das Ren »Karibu«. Die Paarungszeit dieser Hirsche ist zwischen August und November. Die Weibchen bringen meist 1 Junges zur Welt. Die kanadischen Karibus sind stark vom Aussterben bedroht, weil sie von Menschen gejagt und zu tausenden abgeschossen wurden. Einige Indianer- und Eskimostämme lebten von diesen Hirschen und mussten hungern, als die Wanderzüge der Karibus ausblieben. Die natürlichen Feinde des Karibus sind der Grislibär und der Wolf.

Im Frühjahr ist das große Geweih der Karibus noch nicht voll entwickelt.

Rennmäuse schlafen am Tag.

Rennmaus

Rennmäuse sind Nagetiere, die den Ratten ähnlich sehen. Sie werden ungefähr 13 cm lang, größere Arten auch bis 20 cm. Ihr Fell ist goldbraun und ihr Bauch ist weiß. Sie haben große schwarze Augen und auch relativ große Ohren. Die Hinterbeine der Rennmäuse sind länger als ihre Vorderbeine. Diese Tiere leben in ganz Afrika und in Südwestasien. Rennmäuse graben lange Gänge unter der Erde. Tagsüber schlafen sie in ihrer Höhle. Damit in dieser Zeit kein Feind eindringt, verschließen sie den Ausgang mit Erde. Rennmäuse sind meistens in der Nacht unterwegs und suchen nach Nahrung. Wenn sie vor einem Räuber fliehen müssen, hüpfen sie auf den Hinterbeinen wie Kängurus. Die Paarungszeit dieser Nager dauert das ganze Jahr über. Nach einer Trächtigkeit von 3 Wochen bringt die Mutter in einer unterirdischen Höhle 3–7 Junge zur Welt. Rennmäuse fressen Gräser, Körner und Samen. Gelegentlich erbeuten sie aber auch eine Heuschrecke. Ihre Feinde sind Füchse, Iltisse und Eulen. Rennmäuse werden immer häufiger als Haustiere gehalten. Sie sind allerdings, wie ihr Name schon sagt, sehr bewegungsfreudig und brauchen deshalb viel Platz.

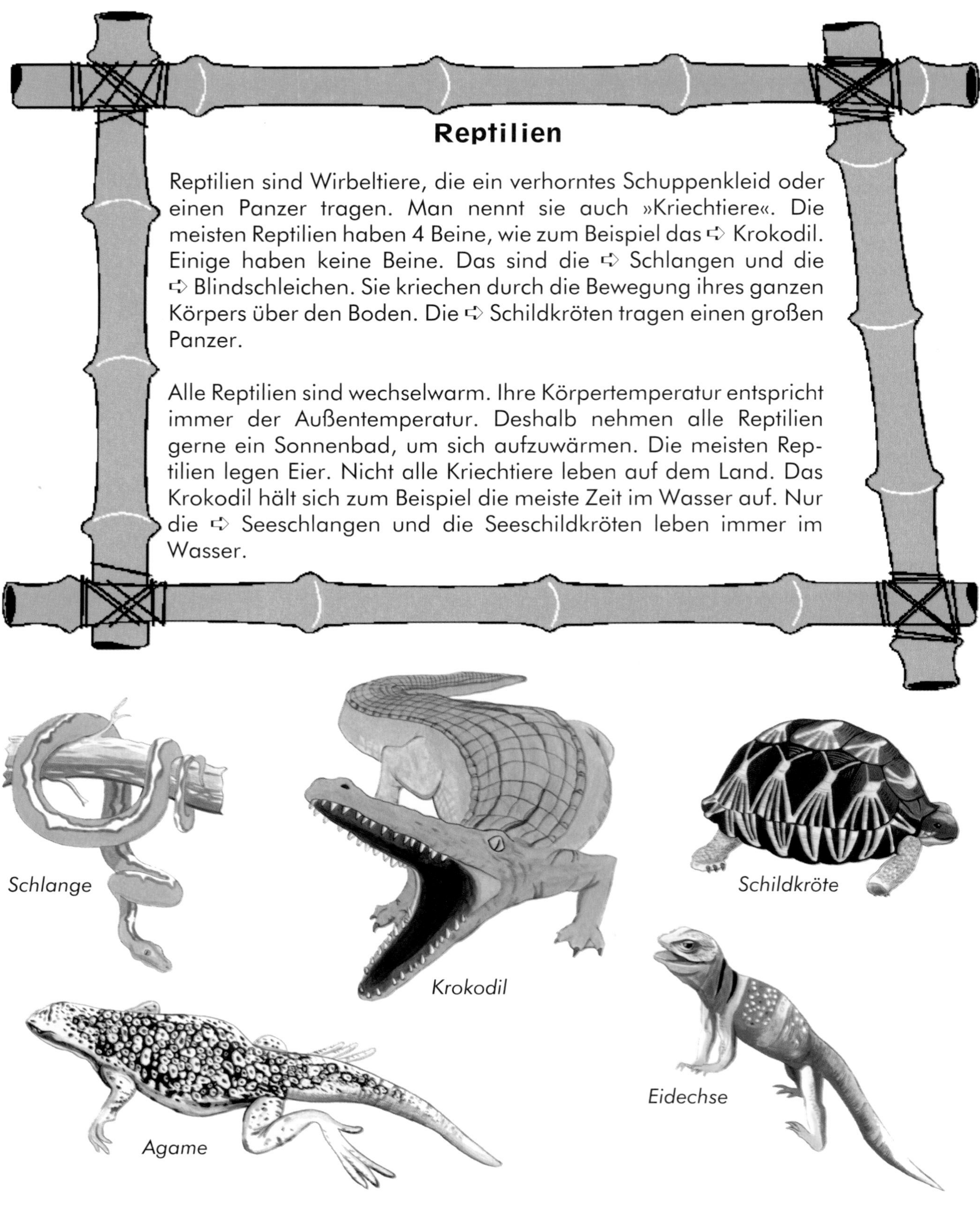

Reptilien

Reptilien sind Wirbeltiere, die ein verhorntes Schuppenkleid oder einen Panzer tragen. Man nennt sie auch »Kriechtiere«. Die meisten Reptilien haben 4 Beine, wie zum Beispiel das ➪ Krokodil. Einige haben keine Beine. Das sind die ➪ Schlangen und die ➪ Blindschleichen. Sie kriechen durch die Bewegung ihres ganzen Körpers über den Boden. Die ➪ Schildkröten tragen einen großen Panzer.

Alle Reptilien sind wechselwarm. Ihre Körpertemperatur entspricht immer der Außentemperatur. Deshalb nehmen alle Reptilien gerne ein Sonnenbad, um sich aufzuwärmen. Die meisten Reptilien legen Eier. Nicht alle Kriechtiere leben auf dem Land. Das Krokodil hält sich zum Beispiel die meiste Zeit im Wasser auf. Nur die ➪ Seeschlangen und die Seeschildkröten leben immer im Wasser.

Riesenschildkröte

Die Riesenschildkröte ist die größte Vertreterin aus der Familie der Landschildkröten. Ihr hoch gewölbter Panzer erreicht eine Länge von 1,2 m. Sie lebt auf den Galapagosinseln und den Seychellen. Riesenschildkröten sind friedliche Pflanzenfresser und werden sehr alt. Eine Riesenschildkröte wurde einmal in einem Zoo 152 Jahre alt! Alle Landschildkröten legen Eier. Diese Eier werden im Sand vergraben und durch die Wärme des Sandes ausgebrütet. Früher gab es sehr viele Riesenschildkröten. Die Seefahrer erzählten, dass so viele Riesenschildkröten auf den Galapagosinseln lebten, dass man auf ihren Rücken lange Strecken laufen konnte, ohne den Boden zu berühren. Mit den Menschen kamen aber auch Ratten, Hunde und Schweine auf die Inseln. Diese Tiere und Jäger haben die Riesenschildkröten so gut wie ausgerottet. Vor allem die Ratten sind sehr gefährlich für die großen Schildkröten, weil sie deren Eier ausgraben und fressen. Da es im Zoo kaum gelingt, die Riesenschildkröten zu vermehren, ist das Weiterbestehen dieser Art in großer Gefahr.

Die Riesenschildkröten leben auf den Galapagosinseln.

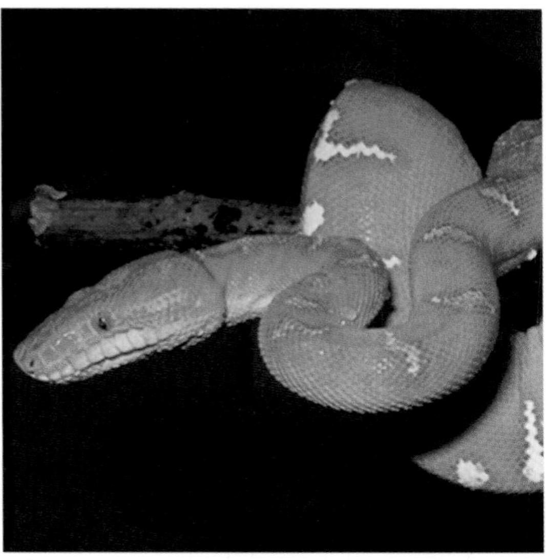

Riesenschlangen umschlingen ihre Beute und erwürgen sie. Man nennt sie auch »Würgeschlangen«.

Riesenschlange

Die Riesenschlangen sind eine Familie aus der Unterordnung der ➪ Schlangen. Die größten Schlangen der Welt stammen aus dieser Familie. Die Anakonda und der Netzpython werden beide bis zu 10 m lang. Kleinere Arten der Riesenschlangen leben meist in den Bäumen und machen Jagd auf Vögel. Die großen Schlangen halten sich auf dem Boden und oft in der Nähe von Wasser auf. Alle Riesenschlangen umschlingen und erwürgen ihre Beute. Danach verschlingen sie sie auf einmal. Nicht alle Riesenschlangen legen Eier. Zum Beispiel die Anakonda und die Boa constrictor, die man auch ➪ Abgottschlange nennt, bringen lebende Junge zur Welt. Pythonschlangen legen Eier, und vom großen Netzpython weiß man, dass er seine Eier mit dem Körper umwickelt und so bewacht. Leider sind die Riesenschlangen selten geworden. Aus der Schlangenhaut werden teure Handtaschen und Schuhe hergestellt.

Rinder sind wichtige Nutztiere. Hier eine Kuh mit ihrem Kalb.

Rind

Rinder gehören zur Familie der Hornträger. Sie sind Pflanzenfresser, die vier Mägen haben und ihr Futter mehrmals wieder hochwürgen, noch einmal kauen und hinunterschlucken. Tiere, die sich so ernähren, nennt man Wiederkäuer. Rinder sehen nicht sehr gut, dafür können sie gut hören und riechen. Männliche Rinder nennt man »Bulle« oder »Stier«. Das Weibchen heißt »Kuh« und das Junge »Kalb«. Die Kühe bekommen einmal im Jahr 1 Kalb. Unsere Hausrinder stammen von einem Wildrind ab, das früher in Europa lebte, dem Auerochsen. Der Auerochse ist heute ausgestorben. Das größte Rind der Welt ist der 2 m hohe Wisent. Er lebt in Osteuropa und ist stark vom Aussterben bedroht. Das nordamerikanische Wildrind ist der Bison. In Afrika lebt der wilde Kaffernbüffel und in Asien der Wasserbüffel.

Ringelnatter

Die meisten ➪ Schlangen der Welt gehören zur Familie der Nattern. Die bekannteste Natter bei uns ist die Ringelnatter. Ihren Namen hat sie daher, weil sie am Hinterkopf 2 halbmondförmige, gelbe Flecken hat, die beide gemeinsam wie ein Ring aussehen. Die Ringelnatter lebt in ganz Europa und Nordafrika. Sie jagt gerne in der Nähe von Teichen. Ringelnattern sind ausgezeichnete Schwimmer. Im Winter hält die Ringelnatter Winterschlaf in Komposthaufen und tiefen Felsspalten. Im Mai ist die Paarungszeit der Ringelnattern. Das Weibchen legt seine Eier in Komposthaufen, im Moos oder unter Wurzeln ab. Die Jungen sind, wenn sie schlüpfen, 15–18 cm lang. Sie sind sofort nach dem Schlüpfen selbstständig und jagen Kaulquappen, kleine Frösche und kleine Fische. Erwachsene Ringelnattern werden 1,5 m lang. Diese Schlangen sind nicht giftig und für den Menschen harmlos. Ihre Nahrung sind Frösche, Kröten, Salamander, Eidechsen und kleine Fische. Die Feinde der Ringelnatter sind Iltisse, Störche, Reiher, Greifvögel und Igel. Durch den Verlust ihres Lebensraumes wird die Ringelnatter bei uns immer seltener.

Ringelnattern haben am Hinterkopf 2 halbmondförmige gelbe Flecken.

Robben sind ausgezeichnet an das Leben im Wasser angepasst.

Robbe

Robben gehören der Ordnung der Raubtiere an. Sie sind Wasserraubtiere, die an das Leben im Wasser gut angepasst sind. Ihre Beine sind zu Flossen umgewandelt. Alle Robben sind ausgezeichnete Schwimmer. An Land bewegen sie sich eher schwerfällig. Die größte Robbe ist der ➪ Seeelefant. Er wird 6,5 m lang und 3600 kg schwer. Auch das Walross, das in nördlichen Gewässern lebt, wird recht groß. Weitere bekannte Robben sind der ➪ Seehund, der ➪ Seelöwe und der ➪ Seebär. Zur Paarung sammeln sich die Robben in großen Kolonien an der Küste. Diesen Moment nutzen Robbenfänger aus, die die Robben wegen ihres Pelzes jagen. Durch die Robbenjagd sind viele Arten vom Aussterben bedroht. So lange die Menschen noch Robbenpelzmäntel kaufen, so lange werden diese zutraulichen Tiere zu tausenden getötet.

Viele Robben leben hoch im Norden.

Rochen

Rochen sind eine Ordnung der Knorpelfische und sind eng mit den ➪ Haien verwandt. Rochen sind flache Fische mit einem langen Schwanz. Sie sehen aus wie eine runde Scheibe. Das Maul ist auf der Unterseite, die Augen liegen oben. Viele Rochen sind Bodenbewohner, die dicht über dem Grund schwimmen. Die meisten Arten leben im Meer, einige wenige sind Süßwasserfische. Der größte Rochen ist der Riesenmanta. Er wird 7 m breit. Viele Rochen sind lebendgebärend. Das bedeutet, dass sie keine Eier legen, die erst bebrütet werden müssen, sondern direkt lebende Junge zur Welt bringen. Die Jungen sind bereits voll ausgebildet und müssen sich sofort nach der Geburt um sich selbst kümmern. Eine besondere Rochenfamilie, die Stachelrochen, haben an ihrem Schwanz einen giftigen Stachel, mit dem sie sich gegen Angreifer verteidigen. Der Zitterrochen kann unter Wasser elektrische Schläge abgeben. Mit diesen Schlägen versetzen die Zitterrochen ihren Beutefischen einen Schock und fressen sie dann. Auch Angreifer werden mit dieser elektrischen Waffe abgewehrt.

Viele Rochen sind Bodenbewohner. Sie suchen am Meeresgrund nach Nahrung.

Eine Rohrdommel in typischer Haltung.

Rohrdommel

Die Rohrdommel gehört zur Familie der Reiher. Sie wird 40 cm groß. Ihr Gefieder ist braun. Am Kopf hat sie schwarze Federn, die zu einem Schopf verlängert sind. Rohrdommeln haben einen spitzen Schnabel und große Füße. Die Paarungszeit dieser Vögel ist im Mai. Das Nest wird an Teichufern im Schilf vom Weibchen gebaut. Oft haben mehrere Weibchen ihre Nester dicht beieinander. Alle diese Weibchen paaren sich mit demselben Männchen. Rohrdommeln legen 5-6 Eier, aus denen nach 25 Tagen die Jungen schlüpfen. Diese Vögel haben einen Trick, mit dem sie sich im Schilf fast unsichtbar machen können: Sie stellen sich hin und strecken ihren Schnabel nach oben. So sind sie zwischen den Schilfstängeln kaum zu sehen. Wenn der Wind durch das Schilf weht, bewegen sie sich schwankend hin und her. Ihre Nahrung sind Frösche und Fische.

Rotkehlchen

Das Rotkehlchen stammt aus der Unterfamilie der Drosseln. Es ist eng verwandt mit der ➪ Nachtigall. Rotkehlchen werden 13 cm groß. Sie haben ihren Namen wegen ihrer rötlichen Brust. Diese Singvögel leben in ganz Europa und im Westen Asiens. Sie wohnen in Wäldern, Gärten und Parkanlagen. Der Gesang des Rotkehlchens ist laut und hat eine schöne Melodie. Das Nest wird bei den Rotkehlchen vom Weibchen gebaut. Der Nistplatz liegt unter Wurzeln, Baumstümpfen, an Böschungen oder in Mauerlöchern. Man hat Rotkehlchennester auch schon in Mauselöchern gefunden. Die Eier sind weiß mit braunen Tupfen. Die Jungen verlassen die Eltern schon nach 4 Wochen. Rotkehlchen fressen Insekten, Larven und Würmer.

Der Rotschwanzbussard ist ein erfolgreicher Jäger.

Rotkehlchen sind sehr hübsche Singvögel aus der Familie der Drosseln. Sie kommen in Europa und Asien vor.

Rotschwanzbussard

Der nordamerikanische Rotschwanzbussard ist ein enger Verwandter unseres ➪ Mäusebussards. Er ist allerdings etwas größer und schwerer als sein europäischer Bruder. Er hat am Bauch ein hellbraunes Gefieder. Sein Rücken und seine Flügel sind dunkelbraun. Der rote Schwanz gab diesem Bussard seinen Namen. In Nordamerika ist der Rotschwanzbussard der häufigste Greifvogel. Die Brutzeit dieser Vögel ist im Frühjahr. Ihr Nest bauen sie meist hoch oben auf einem Baum. Das Weibchen legt 2-4 Eier, aus denen nach 1 Monat Bebrütung die Jungen schlüpfen. Der Rotschwanzbussard ist beim Beutefang vielseitiger als der Mäusebussard, weil er nicht nur über der Erde kreisend nach Nagetieren Ausschau hält, sondern auch als gewandter, schneller Flieger andere Vögel, zum Beispiel Feldhühner, ergreift. Ansonsten jagt er Nagetiere, Kaninchen, Schlangen, Eidechsen, Frösche, Fische und Insekten.

Säbelantilope

Die Säbelantilope gehört zur Gattung der Spießböcke. Sie ist eine große ➪ Antilope, die 2,3 m lang und 1,4 m hoch wird. Ihre nächsten Verwandten sind die Weiße Oryx und der nordafrikanische Spießbock. Bei ihren Verwandten sind die Hörner gerade und spitz. Bei der Säbelantilope sind sie nach hinten gebogen und sehen aus wie ein Säbel. Diese Antilope ist weiß mit einem rötlichen Hals und schwarzen Flecken im Gesicht. Sie lebt in der Sahara. Säbelantilopen sind an die Hitze in der Wüste gut angepasst: Sie können einige Monate ohne Wasser auskommen. Säbelantilopen haben keine festgelegte Paarungszeit. Wenn die Weibchen trächtig sind, bekommen sie meist 1 Junges. Wie alle Spießböcke ist auch die Säbelantilope vom Aussterben bedroht. Sie wird in ihrer Heimat von den Menschen gejagt. Man schießt sie dort von Autos und Hubschraubern aus. Es ist klar, dass diese Antilope in der kargen Wüstenlandschaft nur wenig Möglichkeiten hat, sich zu verstecken.

Die gebogenen Hörner sind typisch für diese Antilope.

Säbelantilopen sind sehr elegante Bewohner der afrikanischen Sahara.

Im April und im Mai kommen in den Schafherden die Lämmer zur Welt.

Schaf

Schafe und Ziegen sind eng miteinander verwandt. Man fasst sie in der Gattungsgruppe der Böcke zusammen. Es gibt Wildschafe, wie zum Beispiel das ➪ Mufflon und Hausschafe. Unsere Hausschafe stammen von den Wildschafen ab. Schafe werden von den Menschen gehalten, weil sie Wolle, Milch und Fleisch liefern. Sie werden 90 cm hoch und 50 kg schwer. Nach einer Trächtigkeit von 5 Monaten bringt das Weibchen 1-4 Junge zur Welt. Diese Jungen heißen »Lämmer«. Schafe fressen Gras und werden in Deutschland in großen Herden von einer Wiese zur nächsten geführt. »Herde« nennt man eine Gruppe von Schafen. Ein Schäfer kümmert sich um die Herde. Seine Arbeit unterstützen meist Schäferhunde.

Schafe werden von Wiese zu Wiese geführt.

Eine Schakalmutter mit ihrem Jungen. Diese Wildhunde leben in Afrika, Asien und Südeuropa.

Schakal

Schakale gehören zur Familie der Hundeartigen. Es sind Wildhunde, die in Südeuropa, Asien und Afrika leben. Sie werden 85 cm lang und 50 cm hoch. Ihr Fell ist grau-braun. Der Schabrackenschakal hat zusätzlich einen schwarzen Rücken. Diese Wildhunde gelten als sehr schlau. Zwischen Januar und März ist die Paarungszeit der Schakale. Ein Pärchen bleibt für immer zusammen. Die Trächtigkeit dauert bei Schakalen 63 Tage. Also genau so lange wie bei allen ⇨ Hunden. Es kommen danach 3-8 Junge auf die Welt. Schakale sind Allesfresser. Das bedeutet, dass sie pflanzliche und fleischliche Nahrung zu sich nehmen. Die Fleischnahrung reicht von Insekten, Mäusen und Ratten bis zu größeren Wirbeltieren wie Schafen und Antilopen. Sie fressen aber auch Aas und in der Nähe der Menschen auch Abfälle. Die Feinde des Schakals sind in Asien der Wolf und der Tiger, in Afrika der Löwe und der Leopard. Schakale werden vom Menschen als angebliche Schädlinge verfolgt. Der Äthiopische Schakal ist deshalb sogar vom Aussterben bedroht.

Schermaus

Die Schermaus ist eine Wühlmaus, die in ganz Europa und in großen Teilen Asiens zu Hause ist. Sie wird 19 cm groß, hat schwarz glänzendes Fell und einen runden Kopf mit kleinen Augen und Ohren. Schermäuse bauen Höhlen und Gänge unter der Erde. Die Paarung dieser Nagetiere dauert den ganzen Sommer. Das Weibchen baut vor der Geburt der Jungen ein unterirdisches weiches Nest aus Gras. Nach der Trächtigkeit von 3 Wochen kommen 2-8 Junge zur Welt. Die Jungtiere entwickeln sich schnell und sind schon nach 4 Wochen selbstständig. Schermäuse ernähren sich von Wurzeln und Knollen, die sie unter der Erde finden. Dadurch machen sie sich bei Gärtnern unbeliebt und gelten als Pflanzenschädlinge. Schermäuse fressen auch Feldfrüchte und Gemüse. Ihre Feinde sind Greifvögel, Käuze und Marder.

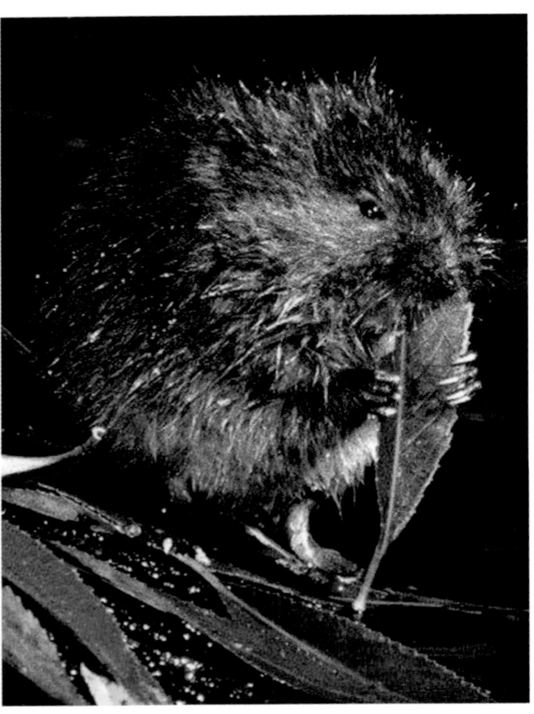

Schermäuse sind Pflanzenfresser.

Die Meeresschildkröte lebt im Meer.

Dies ist eine Landschildkröte.

Schildkröte

Schildkröten sind ➪ Reptilien mit einem Panzer. Die Landschildkröten haben einen gewölbten Panzer und sind Pflanzenfresser. Die ➪ Riesenschildkröte ist eine Landschildkröte. Die Wasserschildkröten haben flache Panzer und lange Krallen an den Füßen. Sie sind Fleischfresser, die in Sümpfen und Teichen Jagd auf Lurche und Fische machen. Alle Schildkröten legen Eier, die sie vergraben. Die Meeresschildkröten haben Flossen statt der Füße. Sie leben ausschließlich im Meer und kommen nur an Land, um ihre Eier abzulegen. Dazu kriechen sie auf einen Strand. Die Jungen, die aus den Eiern schlüpfen, schaufeln sich frei und krabbeln schnell ins Meer. Einige Schildkrötenarten sind vom Aussterben bedroht. Besonders sind davon die Meeresschildkröten betroffen. Sie werden von Menschen gefangen und zu Schildkrötensuppe verarbeitet.

Schimpanse

Der Schimpanse gehört zu den ➪ Menschenaffen. Er ist mit dem ➪ Gorilla und dem ➪ Orang-Utan verwandt. Schimpansen leben in Gruppen in Zentralafrika. Sie sind zwar sehr gute Kletterer, verbringen aber die meiste Zeit auf dem Boden. Die Trächtigkeit der Schimpansen dauert 8 Monate. Meist kommt nur 1 Junges zur Welt, selten 2. Die Jungen werden 2–3 Jahre lang von der Mutter gesäugt. Die Kinder bleiben in der Regel 5 Jahre bei ihrer Mutter. Der natürliche Hauptfeind der Schimpansen ist der Leopard. Um sich gegen ihn zu wehren, werfen sie mit Steinen oder schlagen mit Stöcken nach ihm. Schimpansen sind Allesfresser. Sie sind sehr intelligent. In Gefangenschaft können sie nach einiger Zeit Worte verstehen. Sie lernen sogar die Zeichensprache der Gehörlosen. Schimpansen werden immer noch wegen ihres Fleisches verfolgt, aber auch, um ihre Jungtiere an Zoos zu verkaufen. Sie sind vom Aussterben bedroht.

Schimpansen verständigen sich durch Gesten und Laute. Dieser hier droht.

Schlange

Schlangen sind ➪ Reptilien, bei denen die Beine zurückgebildet sind. Deshalb müssen sie sich kriechend vorwärts bewegen. Man sagt auch, sie »schlängeln«. Schlangen haben keine Ohren. Sie sind also taub. Außerdem haben sie keine Augenlider. Sie können also ihre Augen nicht schließen. Die Schlangenhaut ist nicht feucht, sondern trocken und mit Schuppen bedeckt. Gelegentlich häuten sich Schlangen. Das bedeutet, dass sie ihre alte Haut abstreifen. Darunter hat sich dann aber bereits eine neue Haut gebildet. Viele Schlangen legen Eier. Nur manche Arten bringen lebende Junge zur Welt. Die jungen Schlangen gehen direkt nach ihrer Geburt oder nachdem sie aus dem Ei geschlüpft sind ihren eigenen Weg und suchen sofort nach Nahrung. Man unterscheidet ➪ Gift- und ➪ Riesenschlangen.

Schlangen passen sich an schwierige Lebensräume an. Sie können auch im heißen Wüstensand überleben.

Die Ginsterkatze jagt in der Nacht.

Schleichkatze

Schleichkatzen sind eine Raubtierfamilie. Sie sehen ein bisschen wie Marder aus. Ihr Körper ist lang gestreckt und ihre Beine kurz. Der Schwanz der Schleichkatzen ist lang und buschig behaart. Manche Arten sind klein wie ein Wiesel, andere werden so groß wie ein Fuchs. Schleichkatzen sind sehr vielseitige Jäger. Sie können klettern und schwimmen. Die meisten Schleichkatzen leben in Afrika und Südasien. Nur eine Art, die Ginsterkatze, kommt auch in Europa vor. Sie wird 50 cm lang und hat ein gelbes Fell mit schwarzen Tupfen. Die Paarungszeit der Ginsterkatze ist im März und im August. Nach 4 Monaten Trächtigkeit werden die Jungen nur von der Mutter betreut. Die Nahrung der Schleichkatzen sind Mäuse, Ratten und Vögel. Einige Schleichkatzen, die in der Nähe von Gewässern leben, fressen Fische, Frösche und Kröten. Eine weitere bekannte Schleichkatze ist der ➪ Mungo. Nahe Verwandte der Schleichkatzen sind die ➪ Hyänen.

Schmetterling

Schmetterlinge sind eine Ordnung aus der Klasse der Insekten. Sie haben große, fächerförmige Flügel. Es gibt Nachtfalter, die in der Nacht unterwegs sind, und Tagfalter, die bei Tag umherfliegen. Unter den Tagfaltern gibt es einige sehr bunte Schmetterlinge. Die kleinsten Arten sind die Zwergmotten. Sie haben eine Flügelspannweite von nur 2 mm. Der größte Schmetterling ist der südamerikanische Eulenfalter. Die Spannweite dieses Tieres beträgt 32 cm. Schmetterlinge machen in ihrer Entwicklung eine Metamorphose durch. Das bedeutet, dass aus den Schmetterlingseiern nicht sofort fertige Schmetterlinge ausschlüpfen, sondern erst eine Zwischenform entsteht: die Raupe. Die meisten Raupen ernähren sich von Blättern. Nach einiger Zeit baut die Raupe eine feste Hülle um sich herum. Diese Hülle nennt man »Kokon«. Erst in diesem Kokon kann sich die Raupe zu einem Schmetterling entwickeln. Dieser schlüpft schließlich aus seiner Hülle und fliegt davon. Schmetterlinge ernähren sich übrigens von Blütennektar.

Dieser Schmetterling heißt Schwalbenschwanz.

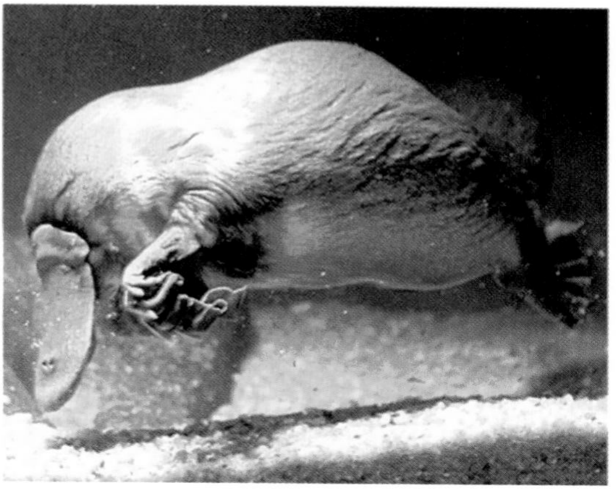

Das Schnabeltier ist ein ausgezeichneter Schwimmer und Taucher. Es sucht im Wasser nach Würmern und Krebsen.

Schnabeltier

Das Schnabeltier gehört zur Ordnung der Kloakentiere. Diese Tiere weisen bei der Fortpflanzung eine Besonderheit auf: Sie legen Eier und die daraus schlüpfenden Jungen werden von der Mutter gesäugt. Wissenschaftler glauben, dass sie eine Zwischenstufe in der Entwicklung vom Reptil zum Säugetier darstellen. Sie legen Eier wie ➪ Reptilien und säugen ihre Jungen wie Säugetiere. Das Schnabeltier ist 45 cm lang, hat braunes, dichtes Fell und einen behaarten Ruderschwanz. An Stelle eines Mauls wächst dem Schnabeltier ein Hornschnabel, der wie ein Entenschnabel aussieht. An den Zehen hat es Krallen und Schwimmhäute. Schnabeltiere sehen aus wie Biber mit einem Schnabel. Das Weibchen legt 2 Eier in einer selbst gegrabenen Höhle. Die Eier sind so klein wie Spatzeneier. Nach 10 Tagen schlüpfen die Jungen. Schnabeltiere fressen Würmer und Krebse, die sie im weichen Schlamm am Boden von Teichen finden. Natürliche Feinde haben sie kaum und sie werden auch nicht vom Menschen bedroht, weil sie weder einen wertvollen Pelz noch genießbares Fleisch haben.

Die Schneeeule lebt im Norden.

Schneeeule

Zu den stärksten und kräftigsten Eulen gehört die Schneeeule. Mit einer Größe von über 60 cm und 2 kg Gewicht ist sie fast so massig wie der ➪ Uhu. Sie hat ein weißes Gefieder mit dunklen Querbändern über der Brust. Zum Schutz gegen die Kälte sind auch ihre Beine und die Krallen weiß befiedert. Ihre weiße Farbe macht die Schneeeule im ewigen Eis beinahe unsichtbar. Im Gegensatz zu vielen ihrer Verwandten ist sie deshalb am Tage unterwegs. Schneeeulen brüten im Frühjahr. Das Weibchen scharrt eine Mulde in den Boden und legt seine Eier hinein. Wie viele Eier das Weibchen legt, hängt davon ab, wie viel Futter es gibt. Schneeeulen fressen Lemminge, Schneehasen und Schneehühner. Wenn es viele Lemminge gibt, legen die Eulenweibchen 7-9 Eier. In ganz schlechten Jahren brüten die weißen Jäger überhaupt nicht.

Schneehase

Der Schneehase lebt in den nordischen Gebieten der Erde. Er ist ein naher Verwandter unseres Feldhasen. Es kann sogar passieren, dass sich Schneehasen und Feldhasen paaren. Schneehasen haben im Winter ein rein weißes Fell. Im Sommer ist es rot-braun. Allerdings kommt es auch vor, dass dieser Hase sein Fell überhaupt nicht wechselt. Im ewigen Eis der Arktis bleibt er immer weiß. Dadurch ist er im Schnee stets gut getarnt und so vor seinen Feinden geschützt. Seine Ohrspitzen sind jedoch schwarz wie bei unserem Hasen. Die Paarungszeit der Schneehasen dauert einen Sommer lang. Nach einer Trächtigkeit von ungefähr 50 Tagen bringt die Häsin 6-8 Junge zur Welt. Im Unterschied zu unserem Feldhasen graben sich die Schneehasen eine Höhle, in der sie ihre Jungen gebären. Im Sommer frisst der Schneehase Kräuter, Gräser und Beeren. Im Winter muss er sich mit Zweigen und Rinde zufrieden geben. Seine natürlichen Feinde sind vor allem Wölfe, Schneeeulen, Adler und Eisfüchse.

Der Schneehase ist durch sein weißes Fell in seinem Lebensraum gut getarnt.

Ein Schneehuhn im Sommerkleid.

Schneehuhn

Schneehühner sind eine Gattung aus der Unterfamilie der Raufußhühner. Das Alpenschneehuhn ist auch in Europa heimisch. Es wird etwas größer als eine Taube. Im Winter sind die Federn des Alpenschneehuhns weiß und im Sommer braun. Nur die Schwanzfedern bleiben immer schwarz und die Flügel weiß. Im Winter ist das Schneehuhn wegen seiner weißen Federn im Schnee kaum zu erkennen. Wenn den Schneehühnern in der Luft Gefahr droht, stürzen sie herunter auf den Boden und tauchen schnell unter den Schnee. Die Paarungszeit der Schneehühner heißt »Balz« und ist im Frühjahr. Das Weibchen baut sein Nest auf dem Boden und brütet die 6-10 Eier alleine aus. Wenn die Küken geschlüpft sind, passen beide Eltern gemeinsam auf sie auf. Schneehühner fressen Beeren, Flechten, Knospen und Alpenkräuter. Gefahr droht ihnen von Greifvögeln und dem Polarfuchs.

Schneeleopard

Der Schneeleopard ist eine 1,5 m lange Raubkatze aus dem Hochgebirge Mittelasiens. Er hat einen runden Kopf, einen gedrungenen Körper und einen sehr langen Schwanz. Sein langhaariges Fell hat größere Flecken als das des Leoparden. Man nennt diese schöne Katze auch »Irbis«. Am Ende des Winters ist die Paarungszeit der Schneeleoparden. Nach einer Trächtigkeit von 5 Monaten bringt das Weibchen 2-5 Junge in einer Felshöhle zur Welt. Der Vater beteiligt sich an der Aufzucht der Jungen, was bei anderen Katzen nicht üblich ist. Die Jungen bleiben 1 Jahr lang bei der Mutter und begleiten sie auf die Jagd. Die Beute des Irbis sind Steinböcke, Wildschafe, Hasen, Mäuse und Vögel. Wenn er im Winter die Täler aufsucht, jagt er auch Hirsche, Gazellen und Wildschweine. Der Schneeleopard wird wegen seines Fells gejagt. Er ist zwar überall gesetzlich geschützt, das wird aber leider nicht streng überprüft. Der Irbis ist deshalb vom Aussterben bedroht.

Der Schneeleopard lebt im Hochgebirge Mittelasiens.

Schneeziege

Die nordamerikanische Schneeziege ist eine enge Verwandte der ➪ Gämse. Sie ist jedoch etwas größer und massiger als ihre europäische Verwandte. Schneeziegen haben ein weißes, flauschiges Fell, schwarze Augen und spitze Hörner, die wie bei den Gämsen nach hinten gebogen sind. Diese Tiere gelten als die »Könige« unter den Kletterkünstlern. Im nordamerikanischen Hochgebirge springen sie nicht etwa flink von einem zum nächsten Felsen, sondern klettern ganz ruhig und gelassen. Auch auf der Flucht vor Menschen geraten sie nicht in Panik, sondern gehen gelassen weiter. Dafür überwinden sie wie Schlafwandler jedes natürliche Hindernis. Manchmal tauchen sie an Stellen auf, von denen man nie glauben würde, dass dort ein vierbeiniges Tier überhaupt stehen kann, geschweige denn, dass es dort (ohne zu fliegen) hingekommen ist.

Schneeziegen leben im Hochgebirge Nordamerikas. Sie sind sichere Kletterer.

Die Waldschnepfe legt ihre Eier am Boden ab.

Schnepfe

Die Schnepfe ist eine enge Verwandte der ➪ Bekassine. Sie wird 35 cm lang, 400 g schwer und hat eine Flügelspannweite von fast 60 cm. Außerdem haben Schnepfen einen langen, spitzen, geraden Schnabel. Ihr Gefieder ist in verschiedenen Brauntönen gefärbt und hat ein sehr abwechslungsreiches Muster. Schnepfen leben in Europa und in einigen asiatischen Gebieten. Die Paarungszeit dieser Vögel ist im Frühjahr. Ihr Nest bauen Schnepfen auf dem Boden, meist gut versteckt im Unterholz. Das Weibchen brütet die Eier alleine aus. Nach etwas über 3 Wochen schlüpfen die Jungen. Während der Brutzeit bleibt das Weibchen regungslos auf dem Nest sitzen und verlässt es nur abends und morgens für ganz kurze Zeit, um zu fressen. Diese Regungslosigkeit nennt man »Brütestarre«. Durch ihr braunes Tarnmuster im Gefieder wird die Mutter nicht von Feinden entdeckt. Wenn ihr der Brutplatz jedoch ungünstig erscheint, trägt sie ihre Jungen fort.

Schuppentier

Schuppentiere sind eine eigene Ordnung aus der Klasse der Säugetiere. Sie haben einen spitzen Kopf und einen langen Schwanz. Ihre Füße haben Krallen und ihr Körper ist mit Schuppen überzogen. Diese Schuppen liegen wie Dachziegel übereinander. Nur im Gesicht und am Bauch hat das Schuppentier keine Schuppen. Außerdem hat das Schuppentier keine Zähne. Diese Tiere werden bis zu 80 cm lang. Sie leben in Afrika und in Südostasien. Schuppentiere haben kurze Beine, und an ihren Zehen sind kräftige Grabklauen, mit denen sie Höhlen graben und Termitenhügel aufbrechen können. Einige Schuppentiere sind Bodenbewohner. Die meisten leben allerdings auf Bäumen, wobei sie ihren langen Schwanz zum Greifen benutzen. Die Jungen des Schuppentiers kommen in einer Baumhöhle oder einer Erdhöhle zur Welt. Die Mutter säugt ihre Jungen. Ihre Milchdrüsen liegen zwischen den Vorderbeinen. Die Kinder der baumbewohnenden Schuppentiere halten sich am Schwanz der Mutter fest und werden so von ihr umhergetragen. Schuppentiere fressen hauptsächlich Ameisen und Termiten. Meist gehen sie nachts auf Jagd. Tagsüber bleiben sie in ihrer Höhle.

Große Schuppentiere leben auf dem Boden.

Schwalben sind gute Flieger.

Schwalbe

Die Schwalben sind eine Familie der Singvögel. Die bekannteste Schwalbe bei uns in Deutschland ist die Rauchschwalbe. Sie hat ein rotes Gesicht und eine weiße Brust. Ihr Rücken und ihre Flügel sind schwarzblau schillernd. Man erkennt die Rauchschwalbe gut an ihrem gegabelten Schwanz. Ihre Beine sind so kurz, dass sie kaum damit laufen kann. Dafür sind Schwalben ausgezeichnete und schnelle Flieger. Im Winter fliegen sie in den Süden, weil es dort wärmer ist. Schwalben sind also Zugvögel. Die Paarungszeit ist im Frühjahr, wenn sie aus dem Süden zurückgekehrt sind. Das Pärchen baut ein kugeliges Nest, das es meist an den Decken von Ställen oder Höfen anbringt. Das Weibchen legt 6 Eier, aus denen nach 18 Tagen die Jungen schlüpfen. Schwalben ernähren sich auch von Mücken, die sie im Flug fangen. Bei schönem Wetter fliegen die Mücken hoch und deshalb fliegen auch die Schwalben sehr hoch. Wenn Regen bevorsteht, fliegen die Mücken tiefer, folglich fliegen dann auch die Schwalben tiefer. Daher kommt das Sprichwort: »Die Vögel fliegen tief, es wird bald regnen.«

Der Höckerschwan ist ein sehr majestätischer Vogel.

Schwan

Der Schwan ist der eleganteste Vogel auf unseren Gewässern. Schwäne gehören zur Unterfamilie der Gänseverwandten. Wie die Gänse hat auch der Schwan große Füße mit breiten Schwimmhäuten. Bei uns ist der Höckerschwan recht häufig. Sein Gefieder ist weiß. Wenn er schwimmt, biegt er seinen langen Hals majestätisch nach vorne. Schwäne sind sehr wehrhafte Vögel, die beißen und mit den Flügeln schlagen, wenn sie sich bedrängt fühlen. Bevor ein Schwan angreift, droht er mit lautem Zischen und abgespreizten Flügeln. Ein Schwanenpärchen bleibt ein Leben lang zusammen. In der Paarungszeit legt das Weibchen 8 Eier in ein Nest, das meist in Ufernähe liegt. Die beiden Eltern wechseln sich mit dem Brüten ab. Nach 30 Tagen schlüpfen die Jungen. Die Jungschwäne haben anfangs graue, weiche Federn. Erst im Frühherbst bekommen sie das weiße Gefieder der Alten. Ein erwachsener Schwan hat kaum einen natürlichen Feind. Nur die Eier und die Jungen sind durch den Fuchs und den Marder gefährdet.

Schwanzlurch

Schwanzlurche sind eine Ordnung aus der Klasse der Lurche. Zu den Schwanzlurchen zählen die ➪ Molche und die ➪ Salamander. Sie erinnern im Körperbau etwas an Eidechsen, allerdings haben sie keine Schuppen, sondern eine glatte, schleimige Haut. Wie alle Lurche sind auch die Schwanzlurche auf Wasser angewiesen. Molche leben die ganze Zeit in Tümpeln und Teichen. Die Salamander leben eher an Land, kommen aber zur Eiablage ins Wasser. Zur Paarungszeit legen die Männchen ein Hochzeitskleid an. Sie werden dann deutlich bunter. Aus den Eiern, die die Schwanzlurche im Wasser absetzen, schlüpfen zuerst Larven. Diese Larven atmen noch mit Kiemen wie die Fische. Die Lunge entwickelt sich erst mit der Zeit. Dann atmen sie Luft und können außerhalb des Wassers leben. Alle Schwanzlurche ernähren sich von Insekten, Würmern und Insektenlarven. Die Feinde der Schwanzlurche sind Raubfische, Reiher, Störche, Greifvögel und Iltisse.

Der Tropensalamander ist sehr farbenprächtig.

Die Schwarze Witwe ist eine sehr gefährliche Giftspinne.

Schwarze Witwe

Die Schwarze Witwe gehört zur Familie der Kugelspinnen. Sie ist berühmt und berüchtigt, denn sie gilt als die giftigste Spinne der Welt. Ihr Biss enthält ein Nervengift. Die kleinen Männchen sind für den Menschen harmlos. Das erbsengroße Weibchen ist allerdings sehr gefährlich. Sein Biss ist sehr schmerzhaft und kann zum Tod führen. Die Schwarze Witwe ist, wie ihr Name schon sagt, schwarz. Sie hat rote Flecken auf dem Rücken. Diese Spinnen kommen in Amerika und im Mittelmeergebiet vor. Sie heißt »Schwarze Witwe«, weil sie den Ruf hat, nach der Paarung das Männchen aufzufressen. Das kann auch passieren, wenn das Männchen unvorsichtig ist, denn es kommt vor, dass das Weibchen das Männchen mit einer Beute verwechselt und angreift. Die Schwarze Witwe lauert in ihrem Netz auf Fluginsekten, die sich in den klebrigen Fäden verfangen.

Schwein

Schweine sind eine Ordnung der ➪ Paarhufer. Diese massigen Tiere sind eng mit den ➪ Flusspferden verwandt. Sie haben sehr stämmige Beine und einen großen Kopf. Die Nase der Schweine nennt man »Rüsselscheibe«. Es gibt Wildschweine und Hausschweine. Die Wildschweine haben ein borstiges, grau-braunes Fell. Die Hausschweine haben nur wenig Fell. Ihre Haut ist rosa. Schweine sind sehr intelligente und gesellige Tiere. In Freiheit leben sie in Gruppen von mehreren Weibchen mit ihren Jungen und jungen Männchen. Die Hausschweine werden bei uns in Gruppen in einem Laufstall gehalten. Das männliche Hausschwein heißt »Eber« und das weibliche Tier »Sau«. Meistens bekommen Schweine einmal im Jahr Junge. Bevor die Jungen geboren werden, kommt die Muttersau in einen eigenen kleinen Stall. So ist sichergestellt, dass den Jungen nichts passiert. Die jungen Hausschweine nennt man »Ferkel«.

Schweine sind recht intelligent.

Der Seeadler ist ein stattlicher Raubvogel. Er ist das deutsche Wappentier.

Seeadler

Der größte Greifvogel bei uns ist der Seeadler. Er wird fast 1 m lang, über 6 kg schwer und hat eine Flügelspannweite von 2,5 m. Sein Gefieder ist braun, er hat einen langen, gelben Schnabel und einen kurzen, weißen »Stoß«, so heißt der Schwanz der Greifvögel. Seeadler brüten im Februar. Sie bevorzugen keine speziellen Plätze für ihr Nest. Es wird entweder an Felsen, auf Bäumen oder sogar am Boden errichtet. Meist ziehen die Elterntiere 1 Junges groß. Seeadler leben zwar an der Küste oder in der Nähe anderer großer Gewässer, fangen aber nicht nur Fische. Ihre Hauptbeute sind Blässhühner und andere Wasservögel wie Gänse, Enten und Seetaucher. Nach tauchenden Wasservögeln jagen Seeadler im Team. Der eine zwingt den Tauchvogel zur Flucht unter Wasser, der andere kommt von vorne angeflogen und greift den Vogel, sobald er wieder auftaucht. Die Umweltverschmutzung und das Plündern der Nester hat den deutschen Wappenvogel in Westdeutschland ausgerottet. An der Ostseeküste gibt es noch einige Brutpaare.

Seeanemone

Seeanemonen sind eine Ordnung aus der Unterabteilung der Hohltiere und sind mit den ⇨ Korallen verwandt. Sie haben einen zylinderartigen Körper und viele Arme, mit denen sie Futter an ihre Mundöffnung führen. Damit sie nicht gefressen werden, haben sie in den Fangarmen ein brennendes Nesselgift. Mit dem Fuß sind Seeanemonen fest mit dem Untergrund verbunden. Sie leben an der Küste und sind oft in Korallenriffs anzutreffen. Ähnlich wie bei Muscheln werden auch bei den Seeanemonen die Geschlechtszellen einfach in das Wasser abgegeben. Aus den befruchteten Eizellen entwickelt sich eine Larve, die sich irgendwo niederlässt und zur Seeanemone heranwächst. Seeanemonen sind Räuber, die ihre Beute mit ihren Armen fangen und mit ihrem Gift töten. Sie fressen Schwebeteilchen, kleine Fische und Krebse. Ihre Feinde sind der Seestern, die Flunder und der Aal.

Seeanemonen leben an der Küste.

Der Seebär wurde fast ausgerottet.

Seebär

Der Seebär gehört zur Familie der ➪ Ohrenrobben und ist mit dem ➪ Seelöwen eng verwandt. Er hat eine spitze Schnauze und eine gewölbte Stirn. Die Männchen werden 2 m lang und 350 kg schwer. Man nennt diese Robbe auch »Pelzrobbe«. Im Frühling treffen sich die Seebären an der Küste, um sich zu paaren. Zuerst erscheinen die Männchen und verteilen sich am Strand. Danach werden die Weibchen von den Männchen angelockt. Diese bekommen jetzt das Junge von der Paarung des letzten Jahres. Innerhalb eines Tages ist der Strand mit Seebären überfüllt. Nachdem sich die Seebären erneut gepaart haben, kehren die Männchen ins Meer zurück. Die Mütter verlassen den Strand mit ihren Jungen im Herbst. Die Pelzjagd hat viele Seebärarten beinahe ausgerottet. Nur der nördliche Seebär ist nicht bedroht. Für die Seebären, die im Süden leben, kommt wahrscheinlich jede Hilfe zu spät.

Seeelefant

Der größte und mächtigste Vertreter aus der Unterordnung der ➪ Robben ist der Seeelefant. Das Männchen, man nennt es auch »Bulle«, wird 6,5 m lang und 3600 kg schwer. Seine Nase ist zu einem dicken, kurzen Rüssel verlängert. Die Seeelefanten versammeln sich zur Paarungszeit an einer bestimmten Küste. Hier kämpfen die Männchen um die Weibchen. Weil die Bullen bei einem solchen Kampf mit ihren spitzen Zähnen zubeißen, verletzen sie sich dabei manchmal schwer. Gleich nach der Ankunft am Strand bringen die Weibchen 1 Junges aus der Paarung im vorangegangenen Jahr zur Welt. Dieses Junge wird 3 Wochen lang gesäugt. Dann paaren sich die Weibchen mit den Männchen erneut. Das Junge wird vorher verscheucht, damit es nicht von den großen Bullen erdrückt wird. Später holt die Mutter ihr Kind zurück und kümmert sich weiter um das Junge. Seeelefanten ernähren sich von Fischen und Tintenfischen.

Seeelefanten sind die größten Robben.

Seehund

Der Seehund gehört zur Familie der Hundsrobben. Er wird 2 m lang und 100 kg schwer. Seine Vorder- und Hinterbeine sind zu Flossen umgewandelt. Sein Fell ist weiß-grau mit einem Muster aus Flecken und Ringen. Seinen Namen trägt der Seehund, weil sein Kopf dem eines Hundes ähnlich sieht. Im Gegensatz zu den ⇨ Ohrenrobben kann der Seehund seine Hinterflossen nicht nach vorne umklappen und darauf laufen. Er bewegt sich an Land also auf dem Bauch kriechend. Seehunde leben im Ozean rund um Nordamerika und an der europäischen Küste. Die Jungtiere werden im Mai geboren. Wenn sie auf einer Sandbank liegen und nach ihrer Mutter rufen, nennt man sie auch »Heuler«. Die Jungen haben ein weißes, wolliges Fell, das sie aber bereits nach 1 bis 2 Wochen gegen ihr graues Fell tauschen. Seehunde fressen verschiedene Küstenfische. Sie werden deshalb von den Fischern stark verfolgt. Die Wasserverschmutzung in der Nordsee und eine Seuche, die ein »Robbensterben« auslöste, haben dem Seehund in den letzten Jahren sehr zugesetzt.

Seehunde leben in nördlichen Meeresgebieten. Vor allem an der Nordsee kann man sie beobachten.

Seeigel leben in Korallenriffs.

Seeigel

Seeigel sind eine Klasse aus dem Stamm der Stachelhäuter. Der größte Seeigel hat einen Durchmesser von 32 cm. Diese Tiere sehen aus wie ein Apfel mit Stacheln. Die meisten von ihnen leben an den Meeresküsten. Im flachen Küstenwasser sollte man besser mit Gummibadesandalen spazieren gehen. Tritt man nämlich barfuß auf seine Stacheln, bekommt man tiefe Wunden. Viele Seeigel sind giftig, was einen Stich noch schmerzhafter macht. In der Paarungszeit geben die Weibchen ihre Eizellen einfach in das freie Wasser ab. Dann erst werden die Eizellen vom Männchen befruchtet. Seeigel ernähren sich von Algen und Wasserpflanzen. Der größte Feind dieses stacheligen Küstenbewohners ist der Seestern. Es gibt aber auch einige Fische, die den Seeigel umdrehen und an seine wehrlose Bauchseite gelangen können.

Seekuh

Ähnlich wie die Wale sind auch die Seekühe sehr stark an ein Leben im Wasser angepasst. Und genau wie die Wale sind auch die Seekühe Säugetiere. Seekühe sind sehr große und schwere Tiere. Sie werden 4,5 m lang und 680 kg schwer. Sie haben eine Schwanzflosse und auch ihre Vorderbeine sind zu Flossen umgewandelt. Seekühe leben an der mittelamerikanischen Küste, in südamerikanischen Flüssen und vor der Küste Westafrikas. Man weiß über die Paarung der Seekühe nicht viel. Sie bekommen 1 Junges, das von der Mutter unter Wasser gesäugt wird. Leider werden die »sanften Riesen« immer seltener. Man jagt sie wegen ihres Fleisches. Da sie sehr langsam schwimmen und sich nicht wehren, sind sie eine leichte Beute. Eine besonders seltene Seekuh art aus Florida wurde durch Gesetze geschützt. Wer sie tötet, zahlt 500 Dollar Strafe oder muss für 3 Monate ins Gefängnis.

Seekühe sind sehr friedliche Tiere.

Seelöwen treffen sich zur Paarungszeit an einem Strand. Hier ist ein Männchen zwischen einigen Weibchen zu sehen.

Seelöwe

Die Seelöwen gehören zur Familie der ➪ Ohrenrobben und sind mit den ➪ Seebären eng verwandt. Sie werden 2,4 m lang und über 400 kg schwer. Diese Robben kommen an der kalifornischen und der australischen Küste vor. Es gibt sie auch auf den Galapagosinseln. Der schlanke kalifornische Seelöwe ist sehr bekannt, weil er in fast jedem Zoo zu sehen ist und in so manchem Zirkus Kunststücke vorführt. Nach einer Trächtigkeit von 1 Jahr bringen Seelöwenmütter 1 Junges zur Welt. Meist findet die Geburt kurz vor der neuen Paarung statt. So haben sie also jedes Jahr 1 Junges. Seelöwen sind sehr vielseitige Jäger. Sie fressen Fische und Tintenfische. Auf dem Land jagen sie gelegentlich Pinguine, die allerdings im Wasser viel zu schnell sind. Der Hauptfeind der Seelöwen ist der Weiße Hai. Aber auch vor dem Schwertwal müssen sie sich vorsehen.

Der Seeotter ist ein guter Schwimmer.

Seeotter

Von allen ➪ Mardern ist der Seeotter am besten an das Leben im Wasser angepasst. Er wird 1,3 m lang und 30 kg schwer. Sein Kopf ist kurz und breit. Seine Augen und seine Ohren sind klein. Er hat Schwimmhäute zwischen den Zehen. Auf dem Land kann er sich nur sehr ungeschickt bewegen, dafür ist er im Wasser ein Meisterschwimmer. Die Trächtigkeit der Seeotter dauert 9 Monate. Das Junge wird an Land geboren. Danach geht die Mutter mit ihrem Kind ins Wasser zurück. Sie schwimmt auf dem Rücken, damit das Kind sich auf dem Bauch festhalten kann und Luft bekommt. Wenn sich die Seeotter ausruhen wollen, binden sie sich an den Wasserpflanzen fest, damit sie nicht davontreiben. Wegen seines schönen Pelzes wäre der friedliche Seeotter beinahe ausgerottet worden. Heute ist er streng geschützt und nicht mehr vom Aussterben bedroht. Er frisst Muscheln, Seeigel, Fische und Tintenfische. Seine Hauptfeinde sind der Hai und der Schwertwal.

Seepferdchen

Zu den erstaunlichsten ➪ Fischen gehört das Seepferdchen. Es ist 15 cm lang und hat auf seiner Haut kleine Panzerschilder. Es schwimmt in aufrechter Haltung, wobei es den Schwanz einrollt und den Kopf nach unten biegt. Die einzige Flosse des Seepferdchens ist die Rückenflosse. Sein langer Kopf mit dem trompetenartigen Maul erinnert an einen Pferdekopf. Seinen Schwanz benutzt das Seepferdchen zum Festhalten. Zwischen April und Oktober ist die Paarungszeit. Früher dachte man, bei den Seepferdchen würde das Männchen die Kinder gebären, denn es nimmt die Eier vom Weibchen auf und trägt sie in einer Hauttasche am Bauch. Hier werden die Eier vom Männchen befruchtet. Wenn die Jungen schlüpfen, verlassen sie die Hauttasche des Männchens.

Seepferdchen sind bunte Riffbewohner.

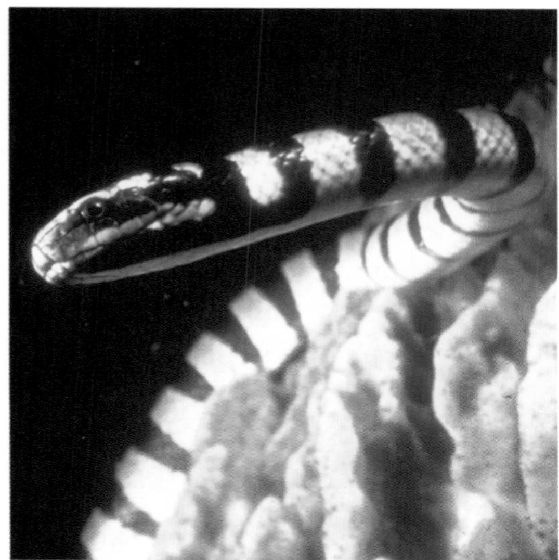

Der gewöhnliche Plattschwanz lebt im Stillen Ozean.

Seeschlange

Zur Familie der Seeschlangen gehören ➪ Schlangen, die die meiste Zeit ihres Lebens im Wasser verbringen. Sie sind eng mit den Giftnattern verwandt. Ihr Schwanz ist abgeplattet, damit sie ihn zum Schwimmen benutzen können. Manche Arten legen Eier, die sie an Land im Sand vergraben. Andere Seeschlangen bringen im Wasser 2-6 lebende Junge zur Welt. Der Biss der Seeschlangen ist giftig. Sie jagen kleine Fische und Aale. Die Beute wird erst mit dem Gift betäubt und dann im Ganzen verschlungen. Einige Seeschlangenarten schwimmen an der Oberfläche dicht unter Treibgut. Wenn kleine Fische im Schatten des Treibgutes Schutz suchen, greift die Schlange an. Die Beute wird mit dem Geruchssinn wahrgenommen. Auch die Seeschlangen »züngeln«. Das bedeutet, sie benutzen ihre Zunge, um sich zurecht zu finden. Seeschlangen gelten als träge und wenig beißlustig. Sie greifen Taucher nicht an. Ihr Gift wäre allerdings lebensgefährlich.

Seeschwalbe

Seeschwalben gehören zu den Möwenartigen. Sie sind also eng mit den ➪ Möwen verwandt. Diese Meeresvögel werden bis zu 50 cm lang, ihre Flügel sind schmal und spitz und ihr Schwanz ist häufig gegabelt. Die Zehen der Seeschwalben sind durch Schwimmhäute verbunden. Viele Arten haben schwarze Federn auf dem Kopf, die wie eine Kappe aussehen. Der Bauch der Seeschwalben ist weiß und der Rücken silbergrau. Zur Paarungszeit bauen sie ein einfaches Nest am Boden. Die 2-3 Eier werden von beiden Eltern bebrütet, und nach dem Schlüpfen bringen beide Eltern Futter zu ihren Jungen. Die Seeschwalben schlucken ihre Beute nicht herunter, um sie am Nest wieder herauszuwürgen, wie es die Möwen tun. Sie bringen die Beute im Schnabel zum Nest. Die Hauptnahrung dieser Seevögel sind Fische. Seeschwalben sind Stoßtaucher, die über das Wasser hinwegfliegen und plötzlich unter die Wasseroberfläche stoßen, um nach den Fischen zu schnappen. Die Feinde der Eier und Jungvögel sind Ratten, Igel und Möwen. Die Altvögel werden von Raubmöwen und Greifvögeln angegriffen.

Seeschwalben sind zwar mit den Möwen verwandt, sie können aber schneller und gewandter fliegen.

Seestern

Seesterne sind Stachelhäuter und mit den ➪ Seeigeln verwandt. Diese Tiere haben ihren Mund an der Unterseite. Seesterne haben meist 5 Arme. Es gibt aber auch Arten mit bis zu 50 Armen. Der größte Seestern hat eine Armlänge von 45 cm. Diese Meeresbewohner sind sehr bunt gefärbt. Es gibt sie in Rot, Orange, Gelb, Grün, Blau oder Braun. Zur Paarungszeit versammeln sich männliche und weibliche Seesterne. Ähnlich wie beim Seeigel werden auch vom Seesternweibchen die Eizellen einfach an das freie Wasser abgegeben und dann erst von den Männchen befruchtet. Einige Arten legen ihre Eier auf Steinen ab und setzen sich sogar schützend darüber, bis die kleinen Seesterne geschlüpft sind. Der Seestern ist ein Räuber: Er frisst Muscheln, Schnecken, Krebse, Seeigel und andere Seesterne.

Seesterne leben in Küstengebieten und Korallenriffen. Die meisten von ihnen haben 5 Arme.

Ein prächtiger Eistaucher auf seinem Nest.

Seetaucher

Seetaucher sind eine Ordnung von Wasservögeln. Der größte Seetaucher ist der 87 cm lange Eistaucher aus Nordamerika. Der kleinste ist der Sterntaucher, der in Nordamerika und auch in Nordeuropa vorkommt. Seetaucher brüten, sobald das Eis der Gewässer geschmolzen ist. Sie bauen ihr Nest im Schilf. Bei manchen Arten baut das Männchen noch zusätzlich einige Scheinnester, die gar nicht zum Brüten benutzt werden. Diese Nester sollen Räuber verwirren und von dem eigentlichen Nest ablenken. Der große Eistaucher wird in der Brutzeit sehr aggressiv. Es ist für den starken Vogel mit dem dolchartigen Schnabel kein Problem, Iltisse, Füchse und sogar kleine Bären von seinem Nest fern zu halten. Mit seinen Schnabelhieben zielt er auf die Augen seines Gegners. Die Jungen der Seetaucher sind Nestflüchter, das bedeutet, dass sie schon nach 1 Tag das Nest verlassen. Seetaucher können so gut und lange tauchen, dass sie darin nur von den Pinguinen übertroffen werden. Sie halten es 5 Minuten lang unter Wasser aus und legen dabei eine Strecke von ungefähr 800 m zurück.

Seidenschwanz

Die Seidenschwänze sind eine Familie der Singvögel und sind eng mit dem ➪ Raubwürger verwandt. Sie leben im Norden Europas, Asiens und Amerikas. Dieser hübsche, 20 cm große Vogel hat ein weiches braunes Gefieder. An seinen Flügeln und am Schwanz hat er ein Muster in den Farben Gelb, Schwarz, Weiß und Rot. Sein auffälligstes Merkmal sind die schopfartig verlängerten Federn am Kopf. Zur Paarungszeit bauen beide Altvögel gemeinsam das Nest. Das Weibchen legt 3-5 Eier, die es alleine ausbrütet. Nach 2 Wochen schlüpfen die Jungen. Seidenschwänze füttern ihre Jungen mit Insekten, die sie im Flug erbeuten. Im Winter, wenn es keine Insekten gibt, fressen sie Beeren. Regelmäßig kommt es unter diesen Vögeln zu Massenwanderungen. Wenn im Winter die Nahrung knapp ist, ziehen die Seidenschwänze zu Tausenden südwärts.

Ein Seidenschwanz füttert seine Jungen.

Der Sekretär jagt in der Savanne.

Sekretär

Die erstaunlichsten ➪ Greifvögel stammen aus der Familie der Sekretäre. Vom Körperbau her scheinen diese Vögel eher mit den Störchen verwandt zu sein. Die 1 m hohen Sekretäre haben lange Stelzbeine, ein graues Gefieder und ein nacktes Gesicht mit einer roten Haut um die Augen. Am Hinterkopf haben diese Greifvögel lange schwarze Federn, die schopfartig abstehen. Diese Federn gaben den Vögeln ihren Namen, denn sie erinnern an die Federkiele, die früher die Sekretäre hinter dem Ohr trugen. Die Flügelspannweite dieser Greife ist 2 m. Sekretäre leben in den Savannen Mittel- und Südafrikas. Sie bauen zur Paarungszeit ihr Nest auf einem Baum. Das Weibchen legt 2-3 Eier, die es alleine ausbrütet. Die Jungtiere schlüpfen nach 45 Tagen und sind nach weiteren 3 Monaten »flügge«. Sekretäre gehen zu Fuß auf Jagd. Mit ihren langen Beinen stampfen sie durch niedrige Büsche, um Mäuse und Eidechsen aufzuscheuchen. Ihre Lieblingsbeute sind Schlangen. Im Kampf mit diesen Reptilien breitet der Sekretär die Flügel aus und bewegt sie, um so die Schlange abzulenken. Dann tötet er sie mit Fußtritten.

Seine Fellzeichnung dient dem Serval im hohen Gras der Savanne als Tarnung.

Serval

Der Serval gehört wie der ➪ Puma und der ➪ Ozelot zur Gattungsgruppe der Kleinkatzen. Diese Katzen haben trotz ihrer Größe vieles mit kleineren Katzen gemeinsam. Sie schnurren zum Beispiel und sind wasserscheu. Der Serval wird 1 m lang. Sein Kopf ist schmal und seine Ohren breit. Er hat lange Beine mit schwarzen Pfoten und ein gelb-braunes Fell mit schwarzen Tupfen. Sein kurzer Schwanz reicht nur bis zur Mitte seiner Hinterbeine. Der Serval lebt in ganz Afrika. Nach einer Trächtigkeit von 70 Tagen bringt das Servalweibchen 2-3 Junge zur Welt. Als »Kinderzimmer« benutzen die Servale gerne die verlassene Höhle eines Erdferkels oder eines Stachelschweins. Der Serval ist kein sehr ausdauernder und schneller Läufer. Aber er kann weit springen. Seine Hauptnahrung sind Nagetiere, Hasen, junge Antilopen und Vögel. Sein Hauptfeind ist der Leopard.

Siebenschläfer

Der Siebenschläfer ist ein Nagetier aus der Familie der Bilche. Er lebt in fast ganz Europa und Asien. Seine Körperlänge beträgt 19 cm. Er erinnert im Aussehen an ein Eichhörnchen. Nur sein Schwanz ist nicht so buschig. Der Siebenschläfer ist silbergrau, sein Bauch ist weiß und sein Gesicht schwarz. Er ist ein Baumbewohner, der nachts unterwegs ist und nach Nahrung sucht. Nach der Trächtigkeit von nur 30 Tagen bringt das Siebenschläferweibchen in einer Baumhöhle 3-10 Junge zur Welt. Die Familie bleibt oft den ganzen Winter über zusammen. Siebenschläfer halten Winterschlaf. Ihren Namen haben sie daher, weil sie ab Oktober 7 Monate lang schlafen. Ihre Nahrung sind Nüsse, Kastanien und Bucheckern. Die Hauptfeinde dieser Nagetiere sind der Baummarder und die Eule.

Siebenschläfer sind nachts unterwegs.

Skorpione haben einen Giftstachel.

Skorpion

Skorpione sind eine Ordnung aus der Klasse der Spinnentiere. Sie haben einen langen Körper, 8 Beine und 2 kräftige Scheren. Das auffälligste Merkmal der Skorpione ist ihr Schwanz, an dessen Ende ein Giftstachel sitzt. Skorpione leben meist in südlichen Gebieten. Kleinere Arten kommen auch in Österreich und Deutschland vor. Wie bei den Spinnen muss das Skorpionmännchen bei der Paarung vermeiden, dass es vom Weibchen angegriffen wird. Dazu nähert es sich seiner Partnerin von vorne und packt ihre Zangen mit seinen Zangen. Dann drehen sich die Tiere wie in einem Tanz um sich herum. Skorpione bringen entweder lebendige Junge zur Welt oder die Eihüllen platzen sofort nach dem Legen. Das Weibchen trägt die Jungen einige Zeit auf dem Rücken. Skorpione benutzen ihren Stachel nur, wenn sich ein Beutetier wehrt oder sie angegriffen werden. Nur wenige Arten sind für den Menschen gefährlich. Das Gift des Sahara-Skorpions ist für den Menschen tödlich.

Skunk

Die Skunks oder »Stinktiere«, wie sie auch heißen, sind eine Unterfamilie der ⇨ Marder. Ihr Körper ist plump und stämmig. Sie haben lange Beine und einen buschigen Schwanz. Ihr langhaariges Fell ist schwarz mit weißen Streifen. Stinktiere werden 50 cm lang und leben in ganz Amerika. Die Paarungszeit ist im Februar. Nach einer Trächtigkeit von 64 Tagen bringt das Skunkweibchen in einer Höhle 3-4 Junge zur Welt. Wenn das Stinktier angegriffen wird, spritzt es seinem Angreifer eine unangenehm riechende Flüssigkeit ins Gesicht. So kann es sogar Hunde, Pumas, Luchse und Bären von sich fern halten. Die Nahrung der Skunks sind Nagetiere, Reptilien, Lurche, Insekten, Wurzeln und Knollen. Skunks fressen auch Giftschlangen, denn das Gift macht dem Skunk weniger aus als allen anderen Tieren. Seine Hauptfeinde sind die Greifvögel.

Skunks sind Allesfresser.

Specht

Die Spechte sind eine Familie aus der Ordnung der Spechtvögel. Sie sind mit den südamerikanischen ➪ Tukanen verwandt. Spechte sind gewandte Kletterer, die in der Rinde von Bäumen nach Nahrung suchen. Dazu klopfen sie mit ihrem harten Schnabel Löcher in die Rinde. Mit ihrer spitzen Zunge ziehen sie Insektenlarven aus dem Holz hervor. Spechte haben einen langen Kopf und einen kurzen Schwanz. Sie bauen ihr Nest in Baumhöhlen, die sie selbst anfertigen. Die Eier aller Spechtarten sind glänzend weiß. Die Eltern wechseln sich mit dem Brüten ab. Der größte Specht unserer Wälder ist der 50 cm große Schwarzspecht. Der Grünspecht und der Buntspecht sind auch bekannt bei uns.

Ein Specht füttert seine Jungen. Die Nisthöhle bauen Spechte meist in abgestorbenen Bäumen.

Eine Spinne lauert im Netz auf Beute.

Spinne

Spinnen sind keine Insekten. Sie gehören zur Klasse der Spinnentiere und sind eng mit den Skorpionen verwandt. Typisch für diese Tiere ist, dass sie 8 Beine haben. Die größten Spinnen sind die Vogelspinnen. Sie werden 9 cm lang. Die kleinsten Spinnen sind nur 1 mm groß. Spinnen haben ein dickes Hinterteil und ein kleines Vorderteil. Am Kopf haben sie 2 kräftige Kiefer und bis zu 8 Augen. Die Paarung der Spinnen ist für das Männchen eine gefährliche Angelegenheit, denn das Weibchen ist sehr viel größer als das Männchen. Es kann passieren, dass das Weibchen das Männchen als Beute betrachtet und frisst. Viele männliche Spinnen geben dem Weibchen vor der Paarung deutliche Zeichen. Sie tanzen vor dem Weibchen, damit sie erkannt und nicht angegriffen werden. Alle Spinnen ernähren sich von Kleintieren. Dazu bauen viele Spinnenarten ein Netz, in dem sich Fluginsekten verfangen sollen. Die meisten Spinnen lähmen und töten ihre Beute mit einem giftigen Biss. Der Biss der ➪ Schwarzen Witwe ist sogar für den Menschen lebensgefährlich.

Spitzmaus

Spitzmäuse gehören zur Ordnung der Insektenfresser. Sie sind also gar keine Mäuse, sondern heißen nur so, weil sie Mäusen ähnlich sehen. Ihre Schnauze läuft spitz zu und ihr Fell ist dunkelbraun bis schwarz. Der Bauch der Spitzmäuse ist meist weiß. Sie haben einen dünnen, langen Schwanz. Die Etruskische Spitzmaus ist nur 8 cm lang und 2 g schwer. Sie ist das kleinste Säugetier der Welt. Die Paarungszeit der Spitzmäuse dauert von Frühling bis Herbst. Nach 4 Wochen Trächtigkeit bringt das Spitzmausweibchen 5–10 Junge auf die Welt. Es säugt die Jungtiere 26 Tage lang. Wenn die Spitzmausfamilie das Versteck verlässt, halten sich die Jungen mit ihren Zähnen gegenseitig an der Schwanzwurzel fest, sodass eine Schlange entsteht. Spitzmäuse sind Räuber. Sie fressen Spinnen, Insekten, Würmer, aber auch Fische, Frösche und Eidechsen. Auch kleine Vögel und Mäuse fallen der Spitzmaus zum Opfer.

Spitzmäuse sind mit den Maulwürfen verwandt.

Der Springbock lebt in Afrika.

Springbock

Der afrikanische Springbock gehört zur Unterfamilie der Gazellenartigen. Er wird 1,5 m lang, 90 cm hoch und 45 kg schwer. Springböcke haben den für eine ➪ Gazelle typischen leichten Körperbau. Gesicht und Bauch sind weiß, Rücken und Hals sind braun. Sowohl die Männchen als auch die Weibchen haben kurze schwarze Hörner. Bei ihren Sprüngen, die diesen Tieren ihren Namen gaben, biegen sie ihren Rücken nach oben durch und machen einen Buckel. Dabei sträuben sie die weißen Haare, die sich von ihrem Hinterteil bis auf den Rücken hinaufziehen. Das ist für die anderen Springböcke ein Warnsignal. Die Paarungszeit dieser Gazellen ist im Mai. Nach 6 Monaten Trächtigkeit bekommt das Weibchen 1 Junges. Springböcke lebten früher in fast ganz Afrika. Heute sind sie leider in vielen Gebieten ausgerottet. Die natürlichen Feinde der Springböcke sind der Gepard, der Leopard und die Wildhunde.

Stachelschweine sind große Nagetiere, die lange spitze Stacheln an ihrem Hinterkörper haben.

Stachelschwein

Stachelschweine sind eine Unterordnung der Nagetiere. Obwohl sie so heißen, sind sie also nicht mit den Schweinen verwandt, sondern eher mit den ⇨ Hamstern und ⇨ Eichhörnchen. Das Stachelschwein wird 85 cm groß und 15 kg schwer. Es hat einen kurzen Körper, und sein Fell besteht aus Stacheln und Borsten. Diese Stacheln kann es aufrichten. Der Kopf des Stachelschweins ist rundlich, die Ohren und die Augen sind klein. Stachelschweine leben in Afrika und Asien. Nach einer Trächtigkeit von 2 Monaten kommen bei der Geburt 2 Junge zur Welt. Die Stachelschweinjungen sind sehr weit entwickelt und können sofort herumlaufen. Sie gehören deshalb zu den Nestflüchtern. Stachelschweine sind Pflanzenfresser und gelten als recht wehrhaft. Wenn sie angegriffen werden, stellen sie die Stacheln auf und laufen auf den Gegner zu. Sie schütteln sich dabei und manchmal lösen sich dann einige Stacheln und fliegen wie Pfeile in Richtung des Gegners. Ihre Feinde sind Raubkatzen, Hyänen, Greifvögel und Riesenschlangen.

Star

Stare sind Singvögel, die bei uns recht häufig vorkommen. Sie werden über 20 cm lang, ihr Gefieder ist schwarz und glänzt in der Sonne schillernd. Im Herbst und im Winter haben die Stare am ganzen Körper weiße Tupfen. Der Star ist ein guter Sänger, der sein Lied auch in der Nacht ertönen lässt. Eine Gruppe von mehreren Staren nennt man »Schwarm«. Außerhalb der Paarungszeit fliegen die Stare in großen Schwärmen von mehr als tausend Tieren umher. Stare sind Zugvögel. Sie fliegen im Winter in den Süden. Wenn sie im Frühjahr zurückkehren, beginnt die Paarungszeit. Starenweibchen legen 5-6 hellblaue Eier. 3 Wochen nach der Geburt können die Jungen fliegen und verlassen das Nest. Man sagt dann, die Jungen sind »flügge«. Stare fressen Schnecken, Regenwürmer, Insekten, Spinnen, Larven und manchmal sogar Eidechsen. Sie mögen aber auch Obst, Getreide und Samen.

Der Star ist ein bei uns sehr häufiger Singvogel.

Der Steinadler ist ein großer kräftiger Greifvogel.

Steinadler

Der Steinadler stammt aus der Familie der Habichtartigen. Er ist ein großer ➪ Greifvogel, der im Gebirge lebt. Er wird 95 cm groß, und seine Flügelspannweite beträgt 2,2 m. Es gibt Steinadler in den Alpen, in Nordamerika, Sibirien und Nordafrika. Allerdings wurden die Steinadler in vielen Gebieten ausgerottet. In Deutschland leben heute nur noch 10 Paare. Die Paarungszeit des Steinadlers ist im März. Das Weibchen legt meist 2 Eier. Das Nest des Adlers nennt man »Horst«. Die Steinadler bauen ihren Horst an steilen, felsigen Gebirgshängen. Diese Greifvögel erbeuten Murmeltiere, Schneehasen, Füchse, Marder und die Jungen von Gämsen und Rehen. Steinadler jagen meist zu zweit. Der eine hetzt die Beute bis sie müde und langsam wird. Dann packt der andere zu.

Steinbock

Der Steinbock gehört zur Gattung der ➪ Ziegen. Er wird 1,7 m lang und 150 kg schwer. In den Alpen kommt der Alpensteinbock vor. Seine Hörner werden 1,4 m lang und sind nach hinten gebogen. Das Fell des Steinbocks ist braun. Er lebt im Gebirge bis 3500 m Höhe. Im Winter, wenn viel Schnee fällt, wandern die Steinböcke bis auf eine Höhe von 2300 m hinab. Steinböcke leben in Gruppen von 10 Tieren zusammen. Nach einer Trächtigkeit von 180 Tagen bringt die Steinbockmutter 1 Junges oder »Kitz« zur Welt. Steinböcke fressen Knospen, Blätter und Kräuter. Sie sind sehr gute Springer und können ausgezeichnet klettern. Mit großer Sicherheit laufen sie in den Steilhängen der Alpen umher. Der einzige natürliche Feind der Steinböcke ist der Steinadler. Er kann aber nur den Kitzen gefährlich werden. Steinadler greifen Steinbockkitze nur an, wenn die Kitze sich von ihren Eltern und von der Herde entfernt haben.

Steinböcke haben dicke Hörner.

Stockente

Die Stockenten gehören zur Gattungsgruppe der Schwimmenten. Das bedeutet, dass sie auf der Suche nach Nahrung nicht tauchen, sondern nur den Kopf in das Wasser stecken. Man nennt das auch »gründeln«. Das Männchen, der »Erpel«, hat einen grünblau schimmernden Kopf, eine violette Brust und schwarze Schwanzfedern, die sich nach oben umbiegen. Am Hals haben die Erpel einen weißen Ring. Die Weibchen sind unscheinbar braun gefärbt. Im Winter sind die Erpel auch braun. Dann kann man sie nur an ihrem gelben Schnabel erkennen, denn der Schnabel des Weibchens ist orange. Unsere Hausenten stammen von den Stockenten ab. Wenn man auf den Teichen Stockenten mit abweichender Farbe oder weißen Flecken sieht, sind das Enten, die irgendwo in ihrer Familie eine weiße Hausente haben. In der Paarungszeit legt das Weibchen 10-12 Eier, die es alleine ausbrütet. Stockenten haben viele Feinde. Die Altvögel fallen Habichten, Wanderfalken, Eulen, Füchsen und Hermelinen zum Opfer. Die Jungen im Nest werden von Ratten bedroht.

Die weibliche Stockente ist braun gefärbt.

Die Störche werden bei uns selten.

Storch

Störche sind eine Familie aus der Ordnung der Stelzvögel. Sie sind eng verwandt mit dem ➪ Reiher. Am bekanntesten ist bei uns der Weißstorch. Er hat ein weißes Gefieder mit schwarzen Flügelspitzen. Sein langer, spitzer Schnabel und seine langen Beine sind rot. Störche werden 1 m groß und ihre Flügelspannweite beträgt 1,2 m. Wenn Störche sich begrüßen, legen sie ihren Kopf auf den Rücken und klappern laut mit dem Schnabel. Deshalb hat dieser Vogel auch den Namen »Klapperstorch«. Störche sind Zugvögel, die den Winter im wärmeren Süden verbringen. Wenn sie im Frühjahr zurückkehren beginnt die Paarungszeit. Störche bauen ihr Nest gern mitten in Dörfern auf den Dächern der Häuser. Das Weibchen legt 3-5 Eier, aus denen nach 32 Tagen die Jungen schlüpfen. Die Nahrung der Störche sind Heuschrecken, Maikäfer, Würmer, Fische, Eidechsen, Mäuse und Schlangen. Sie fressen sogar die giftige Kreuzotter. Störche leiden sehr unter den Umweltgiften der Menschen und unter der Bebauung der Natur. Leider ist der Storch bei uns deshalb vom Aussterben bedroht.

Strandläufer

Der Strandläufer gehört zur Familie der Schnepfenvögel. Er ist mit der ➪ Bekassine und der ➪ Schnepfe verwandt. Strandläufer sind kleine, zierliche Wasservögel mit langen Beinen und spitzem, langem Schnabel. Ihr Gefieder ist braun gemustert. In großen Gruppen oder »Schwärmen« leben sie an der Nordküste Amerikas und Europas. Die Paarungszeit dieser Vögel ist im April. In das Nest, eine Mulde auf einer Wiese, legt das Weibchen 4 Eier, die vom Männchen ausgebrütet werden. Wenn die erste Brut aufgezogen ist, legt das Weibchen wieder 4 Eier, die es selbst ausbrütet. Es kann passieren, dass sich das Weibchen für die zweite Brut vorher mit einem anderen Männchen paart. Strandläufer ernähren sich von Würmern und Krebstieren. Ihre größten natürlichen Feinde sind Falken und Sperber. Das Nest wird durch Igel und Möwen bedroht.

Der Strandläufer sucht im seichten Wasser nach Würmern und Krebsen.

Der Strauß kann nicht fliegen.

Strauß

Mit 3 m Höhe und über 150 kg Gewicht ist der afrikanische Strauß der größte Vogel der Welt. Er gehört zu den Laufvögeln. Also kann er nicht fliegen, genau wie der ➪ Nandu und der ➪ Emu. Stauße haben einen nackten Hals und nackte Beine. Die Weibchen sind braun gefärbt. Das Gefieder des Männchens ist schwarz, sein Hals und seine Beine sind rot. In der Paarungszeit hat das Straußenmännchen meist mehrere Weibchen. Das Männchen führt vor den Weibchen einen Tanz auf, um sie zum Nest zu locken. Das Nest ist nur eine Mulde im Sand. Alle Weibchen legen ihre Eier in dieses Nest. Die Eltern wechseln sich mit dem Brüten ab. Der Strauß ist ein Pflanzenfresser. Er ernährt sich aber auch manchmal von kleinen Wirbeltieren, wenn er sie erwischt. Seine Feinde sind die Feinde seines Nestes und der Eier. Dazu gehören der Schabrakenschakal, die Hyäne und einige Geier. Auch die Oryx-Antilope frisst gelegentlich Straußeneier.

Ein südamerikanischer Flachlandtapir.

Tapir

Der Tapir gehört zur Ordnung der Unpaarhufer. Er ist eng verwandt mit dem ➪ Nashorn, aber auch mit dem ➪ Pferd. Tapire werden 2,5 m lang und 1,2 m hoch. Sie erreichen ein Gewicht von 300 kg. Ihre Nase sieht aus wie ein kurzer Rüssel, ihr Rücken ist gewölbt und ihre Beine sind kurz. Die Männchen sind etwas kleiner als die Weibchen. Tapire leben in Südamerika und in Südostasien. Sie halten sich gerne im Dschungel und in der Nähe von Wasser auf. Tapire können sehr gut schwimmen. Der Schabrackentapir aus Asien kann sogar tauchen und auf dem Grund des Gewässers umherlaufen. Einmal im Jahr bekommen Tapire 1 Junges. Der kleine Tapir ist braun mit hellen Streifen und Punkten. Er erinnert an die Jungen der ➪ Wildschweine. Tapire sind Pflanzenfresser. Ihre Feinde sind in Asien der Tiger und in Südamerika der Jaguar. Wenn ein Tapir angegriffen wird, stürzt er sich mit hoher Geschwindigkeit durch Sträucher und Büsche. Wenn er bereits von einem Jaguar angesprungen wurde, gelingt es dem Tapir manchmal, die große Katze an den Ästen abzustreifen. Der Schabrackentapir wurde durch den Menschen beinahe ausgerottet.

Tarantel

Die Tarantel ist eine ➪ Spinne aus der Familie der Wolfsspinnen. Diese 4 cm lange Spinne hat einen behaarten Körper und behaarte Beine. Am Rücken hat sie ein Muster aus hellen und dunklen Streifen. Taranteln leben im Mittelmeerraum. Sie wohnen meist in Erdhöhlen. Nach der Tarantel ist ein italienischer Tanz benannt, der »Tarantella« heißt. Die Sage erzählt, dass ein Mensch, der von einer Tarantel gebissen worden war, diesen rasenden Tanz aufführte und dabei das Spinnengift herausschwitzte. Der Biss der Tarantel ist tatsächlich giftig. Er verursacht Entzündungen. Zur Paarungszeit muss sich das Tarantelmännchen dem größeren Weibchen sehr vorsichtig nähern, damit es nicht gefressen wird. Es winkt dem Weibchen deshalb mit dem vorderen Beinpaar zu und führt einen Zickzack-Tanz auf, um dem Weibchen klarzumachen, dass es keine Beute ist. Das Tarantelweibchen legt Eier, die es in einem Paket unter seinem Hinterkörper befestigt. Wenn die Jungen geschlüpft sind, krabbeln sie auf den Rücken der Mutter und lassen sich von ihr umhertragen. Taranteln bauen kein Fangnetz wie andere Spinnen. Sie schleichen sich an ihre Beute heran und springen sie plötzlich an.

Eine Tarantel trägt ihr Eipaket.

Dieser Tarpan wurde nachgezüchtet.

Tasmanischer Teufel

Der Tasmanische Teufel ist ein räuberisches Beuteltier, das auf Tasmanien lebt. Diese Tiere, die zu den Beutelmardern gehören, werden 50 cm lang. Ihr Fell ist schwarz, ihre Schnauze bräunlich und ihre großen Ohren rötlich. Wenn diese Tiere sich aufregen, werden ihre Ohren immer röter und röter. Seinen Namen erhielt der Beutelteufel, weil die tasmanischen Siedler ihn für bösartig und angriffslustig hielten und weil er gelgentlich Stallhühner erbeutete. Beutelteufel sind keine sehr schnellen Läufer, dafür können sie gut schwimmen. Wenn sie verfolgt werden, springen sie ins Wasser, tauchen unter und kommen an einer anderen Stelle wieder an die Oberfläche. Die Paarungszeit der Beutelteufel ist im April. Ende Mai werden bereits die Jungen geboren. Sie bleiben aber noch bis Ende September im Beutel der Mutter.

Tarpan

Tarpane waren mausgraue Wildpferde, die leider schon vor mehr als 100 Jahren ausgerottet wurden. Sie lebten in osteuropäischen und asiatischen Steppengebieten. Der Tarpan war grau, sein Schwanz oder »Schweif«, seine Mähne und seine Beine waren schwarz. Tarpane durchquerten ihren Lebensraum in kleinen Gruppen oder »Herden«. So eine kleine Herde bestand aus Weibchen, die man bei ➪ Pferden »Stuten« nennt, und Jungen, oder »Fohlen«. Angeführt wurde die Herde von einem starken »Hengst«, also einem männlichen Tarpan. Dieser Leithengst beschützte die Herde und hielt an Tränken und Weidegründen Wache. Die Trächtigkeit der Stuten dauerte 336 Tage. Meist bekamen sie 1 Fohlen, das fast 1 Jahr lang bei der Mutter blieb. Die Feinde der Tarpane waren Bären, Wölfe und der Mensch, der sie erbarmungslos ausrottete.

Der Tasmanische Teufel ist ein Beuteltier aus Tasmanien.

Eine hübsch gefärbte Taube.

Taube

Die Tauben sind eine Familie aus der Ordnung der Taubenvögel. Sie werden 30 cm groß, haben einen plumpen Körper und einen kleinen Kopf. Es gibt Wildtauben und Haustauben. Die Wildtauben bei uns sind die Ringeltaube, die einen weißen Federring am Hals hat, und die Türkentaube, die hellbraun gefärbt ist mit einem schwarzen Ring am Hals. Einige Haustauben werden von den Menschen als Brieftauben gezüchtet. Diese Brieftauben finden über eine sehr große Entfernung den Weg zurück nach Hause in ihren Schlag. Früher hat man diese Tauben benutzt, um Nachrichten zu überbringen. Viele Brieftauben kehren aber nicht nach Hause zurück, sondern bleiben in den Großstädten. Hier vermehren sie sich schnell und richten an den Häusern großen Schaden an. Wildtauben leben in Einehe. Das heißt, dass ein Pärchen für immer zusammenbleibt. Das Weibchen legt meistens 2 Eier. Die Eltern brüten abwechselnd. Nachts brütet das Weibchen und tagsüber das Männchen. Die Feinde der Tauben sind der Habicht und der Wanderfalke.

Termite

Termiten sind eine Ordnung der Insekten. Sie sind mit den Schaben verwandt. Ihr Körper ist weiß und ihr Kopf rot. Es gibt 1 cm große Arbeiterinnen, 2 cm große Soldaten und die Geschlechtstiere, die zwischen 2 und 9 cm groß sind. Nur die Geschlechtstiere, also Könige und Königinnen, wachsen zu Insekten heran. Arbeiterinnen und Soldaten bleiben im Larvenstadium stehen. Termiten wohnen in warmen Gebieten. Sie leben in großen Staaten wie die Bienen und die Ameisen. Im Unterschied zu ihnen ist der Termitenstaat eine Elternfamilie. Hier gibt es einen König und eine Königin. Ameisen- und Bienenstaaten werden nur von einer Königin geführt. Termiten bauen in der Erde eine große Burg, einen »Termitenhügel«. Sie ernähren sich von Holz, weshalb sie von Hausbesitzern gefürchtet sind. Außerdem züchten Termiten in ihrem Hügel einen Pilz, von dem sie sich ernähren. Dieser Pilz wächst nur in Termitenhügeln. Die Feinde dieser Insekten sind Treiberameisen, Erdferkel, Ameisenbären und andere Tiere, die sich auf den Fang von Insekten spezialisiert haben.

Ein großer Termitenhügel.

Tagsüber ruht sich der Tiger im Schatten aus. In der Dämmerung geht er auf Jagd.

Tiger

Der Tiger gehört zur Gattungsgruppe der Großkatzen. Tiger sind sehr kräftig gebaut, haben spitze Krallen an den Zehen und einen Wangenbart, ähnlich wie der Luchs. Mit 2,8 m Länge ist der Sibirische Tiger die größte Katze der Welt. Der kleinste Tiger ist der Java-Tiger. Er ist leider auch der seltenste. Von dieser Tigerart leben auf ganz Java nur noch 6-12 Tiere. Die Paarung der Tiger findet im Frühjahr oder im Winter statt. Nach einer Trächtigkeit von 112 Tagen bringt die Tigermutter 2-4 Junge zur Welt. Die Jungen bleiben 2-3 Jahre lang bei der Mutter. Tiger jagen Hirsche, Wildschweine, Elche, Luchse, Hasen, Schakale, und der Sibirische Tiger überwältigt sogar Bären! Tiger fressen aber auch Nagetiere, Fische und Frösche. Durch die Tigerjagd haben es die Menschen erreicht, dass alle Tigerarten kurz vor der Ausrottung stehen. Wahrscheinlich leben heute in Zoos etwa genauso viele Tiger wie in Freiheit.

Der Tiger liebt das Wasser. Er ist überhaupt nicht so wasserscheu, wie viele andere Katzen.

Der Tigerhai ist der Schrecken der flachen Küstengewässer.

Tigerhai

Einer der gefürchtetsten Räuber der wärmeren Meere ist der 4,5 m lange Tigerhai. Dieser ➪ Hai aus der Klasse der Knorpelfische hat die haitypische dreieckige Rückenflosse, spitze Brustflossen und eine sichelförmige Schwanzflosse. Seinen Namen hat dieser Räuber von seinem Streifenmuster auf dem Rücken. Tigerhaie leben auf der Hochsee und in flachen Küstengewässern. Sie bevorzugen tropische Meere und sind vor allem in der Nähe der Kanarischen Inseln recht häufig. Das Tigerhaiweibchen entwickelt zwar Eier, es legt diese Eier aber nicht, sondern behält sie im Mutterleib, bis die Jungen schlüpfen. Eine Tigerhaimutter bekommt 30–50 Junge, die bei der Geburt 50 cm lang sind. Tigerhaie sind große Räuber mit einem fast unstillbaren Appetit. Sie fressen Krabben, Fische, Seeschildkröten, Robben und sogar andere Haie. Sie schnappen sich Seevögel von der Wasseroberfläche und schwimmen sogar in die Flussmündungen, wo ihnen selbst Krokodile zum Opfer fallen.

Tintenfisch

Eigentlich ist der Name »Tintenfisch« gar nicht richtig. Dieses Tier ist nämlich kein Fisch. Es gehört zur Unterfamilie der Tintenschnecken und ist mit den Muscheln und den Schnecken verwandt. Tintenfische kommen weltweit vor. Es gibt zehnarmige Formen wie die Sepie oder den Kalamar und es gibt achtarmige wie den ➪ Octopus. Der größte Tintenfisch ist der Riesenkalamar. Man hat diese Tiere noch nie lebend gesehen. Aber im Magen eines Pottwals, des Erzfeinds des Riesentintenfisches, fand man Kalamaraugen, die 40 cm groß waren. Man hat errechnet, dass der Tintenfisch, dem diese Augen gehörten, 25 m lang und mehrere Tonnen schwer war. Die Paarung der Tintenfische findet einmal im Jahr in der Nacht statt. Das Tintenfischweibchen setzt die Eier meist an einer Koralle ab. Die Hauptnahrung der Tintenfische sind Krebse und Krabben. Wenn der Tintenfisch selbst angegriffen wird, verspritzt er eine dunkle Flüssigkeit, die wie Tinte aussieht. Tintenfische haben viele Feinde: Haie, Rochen, Seehechte, Tunfische, Delfine, Robben und Meeresvögel.

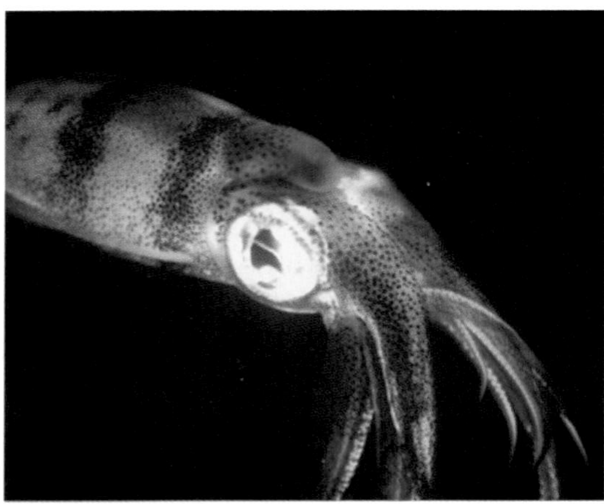

Tintenfische haben einen flachen Körper und viele Fangarme. Ihre Augen sind gut entwickelt.

Tölpel haben kräftige Schwimmfüße.

Tölpel

Tölpel sind eine Vogelfamilie aus der Ordnung der Ruderfüßer. Sie sind eng verwandt mit dem ⇨ Kormoran und dem ⇨ Pelikan. Tölpel werden 1 m groß und 3,5 kg schwer. An den Füßen haben sie starke Schwimmhäute. Tölpel sind Wasservögel, die in den wärmeren Meeresgebieten leben. Seinen Namen trägt der Tölpel, weil er zwar ein großer Flieger ist, aber mit der Landung immer etwas Probleme hat. Er stellt sich dabei oft ungeschickt, eben »tölpelhaft« an. Tölpel nisten auf Bäumen und Felsen. Sie leben in großen Kolonien. Das Weibchen legt einmal im Jahr 1-3 Eier. Beide Eltern ziehen ihre Jungen groß. Tölpel jagen Fische und Tintenfische. Dabei lassen sie sich im Sturzflug ins Meer fallen, um unter Wasser einen Fisch zu fangen. Erwachsene Tölpel haben nicht viele Feinde. Die Jungen fallen Raubmöwen und Füchsen zum Opfer.

Totenkopfäffchen

Totenkopfäffchen gehören zur Familie der Kapuzinerartigen. Diese Affen werden 30 cm lang und haben einen etwa 40 cm langen Schwanz. Ihren Namen tragen sie, weil ihr weißes Gesicht mit den dunklen Augen und der schwarzen Schnauze an einen Totenkopf erinnert. Sie sehen aber deshalb keineswegs abstoßend oder gruselig, sondern eher niedlich und frech aus. Ihr Fell ist braun. Am Kopf ist es dunkel und an Bauch und Hals hell. Totenkopfäffchen leben im Dschungel Südamerikas. Sie sind reine Baumbewohner, die den Boden nur selten betreten. Im Vergleich zu ihrem Körper haben diese Tiere unter allen Affen das größte Gehirn. Man vermutet, dass sie deshalb so gut klettern und springen können, weil gerade die Teile des Gehirns, die die Augen steuern, besonders entwickelt sind. Die weiblichen Totenkopfäffchen bekommen meist 1 Junges. Das Kleine klammert sich in der ersten Zeit mit allen Vieren am Bauch der Mutter fest. Totenkopfäffchen ernähren sich von Früchten, Insekten und Spinnen.

Totenkopfäffchen leben in großen Gruppen in den Baumkronen.

Trampeltier

»Trampeltier« nennt man das asiatische ➪ Kamel mit den 2 Höckern. Der einhöckrige Verwandte aus Afrika heißt »Dromedar«. Das Trampeltier gehört zur Ordnung der Paarhufer. Es ist mit den Lamas verwandt. Seine Länge ist 3,4 m, die Höhe 2,3 m, und es wird 650 kg schwer. Wegen seiner Größe und seines schaukelnden Gangs wird das Kamel auch »Wüstenschiff« genannt. Kamele haben einen langen, gebogenen Hals, einen großen Kopf und lange Lippen, die herunter hängen. In Zentralasien gibt es noch Wildkamele. Sie leben in Gruppen von 6-20 Tieren zusammen. Die Paarungszeit ist im Februar. Nach 13 Monaten Trächtigkeit bringt die Kamelmutter 1 Junges zur Welt. Das Kleine bleibt mindestens 1 Jahr lang bei der Mutter. Kamele fressen Gräser, Stroh und Heu. Sie können in trockenen Gebieten länger ohne Wasser auskommen als jedes andere Tier.

Das Trampeltier hat 2 Höcker.

Die Trappe ist mit dem Kranich verwandt.

Trappe

Trappen sind eine Vogelfamilie der Kranichvögel. Diese truthahngroßen Vögel leben in Spanien, Osteuropa, Nordafrika, Australien und Zentralasien. Von weitem erinnern Trappen eher an Hühner als an Kraniche. Sie haben einen massigen Körper, einen langen Hals und lange Beine. Obwohl sie sich meistens laufend vorwärts bewegen, sind diese Vögel auch ausgezeichnete Flieger. Die Farbe ihres Gefieders setzt sich aus Weiß mit Braun- und Grautönen zusammen. Die Paarungszeit beginnt Ende April. In dieser Zeit wirbt das Männchen um die Weibchen. Dieses Werben nennt man »Balz«. Dabei spreizt das Männchen seine Federn ab und pumpt so viel Luft in seinen Hals, bis dieser wie ein großer Sack aussieht. Wenn dem Weibchen diese »Balz« gefallen hat, sucht es einen Nistplatz aus und scharrt an dieser Stelle eine Mulde in den Boden. Trappen legen 1-3 kleine Eier. Wenn die Jungen ausgeschlüpft sind, verlassen sie das Nest sofort. Es sind also Nestflüchter. Trappen fressen Gräser, Kräuter, Insekten, Eidechsen und Mäuse.

Truthuhn

Truthühner sind eine Unterfamilie aus der Ordnung der Hühnervögel. Sie sind mit 1,2 m Länge und über 11 kg Gewicht recht groß. Ihr Gefieder ist schwarz glänzend. Der Kopf und der Hals sind nackt und rot und blau gefärbt. Bei den Männchen hängt ein Hautgebilde von der Stirn herab. Die Schwanzfedern kann das Männchen in der Paarungszeit zu einem Rad aufrichten. Truthühner leben auf dem Boden und fliegen nur zum Übernachten auf Bäume. Von den Wildtruthühnern aus Nordamerika stammen unsere Haustruthühner oder Puten ab. Sie sind meistens weiß und nicht so schön gefärbt wie die Wildform. Die wilden Truthühner sind so gut wie ausgestorben. Die Paarungszeit dieser Hühnervögel ist im Frühjahr. Das Truthahnweibchen legt 8-10 Eier in eine Erdmulde am Boden. Die Jungen schlüpfen nach 28 Tagen. Truthühner fressen Früchte, Samen und Insekten.

Ein männlicher Truthahn.

Der Tukan hat einen großen Schnabel.

Tukan

Tukane sind eine Familie aus der Ordnung der Spechtvögel. Sie sind also mit den ➪ Spechten verwandt. Das besondere Merkmal der Tukane ist ihr riesiger Schnabel, der bei einigen Arten so groß ist wie der ganze Vogel. Dieser Riesenschnabel ist sehr bunt gefärbt. Seine Ränder sind zackenförmig eingeschnitten, so dass es aussieht, als habe der Tukan Zähne. Tukane leben in Mittelamerika und in Südamerika. Wie der Specht, so brütet auch der Tukan in Baumhöhlen. Männchen und Weibchen wechseln sich beim Brüten ab. Die jungen Tukane bleiben sehr lange im Nest, fast 2 Monate lang. Tukane haben eine ganz eigene Art, Beeren zu fressen. Sie pflücken sie mit der Spitze ihres Schnabels, werfen sie dann hoch und schnappen sie auf. Sie mögen aber auch Termiten und Ameisen. Außerdem sind Tukane gefürchtete Nesträuber, die die Nester von anderen Vögeln plündern.

Tümmler sind große Delfine. Sie gelten als sehr intelligent.

Tümmler

Der Tümmler ist ein großer Delfin aus der Überfamilie der Delfinartigen. Er wird 3 m lang und 200 kg schwer. Seine Rückenflosse ist kurz und dreieckig und sein Unterkiefer ist länger als der Oberkiefer. Der Name »Tümmler« kommt vom holländischen Wort »Tuimelaar« und bedeutet »Akrobat«. Und tatsächlich: Wenn Tümmler neben einem Motorboot herschwimmen, springen sie dabei hoch aus dem Wasser und überschlagen sich. Sie spielen mit der Bugwelle des Bootes. In Delfinshows bekommen Tümmler Kunststücke beigebracht, die sie dem begeisterten Publikum vorführen. Die Paarungszeit der Tümmler ist im Frühjahr. Nach der Trächtigkeit von 10–12 Monaten bringt das Weibchen 1 Junges zur Welt, das es dann 16 Monate lang säugt. Ähnlich wie viele Landsäugetiere leben die Tümmler in Familiengruppen zusammen. Tümmler ernähren sich von Fischen, Tintenfischen und Krabben. Ihre einzigen Feinde sind der Hai und der Mensch. In einigen Ländern werden immer noch Delfine gefangen, obwohl es weltweite Schutzabkommen gibt.

Turmfalke

Der Turmfalke gehört zu den häufigsten ➪ Greifvögeln. Er lebt in ganz Europa, großen Teilen Afrikas und in Asien. Sein häufiges Vorkommen hängt damit zusammen, dass er sich von Menschen nicht verdrängen lässt, sondern Siedlungen auch als Lebensraum annimmt. Der 30 cm große Turmfalke hat braun gesprenkeltes Gefieder. Das Männchen hat einen grauen Kopf und einen grauen Schwanz. Man nennt den Turmfalken auch »Rüttelfalken«, weil er auf der Jagd nach Mäusen in der Luft stehen bleibt und schnell mit den Flügeln schlägt. So kann er sich in der Umgebung nach Beute umsehen. Dieses Fliegen auf der Stelle nennt man »Rütteln«. Das Weibchen legt meist 2–4 Eier. Es brütet die Eier aus und bewacht später die Jungen. Das Männchen, man nennt es auch »Terzel«, hat die Aufgabe, die Mutter und die Jungen zu füttern.

Ein Turmfalke auf der Suche nach Beute.

Der Uhu ist die größte Eule der Welt.

Uhu

Man nennt ihn den »König der Nacht«, und er ist einer der stärksten Eulenvögel unserer Wälder: der Uhu. Er wird 73 cm groß, 2,5 kg schwer und seine Flügelspannweite beträgt 1,7 m. Typisch für ihn sind seine langen Federn am Kopf, die wie Ohren aussehen, und seine braunen Augen. Der Ruf des Männchens ist ein lautes »Wuoh«. Daher hat der Uhu seinen Namen. Der Uhu lebt in Europa, Asien und Nordafrika. In weiten Gebieten Mitteleuropas ist er leider ausgerottet. Man versucht heute, wieder Uhus in Deutschland frei zu lassen, damit sie sich vermehren. Die Paarungszeit des Uhus beginnt Ende Januar. Ihre Nester bauen sie zwischen Felsen und in Höhlen. Das Weibchen legt 2-3 Eier, die 35 Tage lang bebrütet werden. Die Jungen verlassen mit 9 Wochen das Nest, bleiben aber noch bis zum Herbst bei ihrer Mutter. Die Hauptbeute des Uhus sind Hasen, Ratten, Eichhörnchen und Igel. Auch andere Vögel fallen dem Uhu zum Opfer. Er jagt Tauben, Krähen, Elstern und sogar Bussarde.

Unke

Die Unke gehört zur Ordnung der Froschlurche. Sie ist eng mit den Kröten verwandt. Die 5 cm lange Unke hat einen grau-grünen Rücken und einen farbigen Bauch. Bei der Rotbauchunke ist er rot und bei der Gelbbauchunke gelb. Unken kommen in ganz Europa und in weiten Teilen Asiens vor. Sie leben gerne im Wasser oder in der Nähe von Wasser. Bei Gefahr drehen sich die Unken auf den Rücken und zeigen ihren leuchtend bunten Bauch. Sie stellen sich tot. Gleichzeitig sondern sie eine giftige Flüssigkeit ab, die beim Menschen die Augen, die Nase und den Mund reizt. Die Paarungszeit der Unke ist zwischen April und August. Die Eier werden an Wasserpflanzen abgelegt. Unken werden sehr alt. In Gefangenschaft können sie ein Lebensalter von 12 Jahre erreichen. Ihre Nahrung sind Insekten, Würmer und Larven. Iltis, Reiher und Storch können der Unke gefährlich werden, denn der Trick mit dem »Totstellen« und dem Gift funktioniert bei diesen Tieren nicht.

Dies ist eine Gelbbauchunke.

Der Vielfraß wird im Winter zu einem gefährlichen Jäger.

Vielfraß

Einer der größten Marder ist der Vielfraß. Man nennt ihn auch »Järv« oder »Bärenmarder«. Er lebt in Nordamerika und Nordasien. Dieses 87 cm lange, hochbeinige Tier hat einen langen braunen Pelz mit einem hellen Streifen an der Körperseite und auf der Stirn. Bärenmarder werden 35 kg schwer. Die Paarungszeit dieser Tiere ist im Mai. Die Trächtigkeit dauert 9 Monate. 2-4 Junge bringt die Vielfraßmutter zur Welt. Sie säugt ihre Kinder 10 Wochen lang. Sie bleiben 2 Jahre lang bei ihr und lernen, wie man Beute macht. Der Vielfraß ist kein besonders guter Jäger. Er macht sich nicht die Mühe, sich vorsichtig an seine Beute heranzuschleichen, sondern poltert laut und ungeniert durch das Gehölz. Im Sommer frisst er also nur Beeren, Aas und Vogeleier. Im Winter ist das anders. Der Schnee macht ihn zu einem lautlosen Jäger, dem jetzt sogar Elche, Rentiere und Luchse zum Opfer fallen. Großen Tieren springt er auf den Rücken und beißt sie in den Nacken, bis sie umfallen.

Viper

Die Vipern sind eine Familie der ➪ Schlangen. Diese Giftschlangen haben die Besonderheit, dass ihre Giftzähne innen hohl sind. Sie funktionieren wie die Nadeln einer medizinischen Spritze und sind länger als die der Giftnattern. Damit sind die Vipern sehr hoch entwickelte Giftschlangen. Sie kommen in Europa, Asien und Afrika vor. Bei uns ist aus dieser Familie die ➪ Kreuzotter sehr bekannt. Die kleinste Viper ist die 30 cm lange Zwergpuffotter, die größte ist die 1,8 m lange Gabunviper. Eine weitere Besonderheit dieser Familie ist die Tatsache, dass die meisten Vipern keine Eier legen, sondern gleich lebende Junge zur Welt bringen. Die Jungen sind sofort selbstständig und gehen auf Nahrungssuche. Erwachsene Vipern jagen Ratten, Mäuse, Vögel und Eidechsen. Die natürlichen Feinde dieser Schlangen sind Greifvögel, Störche und Reiher.

Vipern sind gefährliche Schlangen mit sehr langen Giftzähnen.

Vögel

Vögel sind Wirbeltiere mit einem Federkleid. Ihre Vorderbeine sind zu Flügeln umgewandelt. Statt eines Mundes mit Zähnen haben sie einen Hornschnabel.

Alle Vögel legen Eier. Diese Eier müssen ausgebrütet werden, damit später junge Vögel daraus schlüpfen können. Viele Vögel bauen ein Nest, in das sie ihre Eier legen. In diesem Nest werden auch die Jungen gefüttert und großgezogen. Andere Vögel wie der Specht oder der ⇨ Papagei bauen eine Baumhöhle.

Es gibt auch Vögel, deren Flügel verkümmert sind. Sie haben aber kräftige Beine, mit denen sie schnell laufen können. Hierzu gehören der ⇨ Strauß und der ⇨ Emu. Die ⇨ Pinguine sind Vögel, die weder fliegen, noch besonders gut laufen können. Dafür sind sie ausgezeichnete Schwimmer. Berühmte Vogelordnungen sind die ⇨ Greifvögel und die Singvögel. Bekannte Vogelfamilien sind die ⇨ Enten und die ⇨ Reiher.

Adler

Geier

Strauß

Schafstelze

Pinguin

Die Schopfwachtel lebt in Amerika.

Wachtel

Wachteln sind die kleinsten aus der Familie der ➪ Feldhühner. Sie sind eng mit den ➪ Rebhühnern verwandt. Wachteln sind rundliche, gedrungene Vögel mit kurzen Beinen und kräftigem Schnabel. Ihr Gefieder ist in verschiedenen Brauntönen gefärbt. Wachteln sind Zugvögel, die im Spätherbst in den Süden fliegen und im Frühjahr zurückkehren. Sie leben in kleinen Gruppen auf Wiesen und Feldern. Zur Paarungszeit bauen sie ein Nest auf dem Boden. Die Brut und die Aufzucht der Jungen ist Sache des Weibchens. Es legt 8–14 Eier, die in 17 Tagen ausgebrütet sind. Leider werden Wachteln immer seltener, weil sie auf ihren Wanderungen in Südeuropa stark bejagt werden. Auch Insektenvernichtungsmittel und Umweltverschmutzung sind schuld an ihrem Rückgang. Wachteln fressen Körner, Samen, Würmer und Ameisen. Ihre natürlichen Feinde sind der Falke und der Sperber.

Wal

Wale sind eine Ordnung der ➪ Säugetiere. Diese Meeressäuger haben eine glatte Haut, zwei Brustflossen, eine Schwanzflosse und meist eine Rückenflosse. Im Unterschied zu den Fischen haben Wale keine Schuppen und sie atmen nicht mit Kiemen, sondern mit Lungen. Außerdem haben Wale eine waagerechte Schwanzflosse, während die der Fische senkrecht ist. Der größte Wal ist der Blauwal. Er wird über 30 m lang und 130 t schwer. Das heißt, er wiegt genauso viel wie 25 Elefanten oder 150 Rinder oder 1600 Menschen. Man unterteilt die Wale in ➪ Bartenwale und ➪ Zahnwale. Bartenwale fressen »Krill«, das sind kleine Krebstiere. Zahnwale sind Räuber. Ihre Hauptnahrung sind Fische und Tintenfische. Zur Beutejagd dienen ihnen dabei nur ihre Augen und das Gehör. Zahnwale können nämlich nichts riechen. Der größte Zahnwal ist der Pottwal. Er ernährt sich von Tintenfischen und frisst auch die großen Riesenkalamare aus der Tiefsee. Der gefährlichste Zahnwal ist der Schwertwal. Er jagt Robben, Delfine, Seehunde und sogar andere Wale.

Der Blauwal wird 30 m lang. Er ist das größte Säugetier der Erde.

In der Nacht macht der Waldkauz Jagd auf kleine Nagetiere.

Waldkauz

Die Käuze sind eine Unterfamilie der Eulen. Der Waldkauz ist in unseren Wäldern wohl der bekannteste dieser Nachtgreifvögel. Man sieht ihn zwar recht selten, dafür hört man den Ruf des Männchens in der Nacht umso häufiger. Der Waldkauz wird 41 cm groß und hat eine Flügelspannweite von 1 m. Sein Kopf ist rund, und sein Gefieder ist graubraun. Er ist die häufigste Eule Europas und lebt im Wald und in Parkanlagen. In der zweiten Winterhälfte ist die Paarungszeit der Waldkäuze. Wenn sich ein Pärchen gefunden hat, bleibt es für immer zusammen. Das Nest bauen Käuze in Baumhöhlen, Felsspalten und auf Dachböden. Das Weibchen legt 3-5 Eier, und nach 28 Tagen schlüpfen die Jungen. Der Waldkauz ist ein Nachtjäger. Mit seinen großen Augen kann er auch in der Dunkelheit gut sehen. Seine Beute sind Mäuse, Ratten, Vögel, Frösche und Eidechsen.

Walross

Walrosse sind eine Familie der ➪ Robben. Ihr Körper ist plump und massig. Sie werden 3,7 m lang und 1500 kg schwer. Ihre oberen Eckzähne sind sehr lang und ragen weit aus dem Maul heraus, daran sind sie gut zu erkennen. Ihr Lebensraum reicht von Sibirien über Grönland bis Nordkanada. Leider sind sie sehr stark vom Aussterben bedroht. Es ist deshalb nicht zu verstehen, warum immer noch jährlich tausende von ihnen abgeschossen werden. Die Paarungszeit dieser Tiere ist von April bis Juni. Nach einer Trächtigkeit von 1 Jahr bringt das Walrossweibchen Anfang April 1 Junges zur Welt. Das Junge bleibt 1,5 Jahre lang bei seiner Mutter. Im Wasser drückt die Walrossmutter ihr Junges an die Brust und schwimmt auf dem Rücken, so dass das Kleine immer an der Wasseroberfläche bleibt und Luft bekommt. Walrosse ernähren sich von Muscheln und Krebsen, die sie mit ihren langen Zähnen am Meeresboden ausgraben. Außer dem Menschen hat das Walross keinen Feind. Nicht einmal der Eisbär traut sich, diese wehrhaften Kolosse anzugreifen.

Eine dicke Fettschicht schützt die Walrosse vor der eisigen Kälte.

Wanderfalke

Der bekannteste Greifvogel aus der Familie der Falken ist der Wanderfalke. Er wird 50 cm groß und 600 g schwer. Wanderfalken leben in Europa, Asien und Nordamerika. Sie jagen andere Vögel. Ihre Beute ergreifen sie immer im Flug. Wenn die Eltern ihre Jungen großziehen, bringen sie ihnen auch das Jagen bei. Dabei fliegt der junge Falke in der Mitte, sein Vater fliegt über ihm und seine Mutter unter ihm. Dann lässt der Vater eine Beute fallen. Wenn der Jungfalke sie nicht erwischt, fängt die Mutter sie auf und das Spiel beginnt von neuem. Wanderfalken fliegen im Sturzflug auf ihre Beute herab und erreichen dabei eine Geschwindigkeiten von 320 km/h! Damit ist der Wanderfalke der schnellste Vogel der Welt. Leider ist dieser schöne und schnelle Jäger stark vom Aussterben bedroht, denn durch die Umweltverschmutzung werden die Wanderfalken vergiftet. Viele sterben zwar nicht daran, sie werden aber unfruchtbar. Das bedeutet, sie legen keine Eier mehr.

Der Wanderfalke ist ein schneller Jäger.

Ein Wapitihirsch mit mächtigem Geweih.

Wapiti

Der Wapiti gehört zur Untergattung der Rothirsche. Er ist sehr eng mit dem europäischen Rothirsch verwandt. Mit einer Länge von 2,6 m und einer Höhe von 1,6 m ist der Wapiti der größte Rothirsch der Erde. Er lebt in Nordamerika. Die Männchen tragen eine Krone, die man »Geweih« nennt. Das große, prächtige Geweih wird in jedem Winter abgeworfen und wächst im Frühjahr wieder neu. Im Frühherbst ist die Paarungszeit der Wapitis. Nach einer Trächtigkeit von 262 Tagen bringen die Muttertiere 1 Junges zur Welt. Die Jungen, die man bei Hirschen »Kälber« nennt, werden 7 Monate lang von der Mutter gesäugt. Der natürliche Feind des Wapitis ist der Wolf. Gerade im Winter sind die Wölfe im Vorteil. Sie können schneller durch den tiefen Schnee laufen als die schweren Hirsche. Meistens erbeuten Wölfe aber nur alte und kranke Wapitis.

Waran

Warane sind eine Familie aus der Ordnung der ➪ Echsen. Der kleinste Waran ist der Kurzschwanzwaran. Er wird nur 20 cm lang und 20 g schwer. Der größte ist der Komodowaran. Er ist mit 3 m Länge und 135 kg Gewicht nach den Krokodilen der Riese unter den Echsen. Warane haben einen viereckigen Kopf, einen langen Schwanz und vier kräftige Beine mit spitzen Krallen an den Zehen. Außerdem haben sie eine gespaltene Zunge, die sie wie die Schlangen immer wieder aus dem Mund gleiten lassen. Warane sind sehr vielseitig. Sie klettern auf Bäume, sind gute Schwimmer und schnelle Läufer. Je nach Art legt eine Waranmutter 7-57 Eier. Sie vergräbt die Eier in der Erde. Der afrikanische Nilwaran vergräbt sie in Termitenhügeln. Warane fressen alles, was sie kriegen können. Krabben, Frösche, Fische, Vögel, Ratten und Schlangen stehen auf ihrem Speisezettel. Sie fressen aber auch Aas, also tote Tiere. Vom Komodowaran weiß man, dass er Hirsche und Wildschweine überwältigt und auch dem Menschen gefährlich werden kann.

Der Komodowaran kommt nur auf der Insel Komodo (Indonesien) vor.

Ein Warzenschwein an der Tränke.

Warzenschwein

Die afrikanischen Warzenschweine sind eine Gattung der ➪ Schweine. Sie werden 1,9 m lang, 85 cm hoch und 180 kg schwer. Ihren Namen haben sie daher, weil die Männchen große Hautwarzen hinter und unter dem Auge haben. Man erkennt diese Wildschweine auch an ihrer langen Rückenmähne, die bis in den Nacken heraufreicht. Die oberen Eckzähne der Warzenschweine wachsen kreisförmig nach oben und nach innen. Es sind gefährliche Waffen, mit denen sich die Warzenschweine gegen ihre Feinde verteidigen. Warzenschweine haben einen sehr langen Kopf. Das hat den Vorteil, dass sie über das Gras schauen können, während sie fressen. Diese Schweine leben in Erdhöhlen in der offenen Savanne. Die Weibchen bekommen 4 Junge, die 1 Jahr lang bei der Mutter bleiben. Warzenschweine sind friedliche Grasfresser. Wenn sie angegriffen werden und nicht mehr fliehen können, wehren sie sich erbittert gegen ihre Feinde: die Löwen, die Leoparden und die Hyänen.

Der Waschbär hat seinen Namen daher, weil er in Gefangenschaft sein Futter wäscht.

Waschbär

Waschbären sind eine Gattung aus der Familie der Kleinbären. Sie sind eng mit dem ➪ Nasenbären verwandt. Waschbären werden 60 cm lang und 20 kg schwer. Ihr Körper ist plump und ihre Beine relativ lang. Das Fell ist grau, und in ihrem Gesicht haben Waschbären einen dicken schwarzen Streifen über den Augen. Ihr Schwanz ist buschig und orange-schwarz geringelt. Sie sind in ganz Nordamerika und in Mittelamerika zu Hause. Bei uns sind einige Waschbären aus Pelztierfarmen ausgebrochen und haben sich in unseren Wäldern vermehrt. Die Paarungszeit dieser Tiere ist im Frühjahr. Die Mutter bringt 1-7 Junge in einer Höhle zur Welt. Waschbären fressen Krabben, Würmer, Muscheln, Fische und Bisamratten. Sie mögen auch Obst, Beeren und Gräser. Waschbären gelten als noch schlauer als die intelligente Ratte. Wenn ein Waschbär mit Hunden gejagt wird, läuft er auf seiner eigenen Spur zurück, schwimmt durch Wasser oder benutzt noch andere Tricks, um die Spürhunde zu verwirren.

Waschbären sind sehr intelligent.

Wasseramsel

Die Wasseramseln sind eine Familie der Singvögel. Sie sind eng mit den ➪ Zaunkönigen und den ➪ Braunellen verwandt. Wasseramseln leben in Amerika, Europa und Asien. Sie sind Wasserbewohner, die in der Nähe von klaren Bächen nisten. Diese 19 cm großen Vögel haben ein braunes Gefieder mit einer weißen Brust. Ihr munterer Gesang ist das ganze Jahr über zu hören. Wasseramseln bauen ihr Nest ganz in der Nähe des Wassers. Am liebsten brüten sie hinter einem Wasserfall. Das Weibchen legt 4–6 Eier, aus denen nach 16 Tagen Brutdauer die Jungen schlüpfen. Diese Vögel fressen Wasserinsekten. Da sie keine Schwimmhäute haben, müssen sie sich unter Wasser mit Flügelschlägen vorwärts bewegen. Ihre Feinde sind Wiesel, Ratten und Rabenvögel. Ihre Brut wird außerdem durch Hochwasser bedroht. Die Umweltverschmutzung hat diesen hübschen Vogel bei uns selten werden lassen, zumal der Mensch seinen Lebensraum auch durch den Bau von Gebäuden zerstört.

Die Wasseramsel sucht am Grund der Bäche und Flüsse nach Nahrung. Diese hier hat einen kleinen Fisch gefangen.

Der Wasserbock lebt in Afrika.

Wasserbock

Der Wasserbock ist eine große Antilope aus Afrika. Sie wird 2 m lang und 1,3 m hoch. Die Hörner sind kräftig und leicht nach innen gebogen. Das Fell des Wasserbocks ist braun und borstig. Am Maul, an den Augen und am Hinterteil hat er jeweils einen weißen Fellring. Wasserböcke leben in kleineren Gruppen oder »Herden« und sind öfters in der Nähe von Gewässern anzutreffen. Die Paarung der Wasserböcke kann das ganze Jahr über stattfinden. Die Trächtigkeit der Weibchen dauert ungefähr 7 Monate. Meist bekommen sie nur 1 Junges. Diese Antilopen ernähren sich von Gräsern, Blättern und dünnen Zweigen. Wasserböcke haben viele natürliche Feinde. Sie werden von Leoparden, Löwen, Hyänen und Hyänenhunden gejagt. Am Wasser müssen sie sich vor allem vor Krokodilen in Acht nehmen.

Wasserbüffel

Wasserbüffel sind große asiatische ➪ Rinder. Sie werden 3 m lang, 1,8 m hoch und bis zu 1000 kg schwer. Die gewaltigen Hörner des Wasserbüffels sind fast 2 m lang. Alle Wasserbüffelarten sind stark vom Aussterben bedroht. Der Mindorobüffel zum Beispiel kommt nur auf der Philippineninsel Mindoro vor und ist das seltenste Wildrind der Erde. Eine Herde wird von einer alten Kuh angeführt. Es gibt bei diesen Rindern keine bestimmte Paarungszeit. Die Trächtigkeit dauert fast 1 Jahr. Die Jungen oder »Kälber« werden 9 Monate lang gesäugt. Wenn sie zur Welt kommen, ist ihr Fell zuerst gelb-braun gefärbt. Außer dem Menschen, der die Wasserbüffel leider noch heute jagt, ist der Tiger der große Feind dieser Rinder. Allerdings greift diese Raubkatze nur junge oder kranke Wasserbüffel an. Denn diese Büffel können sehr gefährlich werden, wenn man sie reizt. Es soll schon vorgekommen sein, dass eine Wasserbüffelherde einen Tiger verfolgte und zu Tode trampelte. Die zahme Form der wilden Wasserbüffel sind die Hauswasserbüffel. Sie sind etwas kleiner als ihre wilden Brüder.

Dies sind zahme Wasserbüffel.

Das Wasserschwein ist das größte Nagetier der Welt.

Wasserschwein

Das Wasserschwein ist trotz seines Namens nicht mit den Schweinen verwandt. Es ist vielmehr das größte Nagetier der Welt. Seine Körperlänge ist 1,3 m und sein Gewicht 50 kg. Das ➪ Meerschweinchen ist ein enger Verwandter des Wasserschweins. Wasserschweine haben einen großen Kopf und kleine, runde Ohren. Ihr Körper ist rund und dick. Das Fell dieses Nagers ist lang und borstig, und zwischen den Zehen hat es Schwimmhäute. Diese Tiere leben im südamerikanischen Dschungel und halten sich gern in der Nähe von Wasser auf. Sie sind gute Schwimmer. Müssen sie fliehen, springen sie ins Wasser und tauchen unter. Sie können dann einige Minuten lang unter Wasser bleiben. Wasserschweine können sich das ganze Jahr über paaren. Nach einer Trächtigkeit von 4 Wochen bringt das Weibchen 2-8 Junge zur Welt. Wasserschweine sind Pflanzenfresser. Sie ernähren sich von Gräsern und Wasserpflanzen. In ihrer Heimat nennen die Menschen die Wasserschweine »Capybaras«. Das bedeutet »Herr des Grases«. Ihre Feinde sind der Jaguar, der Kaiman und die Riesenschlangen.

Webervogel

Webervögel gehören zur Unterordnung der Singvögel. Sie sind sehr eng verwandt mit den Prachtfinken. Die größten Webervögel werden so groß wie ein Star, die kleinsten wie eine Meise. Webervögel leben in Afrika, Madagaskar und Südasien. Die Männchen tragen zur Hochzeit ein grell buntes Gefieder. Wenn die Paarungszeit vorbei ist, sind sie wieder normal braun gefärbt. Webervögel leben in großen Kolonien. Ihre kunstvollen Nester, die wie kleine Tongefäße aussehen, hängen eines neben dem anderen an einem Baum. Oft erkennt man an diesem Baum gar keine Blätter mehr, so viele Nester sind an ihm befestigt. Webervögel fressen Körner und Insekten. Ihre Hauptfeinde sind Baumschlangen. Diese Reptilien kriechen auf die Bäume hoch, um Eier und Jungvögel aus den Nestern zu stehlen. Aber die Webervögel halten zusammen. Die ganze Kolonie stürzt sich auf den Eindringling und schafft es oft, ihn zu vertreiben.

Webervögel bauen kunstvolle Nester.

Wellensittiche sind sehr beliebt.

Wellensittich

Der bei den Menschen beliebteste Vogel aus der Ordnung der ➪ Papageien ist der nur 18 cm große Wellensittich. Die wilden Wellensittiche in Australien haben einen gelben Kopf, einen grünen Bauch und lange blaue Schwanzfedern. Der federlose Bereich über dem Schnabel heißt »Wachshaut«. Die Wachshaut ist beim Männchen blau und beim Weibchen rosa. In Australien fliegen diese Kleinpapageien in großen Schwärmen. Wellensittiche brüten in Baumhöhlen. Die Brutzeit dauert von Oktober bis Dezember. Das Wellensittichweibchen legt 4-8 Eier. Nach 4 Wochen verlassen die Jungen die Höhle. Im Alter von nur 3 Monaten können sie schon selbst Eier legen. Wellensittiche ernähren sich meistens von Samenkörnern. Ihr Hauptfeind ist der Falke, der blitzschnell in einen Schwarm der Wellensittiche hineinstößt und sich einen von ihnen herausfängt.

Seine langen Barteln helfen dem Wels, am Boden Nahrung zu finden.

Wels

Der berühmteste Wels in unseren Gewässern ist der Flusswels. Mit 3 m Körperlänge ist er der größte europäische Wels. Im Bodensee soll es sogar noch größere geben. Der Wels hat einen großen Kopf und ein sehr breites Maul. Um das Maul herum wachsen ihm lange Hautgebilde, die wie Fäden aussehen. Dies sind die »Barteln«, mit denen der Wels am Grund tiefer Gewässer im Schlamm nach Beute sucht. Sein Körper ist vorne massig und wird nach hinten hin immer dünner. Die Afterflosse des Welses reicht von seiner Brust bis zu seiner Schwanzflosse. Zur Paarungszeit baut das Männchen ein Nest aus Zweigen und Pflanzenteilen. Wenn das Weibchen hier die Eier abgelegt hat, werden sie vom Männchen bewacht. Welse sind große Räuber. Sie fressen Würmer, Krebse und Fische. Wenn sie nachts auf Jagd sind, schwimmen sie auch an die Wasseroberfläche und schnappen dort Wasservögel und Bisamratten. Ein erwachsener Flusswels hat außer dem Angler keinen Feind zu fürchten. Die kleinen Jungwelse werden von Reihern und Raubfischen gejagt.

Wendehals

Wendehälse sind eine Unterfamilie der ➪ Spechte. Das Gefieder dieser nur 16 cm großen Vögel ist braun-grau gemustert. Ihr Schnabel ist relativ kurz, aber die Zunge, mit der sie nach Insektenlarven angeln, ist sehr lang. Wendehälse leben in ganz Europa und Asien. Ihr bevorzugter Lebensraum sind lichte Laub- und Mischwälder. Ihren Namen haben sie daher, weil sie zur Paarungszeit ihren Kopf wild pendelnd zur Seite bewegen, um ihren Partner zu beeindrucken. Dies ist eine besondere Form der »Balz«, also der Partnerwerbung. Oft geben diese Vögel beim Balztanz zischende Laute von sich. Wendehälse brüten in Baumhöhlen. Das Weibchen legt 7-8 Eier, und beide Eltern wechseln sich mit dem Brüten ab. Das Männchen brütet nachts und das Weibchen tagsüber. Nach 11 Tagen schlüpfen die Jungen. Sie werden nach 3 Wochen »flügge«, das bedeutet, sie verlassen die Nisthöhle. Wendehälse ernähren sich meist von Ameisen und deren Larven. Sie sind aber auch Nesträuber, die anderen Vögeln die Eier und die Jungen stehlen.

Der Wendehals nistet meist in Baumhöhlen.

Wespen jagen auch andere Insekten.

Wespe

Wir kennen alle die lästigen Besucher, die im Sommer auf Obst und Kuchen sitzen und deren Stich sehr schmerzhaft sein kann: die Wespen. Diese Insekten mit ihrem gelb-schwarz gezeichneten Hinterleib und die großen Hornissen mit ihrer rot-braunen Brust gehören zur Familie der Faltenwespen. Wespen leben wie die Ameisen und die Bienen in großen Gruppen zusammen. Jede einzelne Wespe hat in dieser Gruppe eine Aufgabe. Dieses Zusammenleben nennt man »Staat«. Jeder Staat hat eine Königin, die die Eier legt. Viele hundert Arbeiterinnen versorgen die Königin und die Brut. Ihre Nester bauen Wespen entweder in altem Holz oder im Boden. Wespen sammeln und fressen süßen Nektar. Auf der Suche danach landen sie auch auf Obst, süßen Speisen und Wurst. Wespen sind auch Jäger, die andere Insekten erbeuten. Gefahr droht der Wespe durch Insekten fressende Vögel und durch ihre Schwester, die Hornisse.

Wickelbär

Der Wickelbär gehört zu den Kleinbären und ist mit dem Waschbär und dem Nasenbär verwandt. Er lebt in Süd- und Mittelamerika und ist ein reiner Baumbewohner. Wickelbären werden über 1 m groß und 4,5 kg schwer. Sie haben ein weiches, braunes Fell, einen runden Kopf mit spitzer Schnauze und kleinen Ohren und einen 50 cm langen Greifschwanz, mit dem sie sich an Ästen festhalten können. Wickelbären durchstreifen in kleinen Gruppen die Baumkronen. Sie sind nur in der Nacht unterwegs. Die Paarungszeit ist nicht an eine bestimmte Jahreszeit gebunden. Das Weibchen bringt nach einer Trächtigkeit von 4 Monaten 1 Junges in einer Baumhöhle zur Welt. Nach 4 Monaten ist das Junge selbstständig. Wickelbären sind Pflanzenfresser, die sich von Blättern, Knospen und Früchten ernähren. Ihre natürlichen Hauptfeinde sind die Harpyie und große Eulen.

Der Wickelbär kann gut klettern.

Wiedehopf

Der Wiedehopf gehört zur Ordnung der Rackenvögel. Er wird 28 cm groß, sein Gefieder ist rötlich und seine Flügel und sein Schwanz sind schwarz-weiß gefärbt. Sein Schnabel ist sehr spitz und er kann seine verlängerten Kopffedern zu einer Haube aufrichten. Wiedehopfe leben in Mitteleuropa, Afrika und Asien. Sie halten sich gern auf Weiden, Äckern und Sumpfwiesen auf. Die Paarungszeit ist im Frühjahr. Männchen und Weibchen bauen eine Bruthöhle in einem alten, morschen Baum. Das Weibchen legt 5–8 Eier und brütet sie dann alleine aus. Da es 16 Tage lang auf den Eiern sitzen muss, wird es in dieser Zeit vom Männchen gefüttert. Der Wiedehopf beschützt seine Brut vor Feinden, indem er eine Flüssigkeit absondert, die sehr Ekel erregend riecht. Die Nahrung des Wiedehopfs sind Würmer, Larven und Insekten. Um seine Beute zu erwischen, sticht er seinen Schnabel immer wieder in den Boden.

Der Wiedehopf verteidigt sich mit einer stinkenden Flüssigkeit.

Das Wiesel ist ein großer Jäger.

Wiesel

Das Wiesel gehört zur Familie der ➪ Marder und ist eng mit dem ➪ Iltis und dem ➪ Nerz verwandt. Das Mauswiesel wird 18–23 cm groß und 130 g schwer. Sein Sommerfell ist auf der Oberseite rot-braun und auf der Unterseite weiß. Im Winter ist es selten ganz weiß, sondern eher gescheckt. Das Mauswiesel sieht seinem größeren Bruder, dem ➪ Hermelin, sehr ähnlich, es hat aber keine schwarze Schwanzspitze. Es kommt in ganz Europa und großen Teilen Asiens vor. Die Paarungszeit dauert das ganze Jahr über. Nach einer Trächtigkeit von 5 Wochen bringt die Mutter 3–7 Junge in einer Höhle zur Welt. Sie säugt ihre Kleinen länger als 5 Wochen. Mauswiesel sind große Jäger, die auf der Jagd in die Höhlen anderer Tiere eindringen. Sie erbeuten sogar junge Hasen und Kaninchen. Ihre Hauptnahrung sind allerdings Mäuse. Die natürlichen Feinde des Wiesels sind Eulen und Käuze, Greifvögel sowie Füchse.

Wildkatze

Die Wildkatze gehört zur Gattungsgruppe der Kleinkatzen. Sie ist eng mit unseren Hauskatzen verwandt und ist auch genauso groß. Sie lebt in ganz Europa. Wildkatzen haben spitze Ohren, ein getigertes Fell und einen buschigen Schwanz mit schwarzem Ringmuster. Wildkatzen sind Einzelgänger, die nur zur Paarungszeit eine andere Katze in ihrem Revier dulden. Die Paarungszeit dauert von Februar bis März. Nach einer Trächtigkeit von 63 Tagen bringt die Kätzin 2-4 Junge zur Welt. Mit 10 Wochen folgen die Kleinen ihrer Mutter bereits auf die Jagd. Wildkatzen fressen Insekten, Mäuse, Vögel, Junghasen und Kaninchen. Ihr größter natürlicher Feind ist das Hermelin, weil es die jungen Wildkatzen tötet und frisst. Auch große Eulen stellen eine Gefahr dar. Ein weiteres Problem, die Wildkatzen zu erhalten, ist der Umstand, dass sie sich manchmal mit verwilderten Hauskatzen paaren.

Die europäische Wildkatze ist ein heimlicher Bewohner unserer Wälder. Sie ist mit der Hauskatze verwandt.

Man nennt Wildschweine »Schwarzkittel«.

Wildschwein

Das Europäische Wildschwein aus der Überfamilie der Schweineartigen hat einen großen Lebensraum. Es kommt in ganz Europa, Nordafrika und ganz Asien vor. Das Fell des Wildschweins ist schwarz und borstig. Sein Kopf ist groß und seine Beine kurz und kräftig. Die Männchen, die man auch »Keiler« nennt, haben große, nach oben gebogene Eckzähne. Vor allem asiatische Wildschweine werden recht groß. Ihre Höhe ist 1,1 m und ihr Gewicht 350 kg. Zur Paarungszeit, die man »Rauschzeit« nennt, gesellen sich die Keiler zu den Weibchen. Das weibliche Wildschwein heißt »Bache«. Oft kämpfen die Keiler um die Bachen, wobei sie sich mit den Eckzähnen gegenseitig schwer verletzen. Nach 140 Tagen Trächtigkeit bekommt die Bache 5-6 Junge oder »Frischlinge«. Die Frischlinge sind braun mit hellen Streifen und Flecken. Wildschweine fressen Früchte, Knollen, Pilze, Pflanzen und Samen. Sie verzehren aber auch Insekten, Würmer, Nagetiere, Vogeleier, Eidechsen, Frösche, Fische und sogar Schlangen. Der größte natürliche Feind des Wildschweins ist der Wolf.

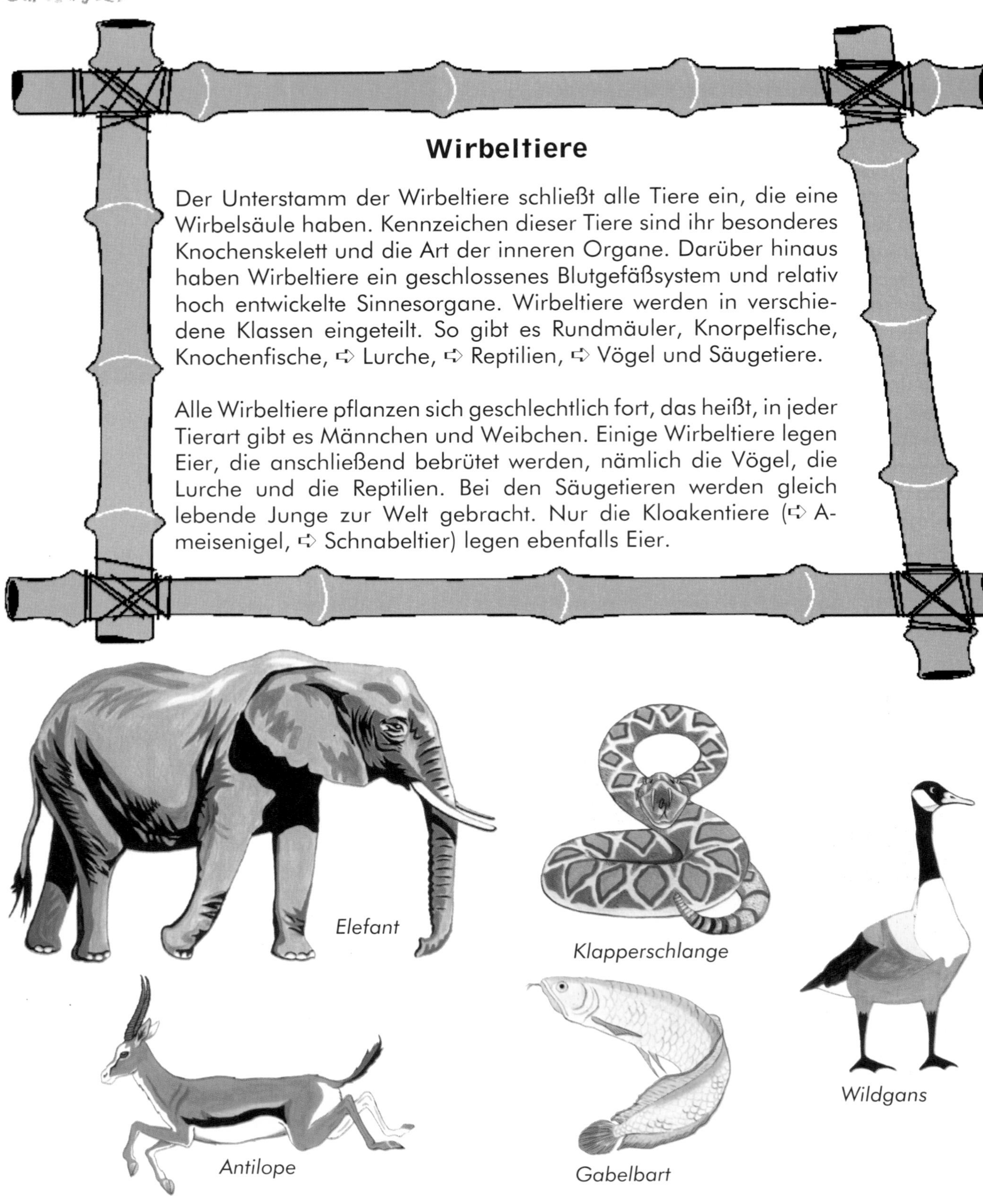

Wirbeltiere

Der Unterstamm der Wirbeltiere schließt alle Tiere ein, die eine Wirbelsäule haben. Kennzeichen dieser Tiere sind ihr besonderes Knochenskelett und die Art der inneren Organe. Darüber hinaus haben Wirbeltiere ein geschlossenes Blutgefäßsystem und relativ hoch entwickelte Sinnesorgane. Wirbeltiere werden in verschiedene Klassen eingeteilt. So gibt es Rundmäuler, Knorpelfische, Knochenfische, ➪ Lurche, ➪ Reptilien, ➪ Vögel und Säugetiere.

Alle Wirbeltiere pflanzen sich geschlechtlich fort, das heißt, in jeder Tierart gibt es Männchen und Weibchen. Einige Wirbeltiere legen Eier, die anschließend bebrütet werden, nämlich die Vögel, die Lurche und die Reptilien. Bei den Säugetieren werden gleich lebende Junge zur Welt gebracht. Nur die Kloakentiere (➪ Ameisenigel, ➪ Schnabeltier) legen ebenfalls Eier.

Elefant

Klapperschlange

Wildgans

Antilope

Gabelbart

Wisent

Der Wisent gehört zur Unterfamilie der ➪ Rinder. Mit einer Länge von 3,5 m, einer Höhe von 2 m und einem Gewicht von bis zu 1000 kg ist er das größte Wildrind der Welt. Er ist sogar noch größer als der mächtige ➪ Bison. Wisente haben einen großen Kopf, große, dicke Hörner und eine Mähne am Hals, die bis unter den Bauch reicht. Wisentweibchen sind 9 Monate trächtig. Das Junge wird 6 Monate lang von der Mutter gesäugt. Die Wisente waren eigentlich schon ausgerottet. Vor 70 Jahren wurde der letzte frei lebende Wisent von einem Wilderer abgeschossen. Zum Glück gab es noch einige dieser großen Rinder in Zoos und Tiergärten. So war es möglich, Wisente neu zu züchten, die man in Polen wieder freiließ. Heute leben dort etwa 800 Wisente.

Der Wisent ist das größte Wildrind der Erde.

Wisente leben heute nur noch in einem bestimmten Gebiet in Polen.

»Einigkeit macht stark« - nur im Rudel überleben die Wölfe im Winter.

Wolf

Der Wolf gehört zur Familie der Hundeartigen. Von ihm stammen unsere ➪ Haushunde ab. Weitere Verwandte des Wolfes sind die ➪ Kojoten und die ➪ Schakale. Der Lebensraum der Wölfe erstreckt sich über Amerika, Alaska, Nordeuropa, Osteuropa, Asien und Sibirien. Ihr Fell ist meist graubraun. Es gibt aber auch ganz schwarze und rein weiße Wölfe. Ein Wolf wird 1,4 m lang, 90 cm hoch und 75 kg schwer. Vor allem im Winter leben Wölfe in großen Gruppen, die man »Rudel« nennt. Im Rudel können sie gemeinsam erfolgreicher jagen. Mit ihrem typischen »Heulen« verständigen sie sich über große Entfernungen. Die Paarungszeit ist im Februar. Nach etwa 9 Wochen Trächtigkeit bringt die Wölfin 3-10 Junge in einer Höhle zur Welt. Wenn die Jungen, sie heißen bei den Wölfen »Welpen«, groß genug sind, folgen sie den anderen auf die Jagd. Sie sehen anfangs nur zu. Wölfe jagen Elche, Hirsche und Wildschafe. Sie fressen aber auch Nagetiere und Aas. Ein Wolf hat ein ähnlich kräftiges Gebiss wie eine Hyäne. Er kann den Oberschenkelknochen eines Elches ohne Mühe durchbeißen.

Der Wolf ist der Stammvater unserer Haushunde.

Eine Wolfsspinne auf einem Blatt.

Wolfsspinne

Eine besondere Familie der ➪ Spinnen sind die Wolfsspinnen. Die wohl berühmteste Wolfsspinne ist die ➪ Tarantel. Diese Tiere haben kleine Härchen am ganzen Körper. Wolfsspinnen bauen kein Netz, in dem sie auf Beute warten, sondern sie gehen auf Jagd. Meist spinnen sie dabei einen Faden hinter sich her. Wenn ein Beutetier diesen Faden berührt, kehren die Wolfsspinnen schnell wieder zurück und greifen es an. Sie springen förmlich auf ihre Beute und töten sie mit ihrem giftigen Biss. Wie bei allen Spinnen ist auch bei den Wolfsspinnen die Paarung für das Männchen eine gefährliche Sache. Wenn es nicht aufpasst, wird es vom Weibchen als eine Beute betrachtet und getötet. Deshalb muss sich das Männchen seiner Partnerin deutlich zu erkennen geben. Wenn es sich dem Weibchen nähert, richtet es sich vorne auf und winkt mit seinem vorderen Beinpaar. Die Eier befestigt das Tarantelweibchen in einem Paket unter seinem Hinterkörper. Wenn die Jungen geschlüpft sind, krabbeln sie auf den Rücken der Mutter und lassen sich von ihr umhertragen.

Wombat

Er wird über 1 m lang, sein Körper ist plump und massig und seine Beine sind kurz. Sein runder Kopf mit den kleinen Ohren und den kleinen Augen lassen den Wombat wie einen Bären aussehen. Frühe Seefahrer, die nach Australien kamen, hielten ihn zuerst sogar für ein Wildschwein. Der Wombat ist ein australisches ➪ Beuteltier. Er lebt in einem großen Bau unter der Erde. Wombats sind gemütliche Einzelgänger, die nur in der Paarungszeit zusammenfinden. Die Jungen werden zwischen April und Juni geboren, bleiben aber noch bis zum Dezember im Beutel der Mutter. Der Beutel des Wombats ist anders als beim Känguru. Er geht nicht nach oben, sondern nach hinten auf. Der Wombat frisst gerne Wurzeln, Früchte und Pilze. Früher wurde er in seiner Heimat stark gejagt. Aber nicht wegen seines Fells oder wegen seines Fleisches, sondern weil er so große Höhlen in die Erde baute, dass Pferde und Rinder hineintraten und sich die Beine brachen.

Der Wombat lebt in Australien.

Zackenbarsche

Ein großer und gefürchteter Räuber des Korallenriffs ist der Zackenbarsch. Er stammt aus der Familie der Barschartigen und ist mit über 1 m Länge größer als viele seiner Verwandten. Dieser Raubfisch verdankt seinen Namen seiner Rückenflosse, die in der ersten Hälfte viele Zacken hat. Dieser Meeresbewohner steht meist ruhig zwischen den Felsen des Riffs und lauert auf Beute. Er hat ein sehr scharfes Raubfischgebiss. Zackenbarsche sind Einzelgänger, die nur zur Paarung zusammen sind. Die Eier werden vom Weibchen nicht an Felsen befestigt und danach behütet, wie man das von anderen Barschen kennt. Beim Zackenbarsch ist es so, dass die Eier einfach ins freie Wasser abgegeben werden und umhertreiben. Der größte Zackenbarsch ist der Gelbe Fleckenbarsch. Er wird 3,7 m lang und 450 kg schwer. Dieser Riese lebt im Indischen Ozean. Taucher fürchten ihn mehr als Haie, weil er sie lautlos anschwimmt und plötzlich einen Scheinangriff startet. Obwohl er nicht wirklich angreift, ist der Schrecken bei den Tauchern natürlich groß, wenn dieser Koloss plötzlich auf sie zuschwimmt.

Der Zackenbarsch lebt in den Korallenriffs.

Das Geweih des Zackenhirsches erinnert an das des Rens.

Zackenhirsch

Der Zackenhirsch oder »Barasingha«, wie er von den Einheimischen auch genannt wird, lebt in Südostasien. Er wird 1 m lang und 1,15 m hoch. Die Männchen tragen einen Kopfschmuck, den man »Geweih« nennt. Das Geweih des Zackenhirsches hat sehr viele Spitzen und ist ähnlich gebogen wie das des Rentiers. Nach einer Trächtigkeit von 8 Monaten bringen die weiblichen Zackenhirsche 1, manchmal 2 Junge zur Welt. Leider sind die Barasinghas stark vom Aussterben bedroht. Die Menschen schossen so viele von ihnen ab, dass sie aus einigen Gebieten, wo sie früher häufig anzutreffen waren, völlig verschwunden sind. Wegen ihres schönen Geweihs wurden unglücklicherweise gerade die starken Männchen erlegt. So konnten sich nur noch die schwachen Männchen fortpflanzen, und ihr Nachwuchs wurde auch entsprechend schwach.

Zahnwal

Die Ordnung der Wale wird in die Unterordnungen ➪ Bartenwale und Zahnwale unterteilt. Zahnwale haben Zähne und keine Barten wie die Bartenwale. Alle Zahnwale sind Fleischfresser. Ihre Hauptnahrung sind Fische und Tintenfische. Erstaunlich an den Zahnwalen ist, dass sie nicht riechen können. Sie finden und verfolgen ihre Beute mit Hilfe ihres Gehörs. Der größte Zahnwal ist der mächtige Pottwal. Er frisst Tintenfische und auch die großen Riesenkalamare aus der Tiefsee. Der kleinste Zahnwal ist der ➪ Delfin. Der gefährlichste und gefürchtetste Räuber unter den Zahnwalen ist der Schwertwal. Er frisst nicht nur Fische, sondern auch Robben und andere Wale. Er hat die Intelligenz eines Delfins, was ihn zu einem gefährlichen Jäger macht. Eisschollen, auf denen Robben liegen, durchbricht er, indem er von unten dagegen schwimmt. Oder aber er springt auf die Eisscholle, schnappt sich eine Robbe und rutscht auf der anderen Seite wieder hinunter.

Typisch für Schwertwale ist ihre schwarzweiße Zeichnung.

Zaunkönige leben in Wäldern, Gärten und Parkanlagen. Den Nestbau übernimmt das Männchen.

Zaunkönig

Der Zaunkönig ist ein kleiner, bei uns heimischer Singvogel. Er ist eng mit der ➪ Wasseramsel verwandt. Zaunkönige werden 10 cm lang und haben am Bauch helles und am Rücken dunkelbraunes Gefieder. Man erkennt den Zaunkönig gut daran, dass er sein kurzes Schwänzchen immer steil nach oben gerichtet trägt. Das Zaunkönigmännchen baut zur Paarungszeit ein Nest. Danach muss es das Weibchen zu dem Nest hinlocken. Oft bauen die Männchen mehrere Nester und paaren sich auch mit mehreren Weibchen. Das Weibchen legt meist 2–5 weiße Eier. Zaunkönige bauen sich auch Schlafnester. Das sind Nester, in denen sie die Nacht verbringen. Diese kleinen Vögel sind Insektenfresser. Sie jagen Mücken, Fliegen und Würmer.

Das neugeborene Zebra kann sofort stehen und seiner Mutter folgen.

Zebra

Das Zebra ist ein afrikanisches Wildpferd. Es wird 1,2-1,4 m groß. Sein Fell ist weiß mit schwarzen Streifen. Dieses Muster ist nicht nur eine Tarnung vor Raubtieren, sondern es schützt die Zebras auch vor Stechinsekten, die Krankheiten übertragen. Für die gefürchtete Tsetsefliege wird das Zebra durch seine Streifen so gut wie unsichtbar. Zebras leben in Gruppen. Bei ⇨ Pferden nennt man diese Gruppen »Herden«. Der Herdenführer ist meistens ein Männchen oder »Hengst«. Die Weibchen oder »Stuten« bringen einmal im Jahr 1 Junges zur Welt. Das Junge nennt man »Fohlen«. Nach der Geburt versucht das Fohlen sofort, aufzustehen und bei der Mutter Milch zu trinken. Es ist sehr wichtig, dass das Fohlen sofort laufen kann, damit es nicht den Raubtieren zum Opfer fällt. Zebrafohlen sind also Nestflüchter. Die Hauptfeinde des Zebras sind die Löwen. Aber auch Hyänen, Wildhunde und Leoparden greifen die gestreiften Wildpferde an.

Der Moment an der Wassertränke ist gefährlich. Hier lauern Krokodile, Löwen und Leoparden.

Zebu

Zebus stammen aus der Familie der ➪ Rinder. Sie sind Hausrinder, die sehr gut an das Leben in den Tropen angepasst sind. Sie werden in Afrika, in Asien und in Südamerika von den Menschen gehalten. Wie unser Hausrind so stammt auch das Zebu vom ➪ Auerochsen ab. Zebus haben lange Beine, einen schmalen Kopf und Hängeohren. Ihre Hörner sind dick und kurz. Das auffälligste Merkmal der Zebus ist ihr großer Höcker auf der Schulter. Zebuweibchen bekommen einmal im Jahr 1 Junges. Die Trächtigkeit dauert ungefähr 7 Monate. Zebus werden vor allem in Indien gehalten. Dort sind diese Rinder heilig und dürfen nicht geschlachtet werden. Auf das Töten eines Rindes steht in Nepal noch immer die Todesstrafe. Zebus geben nicht sehr viel Milch, deshalb wäre es für die oft hungernde indische Bevölkerung eigentlich wichtig, das Fleisch dieser Rinder essen zu können.

Zebus sind Hausrinder, die an das Leben in tropischen Gebieten gut angepasst sind.

Zebus sind für die Menschen in den Tropen lebenswichtig.

Zeisig

Der Zeisig stammt aus der Familie der ➪ Finken. Er ist sehr eng mit dem ➪ Distelfink verwandt. Der Erlenzeisig wird ungefähr 11 cm groß und ist gelb-braun gefärbt. Auch der grün gefärbte Grünling gehört zur Zeisig-Verwandtschaft. Diese Singvögel leben in Parkanlagen und Gärten. Zur Paarungszeit baut das Weibchen ein Nest im Wipfel eines hohen Baumes. Es legt 4-6 Eier, die es alleine ausbrütet. Da die Brutzeit 2 Wochen dauert, muss das Männchen die Mutter in dieser Zeit füttern, damit sie auf dem Nest sitzen bleiben kann. Wenn die Jungen geschlüpft sind, werden sie von beiden Eltern mit Raupen und Würmern gefüttert. Erwachsene Zeisige sind aber reine Körnerfresser und jagen für sich keine Insekten. Die natürlichen Feinde des Zeisigs sind der Sperber und die Rabenvögel.

Der Zeisig gehört zu den Finken.

Ziegen sind schon seit sehr langer Zeit die Haustiere des Menschen.

Ziege

Die Ziege gehört zur Ordnung der Paarhufer. Sie ist ein Wiederkäuer. Das bedeutet, dass sie wie das ➪ Rind ihr Futter mehrmals hochwürgt, durchkaut und wieder abschluckt. Sie hat auch 4 Mägen wie das Rind. Ziegen werden 1,2 m groß. Der Mensch züchtet Ziegenrassen in verschiedenen Größen, Formen und Farben. Sehr berühmt für ihre wertvolle Wolle sind die Kashmirziege und die Angoraziege. Sie werden schon seit 3000 Jahren von Menschen gehalten und gezüchtet, weil sie Fleisch und Milch liefern. Aus Ziegenhaut wird wertvolles Leder hergestellt. Nach einer Trächtigkeit von fast 4 Monaten bringen die Ziegenweibchen, die man auch »Geißen« nennt, 1-2 Junge zur Welt. Die Jungen werden im April und im Mai geboren. Schon im Herbst desselben Jahres können sich die jungen Ziegen paaren und haben dann im nächsten Jahr Junge. Die berühmteste Wildziege ist der ➪ Steinbock.

Ziesel

Der Ziesel ist ein schlankes Nagetier, das wie ein Eichhörnchen aussieht. Ziesel werden 38 cm lang, haben braunes Fell, einen weißen Ring um die Augen und einen kurzen Schwanz. Diese Tiere sind sehr gesellig und leben in selbst gegrabenen Höhlensystemen unter der Erde. Ziesel halten einen Winterschlaf, der 7 Monate lang dauert. In dieser Zeit schlafen sie in ihren selbst gegrabenen Höhlen. Wenn sie im März erwachen, beginnt die Paarungszeit. Nach einer Trächtigkeit von 21-30 Tagen bringen die Ziesel- weibchen in ihrer Höhle 3-8 Junge zur Welt. Nach 32 Tagen sind die Kleinen schon selbstständig. Ziesel fressen Körner, Kräuter, Knollen, Wurzeln, aber auch Insekten, Mäuse und Vögel. Um im Frühjahr, wenn der Winterschlaf vorbei ist, sofort Nahrung zu haben, sammeln sie im Spätsommer des Vorjahres Körner und Samen und legen sich damit einen Wintervorrat an. Der größte natürliche Feind des Ziesels ist der Iltis. Einige dieser Marder haben sich auf die Zieseljagd spezialisiert und gelernt, wo sie graben müssen, um die Nager zu erreichen. Auch Greifvögel und Schlangen stellen eine Gefahr für die Ziesel dar.

Ziesel sind flinke Nagetiere.

Ein Zitronenfalter an einer Blüte.

Zitronenfalter

Der Zitronenfalter ist ein ➪ Schmetterling aus der Familie der Weißlinge. Dieser Tagfalter hat zitronengelbe Flügel. Das Weibchen ist heller gefärbt als das Männchen. Die Flügelspitzen sind schwarz und mitten auf der Flügelfläche sind runde schwarze Punkte. Wie alle anderen Schmetterlinge macht auch der Zitronenfalter in seiner Entwicklung eine sogenannte Metamorphose durch. Das bedeutet, dass aus den Schmetterlingseiern nicht sofort kleine Schmetterlinge ausschlüpfen, sondern zuerst Larven. Die Larve der Schmetterlinge heißt »Raupe«. Die Raupe des Zitronenfalters ist grün mit weißen Längsstreifen. Später in der Entwicklung baut die Raupe eine feste Hülle um sich herum. Man sagt, »sie verpuppt sich«. Aus dieser Hülle schlüpft dann der Zitronenfalter. Nach dem Schlüpfen legt dieser Schmetterling eine Ruhepause bis zum Herbst ein. Die zweite Ruhepause findet im Winter statt. Der Falter setzt sich auf einen Ast und wartet bis zum Frühjahr. Er überlebt dabei Kältegrade bis weit unter dem Gefrierpunkt.

Glossar

Aas

Tote Tiere nennt man Aas. Es gibt in der Tierwelt etliche Arten, die sich vornehmlich von Aas ernähren. Hierzu gehören alle Geierarten, die Hyänen und die Schakale. In Afrika trifft man Geier, Hyänen und Schakale oft gleichzeitig an einem toten Tier an. Aber auch viele Raubtiere und Greifvögel, die meistens lebende Beute jagen, verschmähen oft auch Aas nicht – vor allem in Notzeiten.

Albino

Manchmal kommen bei einer Tierart Exemplare vor, die keine Farbpigmente haben. Sie sind dann hell bis weiß und haben rote Augen. Solche Tiere nennt man Albinos. Bei einigen Haustieren sind solche Albinos sehr beliebt, zum Beispiel bei zahmen Ratten und Mäusen.

Bache

Bache nennt man das weibliche Wildschwein. Die Bache passt sehr gut auf ihre Jungen oder ⇨ Frischlinge auf. Wenn ein Mensch versehentlich zwischen eine Bache und ihre Frischlinge gerät, kann die Wildschweinmutter sehr ungemütlich werden.

Balz

Balz ist das Werbeverhalten eines männlichen Vogels um ein Weibchen. Viele Vogelmännchen tanzen bei der Balz für ihr Weibchen und spreizen dabei ihre Federn. Der Pfau schlägt dabei ein Rad und die Paradiesvögel plustern ihr farbenprächtiges Federkleid auf. Bei einigen Vögeln, wie zum Beispiel den Haubentauchern, bringt das Männchen dem Weibchen bei der Balz einen Zweig als Geschenk mit.

Barteln

Barteln sind die langen, fädenförmigen Auswüchse am Maul einiger Fische. In den Barteln sind sehr sensible Nerven (zum Beispiel beim Wels oder Kabeljau). Der Wels sucht damit in der Dunkelheit eines Teichgrundes und im Bodenschlamm nach Würmern und Krebsen.

Brunft

Die Brunft ist ein anderer Ausdruck für die Paarungszeit. Der Ausdruck »Brunft« wird besonders bei Hirschen angewandt. Der männliche Hirsch hat in der Brunftzeit einen ganz speziellen, tiefen Ruf. Mit diesem Ruf macht er die Weibchen auf sich aufmerksam und schreckt Nebenbuhler ab. Diesen Hirschruf nennt man Röhren.

Brütestarre

Das völlig regungslose Sitzen des Schnepfenweibchens auf seinen Eiern nennt man Brütestarre. Nur morgens und abends verlässt es kurz das Nest, um zu fressen. Ansonsten sitzt es in bewegungsloser Brütestarre auf den Eiern. Wenn das Weibchen beim Brüten gestört wird, trägt es seine Eier zwischen den Beinen an einen anderen Ort.

Daunen

Daunen sind die weichen Federn junger Vögel. Mit diesen Federn können die Jungvögel zwar noch nicht fliegen, sie werden aber von den Daunen in der ersten Zeit sehr warm gehalten.

Einehe

Tiere, die ihren Geschlechtspartner ein Leben lang behalten, leben in Einehe. Wenn also ein Partner von beiden stirbt, lebt der andere allein, trauert lange und sucht sich keinen neuen Gefährten. Beispiele: Gänse, Schwalben, Ozelot.

Eizellen

Die Eizellen sind die Zellen im weiblichen Körper, aus denen ein Junges wird, sobald die Spermazelle eines Männchens auf die Eizelle trifft und mit ihr verschmilzt. Eizellen werden in den Eierstöcken (Ovarien) gebildet.

Fähe

Den weiblichen Fuchs oder Marder nennt man Fähe. Die Fähe bringt die Jungen auf die Welt und säugt sie, bis sie feste Nahrung zu sich nehmen können. Dann schleppt sie Beutetiere heran.

Flügge

Jungvögel, die das Fliegen lernen, werden »flügge«. Wenn die Jungen groß genug sind, werden sie von den Eltern aus dem Nest gelockt. Die Eltern rufen die Jungen so lange, bis diese sich trauen, aus dem Nest zu springen und fliegen zu lernen.

Frischling

Frischlinge sind die Jungen der Wildschweine. Ihr Fell sieht ganz anders aus als das der Erwachsenen. Es ist braun mit gelben Punkten und Streifen auf der Seite. Dieses Fellmuster ist eine Tarnung, mit der die Frischlinge vor dem Hintergrund des Waldes kaum zu sehen sind.

Gehörn

Der Kopfschmuck des Rehbocks heißt Gehörn. Im Spätherbst verliert der Rehbock sein Gehörn. Im Winter wächst ihm aber langsam wieder ein neues. Im darauffolgenden Frühling ist das neue Gehörn ausgewachsen, und der Rehbock kann damit in der ➪ Brunft im August um die ➪ Ricken kämpfen.

Geiß

Geiß nennt man die weibliche Ziege oder Gämse. Die Geißen der Ziegen bekommen oft bei einer Geburt gleich 2 Junge.

Geweih

Das Geweih ist die Krone des Hirschs. Im Spätherbst verliert der Hirsch sein Geweih. Im Winter wächst ihm aber langsam wieder ein neues. Im darauffolgenden Frühling ist das neue Geweih fertig, und der Hirsch kann damit in der ➪ Brunft um die Weibchen kämpfen.

Gründeln

Das Suchen der Schwimmenten nach Nahrung, bei dem sie ihren Kopf in das Wasser tauchen, nennt man Gründeln.

Hengst

Ein männliches Pferd nennt man Hengst. In der Paarungszeit kämpfen die Hengste oft wild um die Weibchen, die man ⇨ Stuten nennt. Bei diesen Kämpfen treten und beißen sich die Hengste.

Herde

Eine Herde ist eine Gruppe von zum Beispiel Rindern, Pferden, Schafen und Ziegen. Herden werden von einem Leittier angeführt. Bei den Rindern übernimmt eine alte und erfahrene Kuh die Führung der Herde.

Horde

Eine Gruppe von Affen nennt man Horde. Affen ziehen in Horden umher und suchen nach Nahrung. Die wehrhaften Paviane wandern auf dem Boden, während die Horden von Brüllaffen in den Wipfeln der Bäume leben.

Horst

Horst nennt man das Nest der Greifvögel und Eulen. Adler bauen ihre Horste oft auf Bäumen oder Felsen. Turmfalken bauen sie meist an hohen Fernseh- oder Kirchtürmen und Schleiereulen in Scheunen und alten Gemäuern.

Irbis

Irbis ist ein anderer Name des Schneeleoparden. Diese faszinierende Raubkatze lebt in den Hochgebirgen Zentralasiens. Früher hielt man die Geschichten über den Schneeleoparden für Märchen, weil man sich einfach nicht vorstellen konnte, dass in den eisigen Berggipfeln eine Raubkatze lebt.

Järv

Järv ist ein anderer Name für den Vielfraß. Der Vielfraß ist ein großer und starker Marder aus Nordamerika und Nordasien. Er ist bei den Menschen nicht sehr beliebt, weil er manchmal in die Ställe einbricht und Hühner reißt.

Kalb

Das Junge der Rinder, der Wale, der Seekühe und anderer Tiere nennt man Kalb. Die Kälber der Rinder kommen einmal im Jahr auf die Welt. Sie können gleich nach der Geburt sehen, können aufstehen und herumlaufen.

Keiler

Das männliche Wildschwein heißt Keiler. Wenn ein Keiler erwachsen ist, lebt er nicht mit anderen Wildschweinen zusammen, sondern geht seine eigenen Wege. Nur zur Paarungszeit sucht er die Nähe von Artgenossen.

Kitz

Das Kitz ist das Junge des Rehs, der Gämse und des Steinbocks. Kitze kommen meistens im Frühjahr auf die Welt. Wenn sie geboren werden, sind ihre Augen bereits offen und sie können schon bald nach der Geburt stehen und umherlaufen. Das ist sehr wichtig, damit sie ihrer Mutter folgen und vor Feinden fliehen können.

Kokon

Kokon ist die Hülle einer Raupe, in der sie sich in einen Schmetterling verwandelt. Wenn für die Raupe die Zeit der Umwandlung zum Schmetterling gekommen ist, baut sie den Kokon selbst um sich herum. Wenn der Kokon verschlossen ist, dauert es einige Zeit, bis ein Schmetterling daraus schlüpft.

Kolonie

Wenn viele Vögel einer Art dicht beieinander brüten, bilden sie eine Kolonie. Auch die Robben sammeln sich zur Paarungszeit an einem Strand zu einer Kolonie. Diese Massenansammlungen haben für das einzelne Tier den Vorteil, dass es sich inmitten seiner Artgenossen sicher fühlt.

Krill

Kleine Krebstiere nennt man Krill. Diese Krebstiere leben zu tausenden im Meer. Sie sind die Nahrung der Bartenwale. Die Wale nehmen das Wasser mit dem Krill darin in ihr großes Maul und drücken das Wasser wieder duch die Barten heraus. Die kleinen Krebstiere bleiben dabei in den Barten hängen und der Wal kann sie fressen. Auch viele Fische und Meeresvögel ernähren sich von Krill.

Laich

Die Eier von Fröschen, Kröten und Fischen nennt man Laich. Laich wird in das Wasser abgegeben. Frösche und Kröten befestigen ihren Laich meist an Wasserpflanzen. Fische befestigen ihre Eier je nach Art an Wasserpflanzen oder an Steinen oder sie geben ihren Laich einfach in das freie Wasser ab.

Lamm

Das Junge des Schafes heißt Lamm. Lämmer werden im Frühjahr, im März und im Mai, geboren. Sehr oft bringt eine Schafmutter Zwillinge, also 2 Lämmer auf einmal auf die Welt.

Larve

Bei bestimmten Tieren gibt es ein Entwicklungsstadium, das sich zwischen dem Schlüpfen und dem Erwachsenwerden des Tieres befindet. Dieses Stadium heißt Larve. Oft sieht die Larve anders aus als das erwachsene Tier. Beispiele: Die Raupe wird zum Schmetterling, der Engerling verwandelt sich in einen Maikäfer und die Kaulquappe in einen Frosch.

Mauser

Wenn Vögel ihr Gefieder wechseln, nennt man dies Mauser. Sie verlieren dann eine Menge Federn und kurz darauf wachsen ihnen neue Federn nach. In der Mauser können einige Vögel nicht fliegen, weil sie gerade ihre Schwungfedern wechseln.

Metamorphose

Metamorphose ist die Veränderung bestimmter Tierarten (Amphibien, Insekten, Fische) während ihrer Entwicklung. Meist verläuft diese Entwicklung vom Ei über eine ➪ Larve bis zum fertigen Tier. Die Larve und das ausgewachsene Tier sehen oft sehr unterschiedlich aus.

Nachtaktiv

Tiere, die tagsüber ruhen und nachts unterwegs sind, nennt man nachtaktiv. Ihre Augen sind besonders für die Jagd in der Nacht ausgebildet. Sie sind sehr groß und lichtempfindlich. Diese Tiere verstecken sich am Tag an ihrem geheimen Schlafplatz und warten, bis die Sonne untergeht. Beispiele: Eulen, Fledermäuse, Goldhamster.

Nesselgift

Nesselgift nennt man das brennende Gift der Korallen, Seeanemonen und Quallen. Mit diesem Gift schützen sich diese Tiere, um nicht von Feinden gefressen zu werden. Dieses Gift kann auch für den Menschen schmerzhaft sein, da es Verbrennungen verursacht.

Nestflüchter

Nestflüchter sind Jungtiere, die gleich nach ihrer Geburt oder nach dem Schlüpfen aus einem Ei hinter ihren Eltern herlaufen können. Gänse-, Enten-, Pferde-, Rinder- und Antilopenjunge sind zum Beispiel Nestflüchter. Ein frisch geborenes Antilopenjunges muss sofort aufstehen, um bei der Mutter Milch trinken zu können. Es ist wichtig, dass es mit der Mutter fliehen kann, wenn ein Raubtier angreift.

Nesthocker

Nesthocker sind Jungtiere, die nach ihrer Geburt noch kein Fell oder keine Federn haben. Meist sind auch ihre Augen anfangs noch geschlossen und sie können nichts sehen. Bei den Vögeln gehören die Singvögel und die Greifvögel dazu. Bei den Säugetieren sind beispielsweise die Jungen der Raubtiere Nesthocker. Sie sind zu Anfang auf die Hilfe und das Füttern durch die Elterntiere angewiesen.

Paarhufer

Paarhufer sind eine Ordnung der Säugetiere, deren Füße aus zwei Klauen bestehen. Diese Klauen wachsen immer weiter. Deshalb müssen sie bei einigen Haustieren, zum Beispiel den Kühen, Schafen und Ziegen, geschnitten werden, wenn sie zu lang geworden sind. Beispiele: Wiederkäuer, Kamele.

Passgänger

Passgänger bewegen im Gehen oder Traben gleichzeitig erst beide Beine einer Seite und dann die Beine der anderen. Dadurch haben sie einen schaukelnden Gang. Beispiele: Trampeltier, Dromedar, Bär.

Ricke

Das weibliche Reh nennt man Ricke. Ricken bekommen meist einmal im Jahr ein ➪ Kitz – manchmal aber auch zwei. Das Kitz bleibt bis zum nächsten Jahr bei seiner Mutter.

Rüde

Den männlichen Wolf, Hund, Fuchs, Schakal oder Marder nennt man Rüde. Der Rüde ist im Familienverband für die Versorgung des Weibchens und seiner Jungen zuständig, vor allem, solange das Weibchen die Jungen noch ➪ säugen muss.

Rudel

Eine Gruppe von Wölfen, Hirschen und anderen Tieren nennt man Rudel. Ein Rudel von Tieren hat immer einen Anführer. Das Wolfsrudel wird von einem starken ➪ Rüden angeführt, während das Hirschrudel von einem alten Weibchen geleitet wird.

Rütteln

Wenn Greifvögel in der Luft auf der Stelle mit den Flügeln schlagen, spricht man von Rütteln. Es ist das besondere Kennzeichen des Turmfalken. Er rüttelt, um in aller Ruhe den Boden unter sich nach Mäusen absuchen zu können. Auch der Mäusebussard rüttelt gelegentlich.

Säugen

Ein Muttertier, das seinen Jungen Milch gibt, säugt seine Jungen. In der ersten Zeit des Lebens kann ein junges Tier noch keine feste Nahrung zu sich nehmen und lebt deshalb von der Muttermilch. Die Milchdrüsen des Weibchens befinden sich meist am Bauch zwischen den Hinterbeinen. Es gibt aber Ausnahmen: zum Beispiel haben Affenartige, Elefanten und Meerschweinchen ein Milchdrüsenpaar zwischen den Vorderbeinen.

Schule

Eine Gruppe von Delfinen nennt man Schule. Delfine jagen in solchen Schulen aus ungefähr 20 Tieren hinter Heringsschwärmen her.

Schwarm

Ein Schwarm ist eine Gruppe von Insekten, Vögeln oder Fischen, wenn sie in großer Zahl auftreten. Im Herbst zum Beispiel versammeln sich die Stare zu großen Schwärmen und ziehen gemeinsam in den Süden. Bei den Insekten kennt man besonders den Bienenschwarm, der immer dann entsteht, wenn eine Königin mit ihrem Gefolge den Bienenstock verlässt, um ein neues Volk zu gründen.

Stute

Die Stute ist das weibliche Pferd. Sie bekommt die Jungen, die man ➪ Fohlen nennt. Stuten können einmal im Jahr ein Fohlen bekommen.

Tollwut

Tollwut ist eine gefährliche Krankheit, die durch Viren ausgelöst wird. Auch für den Menschen ist sie ohne eine Behandlung tödlich. Deshalb werden tollwütige Wildtiere, die diese Krankheit übertragen, gejagt. Beispiele: Fuchs, Ratte. Ein tollwütiger Fuchs verliert seine Scheu vor dem Menschen und kommt in die Nähe der Siedlungen. Wenn er hier einen Menschen oder ein Haustier beißt, kann sich die schreckliche Krankheit ausbreiten. Deshalb darf man niemals einen Fuchs anfassen, der wie ein zahmes Tier auf Menschen zukommt. Stattdessen muss in so einem Fall die Polizei oder ein Jäger gerufen werden. Man kann allerdings gegen die Tollwut eine Impfung bekommen, die den Körper gegen diese Krankheit widerstandsfähig macht. Vor allem Hunde, Katzen und andere Haustiere, die draußen herumlaufen, müssen geimpft werden, weil sie einem kranken Fuchs begegnen könnten. Auch die Füchse selbst werden bei uns erfolgreich geimpft, indem man für sie in den Wäldern Köder mit dem Impfstoff auslegt.

Trächtigkeit

Die Trächtigkeit ist die Zeit der Schwangerschaft eines Tieres. Bei den verschiedenen Tierarten dauert diese Zeit unterschiedlich lang. Bei kleinen Tieren, wie zum Beispiel den Mäusen, werden die Jungen nach einer deutlich kürzeren Trächtigkeit geboren als bei größeren Tieren.

Unpaarhufer

Unpaarhufer sind Tiere, deren Füße als Hufe ausgebildet sind. Beispiele: Pferde, Tapire, Nashörner. Hufe bestehen aus Horn und wachsen immer nach. Durch das Laufen auf hartem Untergrund nutzen sie sich ab. Deshalb bekommen Pferde Hufeisen, die alle 6–8 Wochen erneuert werden.

Waben

Die Brutkammern der Bienen, Wespen und Hummeln nennt man Waben. Hier legen sie ihre Eier hinein, aus denen später die ⇨ Larven schlüpfen. Die Larven werden dann von dem gesamten Volk gepflegt und gefüttert. Die Brutkammern bestehen aus Wachs.

Wachshaut

Die Wachshaut ist die nackte Haut oberhalb des Schnabels von Wellensittichen. Bei den männlichen Wellensittichen ist diese Haut blau und bei den weiblichen rosa. So kann man Wellensittichmännchen und -weibchen voneinander unterscheiden.

Wechselwarm

Tiere, die ihre Körpertemperatur nicht selbst steuern können, haben immer dieselbe Temperatur wie ihre Umwelt. Solche Tiere nennt man wechselwarm. Ein lebendiger Körper braucht warmes Blut, damit er gut funktioniert, zum Beispiel, damit er sich schnell bewegen und rasch reagieren kann. Säugetiere, auch wir Menschen, und Vögel haben von Natur aus warmes Blut. Echsen und Amphibien zum Beispiel haben kaltes Blut und müssen sich deshalb von Zeit zu Zeit in die Sonne legen, um Wärme zu »tanken«.

Welpe

Das Junge von Wölfen, Hunden und Füchsen heißt Welpe. Die Welpen werden meist im Frühjahr geboren und können, wenn sie gerade auf die Welt gekommen sind, noch nicht sehen. Sie werden in der ersten Zeit von dem Muttertier gesäugt (⇨ Säugen) und später von ihm gefüttert.

Wiederkäuer

Wiederkäuer sind Tiere, die ihre Nahrung nach dem Hinunterschlucken nochmals hochwürgen, durchkauen und wiederum hinunterschlucken. Diese Tiere haben 4 Mägen und gehören alle zu den ⇨ Paarhufern. Beispiele: Rind, Hirsch, Antilope.

Winterruhe

Winterruhe ist ein schlafähnlicher Zustand, in dem einige Tiere die kalte Jahreszeit verbringen. Die Tiere schlafen zwar, ihre Körpertemperatur sinkt dabei aber nicht ab. Zwischendurch erwachen sie, um zu fressen. Ihre Nahrung sind dann Vorräte, die sie irgendwo in der Nähe ihres Schlupfwinkels versteckt haben. Das Eichhörnchen, der Dachs und der Bär zum Beispiel halten Winterruhe.

Winterschlaf

Tiere, die im Winter keine Nahrung finden, halten Winterschlaf. Dabei sinkt ihr Blutdruck, ihr Stoffwechsel und ihre Körpertemperatur. Sie bekommen also keinen Hunger und schlafen durch bis in den Frühling. Wenn sie im Frühjahr aufwachen, haben sie sehr großen Hunger. Dann fressen sie von dem Wintervorrat, den sie sich im letzten Herbst in ihrer Höhle angelegt haben. Winterschläfer sind zum Beispiel das Murmeltier, der Siebenschläfer, das Ziesel und der Igel.

Zugvogel

Vögel, die den Winter in südlichen Gebieten verbringen und im Frühling zu uns zurückkehren heißen Zugvögel. Sie fliegen in den Süden, weil sie im Winter bei uns keine Nahrung mehr finden. Im Winter gibt es in unseren Breiten zum Beispiel keine Insekten. Deshalb muss die Schwalbe, die sich nur von Mücken und Fliegen ernährt, im Winter in Länder fliegen, in denen es auch im Winter Insekten gibt. Zum Brüten kehrt die Schwalbe dann wieder zu uns zurück. Weitere Beispiele: Mauersegler, Graugans.

Zwitter

Zwitter sind Tiere, die sowohl männliche als auch weibliche Keimzellen haben, also gleichzeitig Männchen und Weibchen sind. Beispiel: Nacktschnecke.

Bildnachweis

Angermayer: 9 (o.), 17, 26 (r.), 28 (r.), 29 (l.), 31 (l.), 50 (l.), 59 (l.), 63 (l.), 64 (r.), 67 (r.), 73 (l.), 91 (r.), 92 (r.), 94 (l.), 97, 98, 100 (r.), 105 (l.), 112 (l.), 123 (l.), 125 (o.), 126 (l.), 131 (l.), 136 (o.), 150 (r.), 160 (r.), 161 (r.), 162 (l.), 184 (r.), 204 (r.), 206 (r.), 207 (r.), 218 (r.), 221 (l.), 223, 231 (r.)
Archiv Dr. Christian Zentner: 7 (l.), 15 (l.), 29 (r.), 30 (l.), 32, 38 (l.), 43 (r.), 61 (r.), 79 (l.), 88 (l.), 95 (r.), 108 (r.), 125 (Mitte), 126 (r.), 127 (l.), 135 (l.), 153 (l.), 156 (r.), 166 (r.), 179 (l.)
Bannister: 174 (r.)
Becker: 135 (r.), 136 (l.), 144 (r.), 158 (r.), 199 (l.), 218 (l.)
Birmingham Zoo: 104 (r.)
Corel Professional Photos: 8 (l), 10 (r.), 11, 12 (r.), 13 (l.), 16, 18 (l.), 19 (r.), 20, 21 (r.), 23 (l.), 25, 26 (l.), 27, 28 (l.), 34, 35 (l.), 36, 37 (l.), 39 (r.), 40 (r.), 41, 42 (r.), 43 (l.), 44, 45, 46, 47, 48 (r.), 49 (l.), 50 (r.), 51, 52, 53 (l.), 54, 55, 57, 59 (r.), 61 (l.), 62 (l.), 63 (r.), 64 (l.), 65, 66, 67, 68 (r.), 69, 70 (r.), 71 (r.), 72, 73 (r.), 74 (l.), 75, 76 (l.), 77, 78 (r.), 80, 81 (r.), 82 (r.), 83, 84, 85 (l.), 86 (r.), 87, 88 (r.), 89, 90, 91 (l.), 92 (l.), 93, 95 (l.), 96 (l.), 99 (r.), 100 (l.), 101, 102, 103, 104 (l.), 105 (r.), 106, 107, 108, 109 (l.), 110, 111 (r.), 112 (r.), 113 (l.), 115 (r.), 116, 117, 118, 119, 120, 121 (l.), 122 (l.), 123 (r.), 124, 125 (u.), 127 (r.), 128, 129 (l.), 130, 131 (r.), 132, 133, 134, 137 (r.), 138, 139, 140, 141, 142, 143, 145, 146, 147, 148 (r.), 149, 150 (l.), 151, 152, 153 (r.), 154, 155, 156 (l.), 157 (r.), 158 (l.), 160 (l.), 162 (r.), 163 (l.), 165, 166 (l.), 167, 168, 169, 170, 171, 173, 174, 175 (l.), 176, 177, 178, 179 (r.), 180, 181 (r.), 182 (r.), 183, 184 (l.), 185, 186 (l.), 187, 188, 189, 190, 191, 192, 193 (r.), 194 (l.), 195, 196, 197, 198, 200, 201, 202, 203, 204 (l.), 205, 206 (l.), 207 (l.), 208, 210 (l.), 211, 212, 213, 214, 215 (r.), 216, 217, 221 (r.), 224, 225, 226, 227, 228, 229, 230 (r.), 231 (l.)
Dagner: 12 (l.), 13 (r.), 19 (l.), 30 (r.), 31 (r.), 35 (r.), 37 (r.), 38 (r.), 40 (l.), 42 (l.), 48 (l.), 58 (l), 70 (l.), 78 (l.), 79 (r.), 81 (l.), 85 (r.), 86 (l.), 96 (r.), 99 (l.), 109 (r.), 114 (l.), 129 (r.), 161 (l.), 193 (l.), 219 (l.), 220 (r.), 230 (l.)
Dalton: 122(r.)
DTHW: 68 (l.)
Fogden: 60 (l.)
Goodman: 82 (l.)
Gradias: 94 (r.)
Internet: 7 (r.), 10 (l.), 22 (r.), 33 (l.), 39 (l.), 58 (r.), 60 (r.), 62 (r.), 71 (l.), 111 (l.), 113 (r.), 114 (r.), 115 (r.), 121 (r.), 157 (l.), 159, 172 (l.), 175 (r.), 181 (r.), 186 (r.), 188 (l.), 194 (r.), 199 (r.), 215 (l.), 219 (r.), 220 (l.)
IPO: 33 (r.), 148 (l.)
Jacobi: 74 (r.)
Jansson: 53 (r.)
Jashnowski: 22 (l.), 210 (r.)
Jern: 137 (l.)
Kaser: 15 (r.), 163 (r.)
Löhlein: 144 (l.)
Prenzel: 8 (r.)
San Diego Zoo: 49 (r.)
Scheffzyk: 182 (l.)
Seltz: 24 (l.)
University of Indiana: 18 (r.)